Ma.K. in SF3D ARCHIVE

2010.3-2011.2 vol.1

著者：MAX渡辺／横山宏

CONTENTS

※記載されている価格表記はすべて税抜きとなっています。

※掲載内容は本誌掲載時のものから
再掲載用にリファインされているため表現の異なる箇所がございます。

Sep.2010 No.007

Oct.2010 No.008

Nov.2010 No.009

Dec.2010 No.010

Jan.2011 No.011

Feb.2011 No.012

2807年に勃発した第4次世界大戦は
かろうじて生き残った人々の居住さえ許さぬ迄に地球を破壊してしまった。
生き残った僅かな住民はすべて他の植民星へと去り、
地球に残された他の高等生物も大部分が死滅し、
地球は太古の姿へと戻っていった。
大戦の終結から48年、銀河系連邦の派遣した調査隊は、
地球の自然環境が人類の居住可能な状態まで復していることを報告した。
第1次植民団の到着から十数年の月日が流れ、
地球にもいくつかの小都市が建設された。
一方その間、銀河系の全域から犯罪者、脱走兵、政治犯など
社会からドロップアウトした者達が地球を恰好の避難所とばかりに集まって来た。
それに対して銀河連邦は地球の委任統治権をシュトラール共和国に与えた。
地球に到着したシュトラール軍警察と外人部隊は、
圧倒的に優れた兵器と組織力、機動力をもって
匪賊団、ごろつきを一掃した。と同時に地球の住民の自由を束縛していった。
2880年頃からシュトラール軍に対するテロ行為が始まり、
戦争の臭いを嗅ぎつけた犬達、即ち傭兵達が続々と地球に入植してきた。
2882年。遂に地球は独立を宣言した。シュトラール軍は素早くそれに対応した。
直ちに傀儡政権を立て、反乱鎮圧のためと称し戦闘部隊の出動を要請させた。
それを受けて地球独立・傭兵軍側はシュトラール軍に宣戦布告した。
こうして地球独立戦争は始まった。そして両軍の繰り出す新兵器は
戦闘の新しいスタイルを生み出していった。

シミュレーションゲーム『S.F.3.D. ORIGINAL』(1984年)ルールブックより抜粋

Maschinen Krieger
Ma.K. in SF3D
1982 ▶ 2018

かつて『SF3D』という連載があった。その突然の連載中断から25年。『SF3D』は『マシーネンクリーガー(Ma.K.)』と呼び名を変えた。2010年、ホビージャパンにて『Ma.K.』連載がスタートする。題して「Ma.K. in SF3D」。連載の軸足は『Ma.K.』のキットそのもの。原作者横山宏監修のもと、プロモデラーMAX渡辺が連載をプロデュース。既存キットをもとに、ユーザー視点から『Ma.K.』の世界に切り込む新連載「Ma.K. in SF3D」、ここに開幕!!

SF3D to Ma.K. A brief history of Maschinen Krieger

構成／ホビージャパン編集部

1982年4月25日発売の「月刊ホビージャパン」5月号に、ひとつの記事が掲載された。

タイトルは「SF-3D オリジナル」。誌面には「イラストレーション＆製作・横山宏」のクレジット。そして、特集「すばらしき駄物キット」内の記事でありながら、燦然と輝く「連載.1」の文字。これが、『SF3D』そして『マシーネンクリーガー(Ma.K.)』の第1歩であった。

連載では横山氏が作例を製作し、市村弘氏がストーリーを執筆するという体制が敷かれた。またデザインは故・今井邦孝氏、情景写真の特撮は小野寺宏友氏が担当している。

1983年7月には、別冊「SF3Dオリジナル」を刊行。こちらは連載第1回のAFSから第15回のクレーテまでの内容を再構成したもので、コンラート・アムゼルを主役とする「SF3Dオリジナル背景設定小説」や横山氏による描き下ろし戦闘劇画などが掲載されている。

本誌1983年10月号では1:20「AFS Mk.I」と「P.K.A.-H～O」のプラスチックキット化が発表。翌年1984年1月に日東科学より1:20「A.F.S. Mk.II」が発売となる。雑誌連載からのプラキット化は、当時であっても極めて稀であり、当時の人気の程がうかがえる。日東からはその後「P.K.A.HO型」、「A.F.S.Mk.I」と発売が続く（最終的には翌年8月までに21種＋「1:6 SAFS」が製品化された）。ホビージャパン誌面では横山氏の指示による金型改修が話題となるなど、常に最新情報が掲載されていく。

しかし同じ1984年7月、市村氏をはじめとする編集部スタッフがホビージャパンを退社。11月には市村氏を編集長に大日本絵画より「月刊モデルグラフィックス」が創刊され、横山氏は同誌上で『SF3D』とは無関係のオリジナルストーリー『マシーネンクリーガー・ブレッヒマン』の連載を開始する。ホビージャパンでの『SF3D』の連載も継続し、1984年12月号からは揚田幸夫（あげたゆきを）氏が作例製作に参加。1985年11、12月号では小林誠氏による作例も掲載されている。とはいえ編集者、デザイナー、カメラマンのすべてがいなくなった状態での継続は困難であり、1985年11月25日発売の月刊ホビージャパン1985年12月号にて、『SF3D』は突然の休載が発表された。プラキットを展開していた日東科学も、本社社屋の全焼や売れ行きの不振によりこの年模型メーカーとしては廃業。同時期に『ブレッヒマン』も連載が終了、『SF3D』の火は消えたかと思われた。

1.記念すべき連載第1回、HJ本誌'82年5月号の記事。モノクロ4ページに加えて、カラー約1/2ページという構成。当時のホビージャパンはカラーは全部で12ページしかなかったのだ
2.1983年刊行のホビージャパン別冊「SF3D オリジナル」。プロップ製作には渡辺誠（MAX渡辺）氏が参加している。当時の『SF3D』の表記は、ピリオドが付いたり付かなかったり、付いていてもDの後にはあったりなかったりととてもマチマチ。本連載では『SF3D』表記で統一。『マシーネンクリーガー』は『Ma.K.』とします
3.HJ本誌'85年12月号に掲載された、連載休止のお知らせと横山氏のイラスト
4.「月刊モデルグラフィックス」1999年2月号の表紙。あさのまさひこ氏プロデュースで全37ページのまさしく総力特集で、『Ma.K.』としての復活を強くアピールした

時は流れて1994年、再建された日東科学教材は『SF3D』の再販を企画。原作者およびホビージャパンに版権許諾を願い出た。しかしホビージャパンの佐藤光市社長がその申請を拒否したことで、以後1999年に和解が成立するまで、日東、横山氏とホビージャパンの意匠権と商品化権を巡る裁判が続けられることとなった。

一方で裁判の結果を待つことなく日東は旧『SF3D』商品を『Ma.K. ZbV3000 Maschinen Krieger』のタイトルで、1998年より再販を開始。1998年12月25日発売の「月刊モデルグラフィックス」1999年2月号では、「[巻頭総力特集] 横山 宏、そして「マシーネンクリーガー」という物語」と題した大特集を掲載。横山氏も最新デザイン「スネークアイ」を発表、堂々たる復活となった。その後も2000年6月号、2001年3月号と特集を組んだ後、『マシーネンクリーガー(Ma.K.)』は「モデルグラフィックス」誌上にて連載コーナー化を果たしている。その傍ら、大日本絵画からは「マシーネンクリーガーvol.1 クロニクル＆エンサイクロペディア」を皮切りに各種ムック、書籍を刊行、『Ma.K.』の掲載媒体としての存在感を発揮している。

2002年、ガレージキット＆インジェクションメーカーのウェーブは、日東のファイアボールに新規パーツを追加、「ファイアボールSG」としてキット化し、『Ma.K.』市場に参入を果たした。同社は2006年12月末には「ルナポーン」を完全新規金型で製品化。その後も精力的なキット展開を続けている。また2008年に旧日東の全金型は原作者である横山氏に譲渡され、再販シリーズは横山氏自身が企画する「3Q MODEL」と名付けられたが、この製造・販売もウェーブが手掛けている。

2004年にはMAX渡辺率いるマックスファクトリーが1:16「スネークアイ」を彩色済み完成品で製品化。現在はラインナップは中断しているが、MAX渡辺の新たなる目標は次ページからの対談にて語られている。

そして2008年2月のドイツ・ニュルンベルク・トイフェアで、スケールモデルメーカーのハセガワが突如『Ma.K.』参入と「ファルケ」のキット化を発表。5月の静岡ホビーショーではスケールが1:20であることが発表された。キットは2009年3月に発売となり、市場に好評をもって迎えられた。さらに同年12月には1:35という新たなるスケールにて「ルナダイバー スティングレイ」をキット化している。

そして2010年。ホビージャパンで「Ma.K. in SF3D」が連載開始。これまでもウェーブやハセガワの新製品が誌面に掲載されることはあったものの、「連載」という形では、実に25年ぶりの復活となる。

ウェーブ1:20「S.A.F.S.」パッケージのひみつ

2010年1月発売のウェーブ『Ma.K.』シリーズ新作、完全新金型による1:20「S.A.F.S.」(P.013より作例を掲載)。そのパッケージイラスト（右）にもしデジャヴュを感じた方がいたら、その人はエライ。

実はこのイラスト、1984年にホビージャパンが発売したボードシミュレーションゲーム『S.F.3.D ORIGINAL』のパッケージ（左）の、「5秒後」を描いているのだ。ほらほら、ゲーム版で手前にいるSAFSが、ウェーブ版では画面奥に移動しているでしょ。後ろではやっぱりクレーテが燃えてるし。『Ma.K.』が紡ぐ「今」が、『SF3D』が作り出した「過去」からの連続の中にあることを示したい、という横山氏の意思が籠められているイラストなのだ。

ホビージャパン『S.F.3.D. ORIGINAL』パッケージ(1984)（左）
ウェーブ「S.A.F.S.」用パッケージイラスト(2009)（右）

KOW YOKOYAMA × MAX WATANABE

横山宏&MAX渡辺 新春マシーネン放談 | Mar.2010 | No.001 |

ファン1号ってことでよろしいでしょうか？

横山宏（以下横山）：渡辺くんと出会ったのは、なんせ30年くらい前のことなんですね。30年っていったら人生の半分以上かそこらあるわけですからね。渡辺くんと出会ってもう、人生の半分以上の時間が過ぎてるわけ。すごいでしょ？　で、そもそもさ、ホビージャパンのライターとしては渡辺くんのほうが、俺よりもずいぶん前からやってたんだよね。
MAX渡辺（以下MAX）：そうですね。横山さんより数年前からやってましたね。18歳でデビューしたんで今年でライター生活30周年なんですよ（笑）。
横山：兄さん芸人なんで。あのー、渡辺兄さんと呼ばせていただくということで。
MAX：またそういうことを、勘弁してください（笑）。
横山：俺が大学卒業して、就職しないで好き勝手なことやってたときにですね、松本州平くん（註1）から、ホビージャパンに入社した友達が模型を作る人を探しているから俺のことを紹介しといたで、って。それが市村弘くん（註2）で、その時に市村くんが担当したのが、ホビージャパンの特集「すばらしき駄物キット」（註3）。"駄物"っていうのも失礼なんですけど、駄菓子屋さんみたいなキットっていう、リスペクトも含めた呼び方でしょうね。それを弄ってカッコ良くする、みたいな企画で、ミクロマンのヘッドの部分を使って、カッコイイものにしてくださいって。
MAX：オーダー自体は具体的にそれだけだったんですか？
横山：うん、そんだけ。カッコ良くするなら簡単なんで、ここをこうしてこうしてみたいなんで作ってって。でもさ、あの企画の意図として、何にも後に残らないようにはできないわけだよね。ヘルメットのフェイス部分はスタジオぬえの人たちがデザインしたことを聞いてたので、じゃあこれはぬえさんに敬意を表して、残しましょう、みたいな感じであの「AFS」を作ったんです。それで、自分としてはそれを将来、商品にするとかまったくその当時考えていないですから、当然ながら、今そこの残してる部分はオリジナルじゃないじゃないか、って言われることもあるんですけど、まあそういう部分っていうのは、えー…しょうがないよね。
MAX：全然OKですよ（笑）。
横山：そういうわけで、連載の予定も無い一発だけの記事のはずだったんですけど、ホビージャパンの社長（当時）の佐藤光市さん（註4）が、俺が作った「AFS」を見て、「これは連載ですよ!!」っていきなりその場で決めちゃったの、その瞬間に。見た瞬間。うちで連載してくださいねってね。ああそうか、これ連載すんのかって。
MAX：嘘みたいな話にしか聞こえませんね（笑）。
横山：もう天才のひらめきですよ、言わばね。自分が欲しい、俺だったらこうするよな、ってことで作ったものを、いいオヤジがこんなに喜んでくれるんだったらこれは面白いなってその時思いましたし、そのどこがいいか直観的に分かる人ってのがいるんだってこともわかりました。まあその後付き合っててこの人は商売の天才だな、と。人格的にはどうなのか分かんないけど（笑）。天才にそこで会ったんですよ。それでその時に、「HOW TO BUILD GUNDAM 2」（註5）を見せてもらって、渡辺くんが作ったザク（註6）を見たのかな。
MAX：あー、そうなんですねぇ。
横山：そこで渡辺くんのことを知ったんですよ。で、結局その後直接会うまではしばらくあったんですけど、編集部で最初に、とかだったよね？
MAX：確か編集部で一度会って、住んでるとこどこ？　っていう話になって。
横山：近いじゃない、じゃあ、ってことで、東京府中のムラタ模型さん近く、団地の一角にあったアパートのお部屋に遊びに行ったんですよ。
MAX：当時模型を心置きなく作れる場所が欲しくって、取り壊しの決まっていたボロアパートを借りていたんですね。そこで近所の模型好きが夜な夜な集まってはワイワイと模型作っていたんです。そこに横山さんが遊びに来て「あ、これええね。頂戴」って。
横山：そうそう、『SF3D』やってることは知ってたから、「渡辺くん、このパーツ頂戴？」って言って。ジャンクボックスに壊れたF1の塗装済みのやつがあるんで、それを頂戴って言ったら、「いいっすよ！」って言ってくれて。ブラバム（註7）の完成品とかその他F1のパーツをゴソッと貰ったのね。で、その後に連載の中でそれを使って作品作ってるの。流用パーツなんだけど、なんか塗装済みで（笑）。なぜ塗装済みのエンジンがここにあるのか、っていうのが長い間謎だったんだけど、渡辺くんから貰ったやつをそのまま組んでんだよ。そっからなんか、当時は『SF3D』ですけど、その作品の後輩の理解者として、付き合いが始まったんですね。
MAX：夜中に、自転車やらバイクで横山さんのところにお邪魔して色んなお話をさせてもらうのが楽しくて楽しくて。もう横山さんの迷惑も省みず通ってましたよね。ある日「サインいただけますか？」って言ったら、ほんっとに、もうビックリするくらい、これはサインじゃないっていう一品モノのイラストレベルで、延々何時間もかけてカラー色紙を描いてくれて。
横山：ホルニッセだったよね。渡辺くんは、俺がサインしてあげたら泣いて喜んでくれたんですよ。こんな良い人がいるんだったら、いくらでもサインしてあげるよと。
MAX：いや、泣けますって……今でも宝物ですよ。
横山：絵描くの好きなんですよ。そういうのもあるんで、その、渡辺くん、ファン1号ってことでよろしいでしょうか？（笑）
MAX：よろこんで（笑）。

ホビージャパンにやっていただけるのは全然ありがたいことなんですよ

横山：『マシーネンクリーガー』って名前で再開してから、もう12年になるんだよね。今は、ウェーブさん、ハセガワさんっていう2社のプラモデルメーカーから、インジェクションモデルとして商品をたくさん供給してもらっている状況です。で、それ以前にも渡辺くんとこから完成品としての「スネークアイ」とかも出してもらったりしてる。でね、今供給してもらっているアイテムの数がもうね、記事を紹介してファンにきちんと伝える量をフローしてる。超えてんのね。そして、どうしたらこれをきちんと伝えられるのかって悩んでたんですね。
MAX：ホビーショーの会場だったかなぁ、HJの星野局長と村瀬編集長（当時）に「Ma.K.、いやSF3D、HJでやろうよ。もういいかげんほとぼりも冷めてるしいいんじゃない？」と持ちかけたんです。そしたら彼らが驚いたことにその場で「やりましょう！」って（笑）。じゃあ横山さんに聞いてみようって。
横山：うん。渡辺くんから電話で「ホビージャパンでマシーネンやっても良いっすか？」って。じゃあ渡辺くんがやってくれんだったらやって、っていう感じだったんです。
MAX：で、この連載が決まったわけですねぇ。
横山：あの、以前ホビージャパンと僕はですね、これの著作権についてのことで、裁判してるんですよ（註8）。なんていうんですかね、恩知らずなことにそのホビージャパンの社長をですね、俺は…告訴して（笑）。被告・佐藤光市さんにしてるんでね。まあそれはそれで、あの?…。
MAX：どう書くか、いやどう書いてもヒジョーに難しいですよね（笑）。
横山：過去、著作権のことで裁判なんかがあったんだけど、当然裁判は和解して終わってるわけですよ。メンタルな部分に関しては別に読者は関係無いことだし、第一、当事者で現在これに関わってるのはもう自分しかいないんで、著作権の部分での線引きがきちんとなされている。となれば、そこで問題起きるわけないんだから、メディアとしてホビージャパンにやっていただけるのは全然ありがたいことなんですよ。しかも、ここまでやって来たおかげもあって、こういうコンテンツ自体をどう伝えていってもらうのがいいかっていう提案がかなり叶えてもらえるんですね。そうなったら、どこでどういう風にやってもらったとしても、その中でできることと、そこの特性さえ活かせば、今の既存のお客さんはもちろん、新しいお客さんにも知ってもらえる、届けられるってね。
MAX：違和感なく、ですよね。

『SF3D』『Ma.K.』原作者、横山宏先生が実に25年ぶりにホビージャパン誌上に登場。新連載「Ma.K. in SF3D」について、連載プロデュースのプロモデラーMAX渡辺氏と熱く語り合った。何故今ホビージャパンで連載開始なのか、その意味の一端が明らかになる!!

横山:うんそうそう。そう言いながらマーケット広げるって気はまったく実は無い。
MAX:おいおい(笑)。
横山:本当それは、もう…なんだろな、カッコつけてるとかじゃなくて、なぜ無いかというと、こういうものって規模が大きくなればなるほど、自分のコントロールできなくなる部分があるんだよね。それはやっぱし、避けたいのよ。
MAX:それは良くわかります。
横山:マーケットがむやみに広がってって、コントロールできなくなったら困るんだよ。その辺は、俺が納得するまで形にしてこなかったっていうのは、良かったと思うんだよね、ファンの人にとっても、うん。

1:12がやりたいんですよね

横山:もし渡辺くんとこがプラモデルとして作るんだったらさ、どんなサイズ、どういうものがやりたい?
MAX:今だったら1:12がやりたいんですねぇ。
横山:1:12はあれでしょ? 渡辺くんとこのラインで持ってるなんかあるんでしょ?
MAX:「figma」っていう完成品シリーズがあるんですけど、それの技術を入れて、figmaのパイロットが着込めるやつとか作りたいなぁって。妄想ですけど。
横山:1:12は数字的に1:6、この間トイズ・マッコイから出たやつ(註9)の半分のサイズになるから、非常に計算しやすいわな。
MAX:そうですね。あれも既にあるから、開発とかもやりやすくなった気がするんですよね。
横山:1:12だと、いいよ、うん。それじゃ1:12で作って。1:12のサイズの模型って、F1であったっけ?
MAX:F1モデルのデカイのは1:12ですね。
横山:じゃあ、全然アリなわけだ。
MAX:スーツだと絶妙なボリューム感でいいサイズになると思いますよ、1:12。
横山:そうそうそう。違うサイズで俺が触れてみたいっていう願望。自分が作ったことが無いサイズっていうのは本当にね、立体的なこう、処女の状態ですから、あ～んってなっちゃう。触った瞬間に(笑)。
MAX:こらこら(笑)。実現できたらいいなぁ1:12……。

それの、仕返しにきたみたいな

横山:あのね、ある意味今俺がやってる、例えば「SAFS」キットを出すこと自体が、26、7年前に俺ができなかったことをすべてこう、叶えてもらってる。1個1個俺の夢が叶ってるっていうことなんで、それは真剣に付き合いますよね。でも、25年間、30年間ぶっ通しっていうわけじゃなくて、途中長いインターバルに入ってるんで、それがまた良かったんだよね。突然連載を終了したとともに、そこでマンモスの氷河漬けみたいな状態になって(笑)。そういう意味でもホビージャパンの社長に感謝しなきゃいけないんだよなぁ。
MAX:モデルグラフィックスが創刊される騒動のときに僕はHJに残ったじゃないですか。一応横山さんはしばらく両誌でやられてたけど『SF3D』のほうはフェードアウトになっちゃいましたしね。
横山:そうなんだよね。そういうのもあって、やりたかったこと、やり残したことってやっぱ俺の中でもいっぱいあるんで、それの、仕返しにきたみたいな(笑)。
MAX:またそういうこと言う(笑)。
横山:本当、M-1グランプリ的に言うと、「忘れ物を取りにきました」っていう感じですよね。今の自分の知識と技術、模型界が蓄積してる事実とかプラットフォームとかもすごいんで、いや、幸せだなぁと思いますよ。
MAX:幸せですよ。僕は横山さん、世界で一番幸せなモデラーだと思ってますもの。で、僕は2番(苦笑)。
横山:ねぇ。30年前だったらできてないことだらけですもん、全部。過去に戻って30年前の自分にこれを教えてあげたいと思いますよ。こういうことを見越してた佐藤光市さんちゅうのは、やはり本能的だと。
MAX:ハイ、ホントそうだと思います。
横山:やっぱ天才だよ。
MAX:模型を作りたいなとか、模型に興味を持ってる人にとって、マシーネンに触れるというかマシーネンに興味を持つってことは、多分今一番幸せなことですよ、これはもう間違いなく。
横山:そうだよね。「面白いからやってみるとええがなっ」てとりあえず言ってるんだけど、やっぱね、そうやって今触れてみようと思ってくれてる人がいるわけだから。その人たちをね、こう暖かくお迎えして、マシーネン中毒患者になってもらって縛っていく(笑)。マシーネン世界征服計画じゃないですけど、本当に今、多くの人にメッセージ伝えてもらいたいんだよね。
MAX:今って第2次、いや第3次ブームという感じなんでしょうか?
横山:て言うか、それこそこれが本当の、始まりなんじゃないですかね? 今までのやつは、その規模からするとブームとは言ったって、好きな人で固めてただけだから。
MAX:ついに来るべき時が来たっていうとこですかね。
横山:うん。だからここからが試される部分じゃないかな。でも俺、自信があるんだ、これ100年後に必ず残ってる形だって。だから細かい設定とかもホントは必要無いの。もう芸術っていうのもおこがましいんですけど、芸術って定義したときに、商業的目的じゃなく作者の情熱によって欲しいもの、みたいな定義ってあるのね。そうするとね、俺はこれ売れようが売れまいが知ったこっちゃ無いんで(笑)。
MAX:メーカーさんが聞いたら泣きますよ、さめざめと(苦笑)。
横山:俺がこの模型が欲しいから作ってもらってるんで。売れますか? って聞かれると、いや、俺わかんないですよ、みたいな(笑)。売れるかどうか分かんないけど、俺が欲しいっていう、つまりそのワンコンセプトだけですから。
MAX:それは全然間違ってないですよね。だからこそ今があるって思います。
横山:そういったときに、僕も欲しいって言ってくれる第1号が渡辺くんだったりするんで。「渡辺くんこれ欲しい?」って聞けば、もう言うまでもなく欲しいって答えてくれると思うんですね。
MAX:そうですよね。そうだ、そういう意味でも、僕がある意味、"不肖の弟子第1号"でもあるわけですね。
横山:そうだよ。キットパーツ巻き上げといて、「おい、渡辺、もらっとくからね」って、すごくとんでもない先輩なんですけど、まあそういうもんだよね、先輩っていうのはね。もう本当は芸人として、というか模型芸人としては渡辺兄さんなんだけれども(笑)。
MAX:オアトがよろしいようでぇ?(笑)

(2010年1月ホビージャパンにて収録)

註1:プロモデラー。'80年代初頭ホビージャパン誌上にて活躍。ドライブラシ技法や「改造しちゃアカン」などのセリフで知られる。
註2:「月刊モデルグラフィックス」初代編集長。現株式会社アートボックス社長。『SF3D』のプロデュース、文芸を担当した。
註3:月刊ホビージャパン1982年5月号の特集記事。100円の飛行機キットや1:76の戦車作例、川口克己氏(名人)による『Dr.スランプ アラレちゃん』リブギゴなども掲載されていた。
註4:ホビージャパン創業者にして初代社長、前会長。
註5:「HOW TO BUILD GUNDAM」の人気を受けてガンプラブーム真っ最中の1982年に発売。2009年復刻版が弊社より刊行された。
註6:1:60スケールのザクマインレイヤー。
註7:タミヤのプラバムBT46アルファロメオのこと。このときのエンジンは「マシーネンクリーガー・プロファイル1 ファルケ」(大日本絵画・刊)によるとオスカル(HJ'84年2月号掲載)に使用されたそうだ。
註8:弊社と横山氏、日東科学教材の間での『SF3D』に対しての意匠権と商品化権を巡る裁判。日東科学教材の再建による『SF3D』再販の申請を巡り1994年から5年間争われたが、1999年和解。
註9:1:6スケール、全高約40cmのSAFS。2009年11月発売で、価格は105000円。

横山宏 1956年生れ。イラストレーター、モデラー。『SF3D』、『Ma.K.』の原作者。

MAX渡辺 1962年生れ。プロモデラー。ホビーメーカー「マックスファクトリー」代表。

LUNADIVER STINGRAY

HASEGAWA 1:35 SCALE PLASTIC KIT
MODELED BY MAX WATANABE

| Mar.2010 | No.001 |

記念すべき連載第1回、まずはハセガワの新製品1:35「ルナダイバー スティングレイ」をお届け。
HJ本誌久々の作例となったMAX渡辺の、一遍に3機も作ってしまったその意気込みをご覧あれ。

ハセガワ 1:35スケール プラスチックキット
ルナダイバー スティングレイ

製作・解説・文／MAX渡辺

『Ma.K.』ファン待望、垂涎のニューキット、1:35「ルナダイバー スティングレイ」がついにリリースされました。これまで1:20を中心に展開して来た同シリーズ、1:35スケールでの“インジェクションキット”は『Ma.K.』、『SF3D』のこれまでの歴史上初めてのことなのですね。

このルナダイバー、横山さん本人の手によるデザインおよびオリジナル立体作品の初出発表は2001年のこと。ですから、これはもう“8年越しの快挙”なのであります。

さて、今より少し前, 最初の衝撃が走ったのは2008年。なんとあのハセガワ様が『Ma.K.』に参戦!!?　しかも往年の『SF3D』ファンにとって25年もの間、ノドの奥に引っかかったまま抜けなかった魚の骨（なんだそれ？）、永遠に失われた（かに思われた）ジグソーパズルの1ピースのごときあの「ファルケ」!!

興奮は頂点、もう嬉し過ぎて涙で前が見えませんでした。しかし……これだけで騒ぎは終らなかったのです。『Ma.K.』史的には後期デザインと言えるこのルナダイバーが発売されたことで、未来が、“その先”が見えて来たのです。連載当時、最高クラスの人気を誇っていたファルケが満を持して発売され、一旦、過去の『SF3D』を清算することが出来た。そして……。

そんな風に捉えてみると、このルナダイバーの発売の意味はとても大きいのではないかと思うのです。そしてキットの出来は期待に違わぬ素晴らしいものでした。

第241戦隊S中隊
“グールスケルトン”機

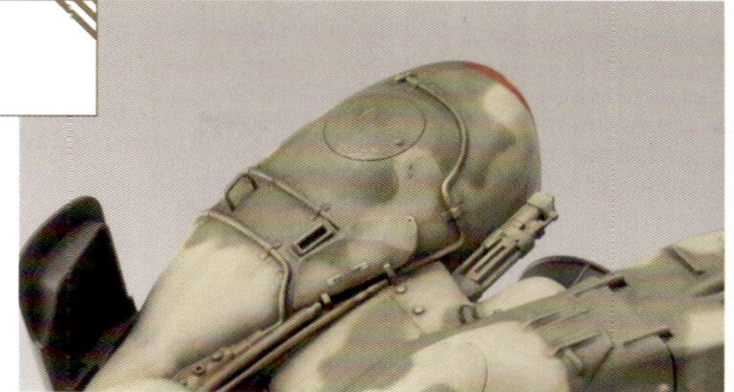

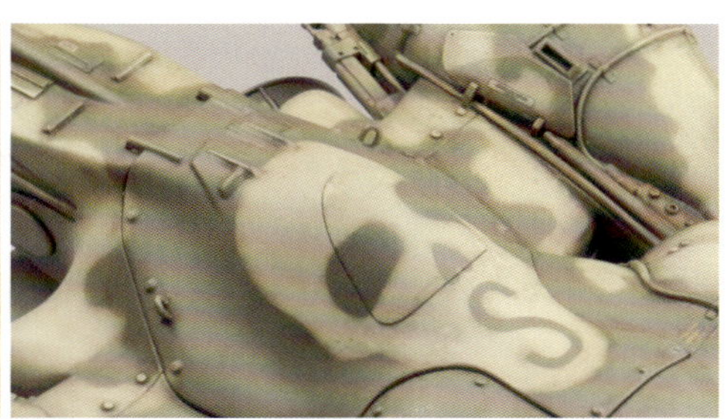

飛行機じゃ、ない。
戦車とも、自動車とも、もちろんガンプラとも、違う。
ルナダイバーはまさに、誰も実物を目の当たりにしたことがないSFな乗り物なのです。何にも似ていない、独特で個性的なデザインフォルム。
そしてそれを彩るグラマラスな曲面の連なりは、どのアングルから眺めても見飽きることがありません。後期『Ma.K.』デザインの傑作ルナダイバーは、まさに“立体物の楽しさ”が凝縮された逸品です。
キットとしてのルナダイバーのパーツ構成、分割もまた、新鮮そのもの。組んでいて楽しいのなんのって！
立体パズルのような組み上がりも高いパーツ精度に支えられ、ストレスはありません。
なので思わず3機も作っちゃいました（笑）。
だって塗装パターン、どれかひとつなんて選べないもの。
パッケージのツートーン迷彩のスカルマークは文句なしにかっちょいいし、エンサイクロペディア掲載のレッドヘッドもルアーみたいでイカすし。さらに塗装カードに載っているブルーグレーに茶帯がこれまた痺れる……そんなわけで3機なんです（苦笑）。初出時の白いのはすでにサフ入れまで済んでいるのでプライベートで組みますとも♪
『Ma.K.』モデルシーンでは横山さんはもとより、塗装作例を作っている伊原源蔵君やらなにやら、皆さん色塗りが大変巧みで……モデリングライターとしてはもうすぐ30年を数えることになる、無駄に経歴だけは長いMAX渡辺も『Ma.K.』的にはまさに若葉マーク。
なのでもう緊張するやら恐縮するやら……（汗）。とはいえ、やれることはやってみようってことで現状で僕が出来ることはあらかたぶち込んで塗ってみた次第です。
いかがなものでしょうか？

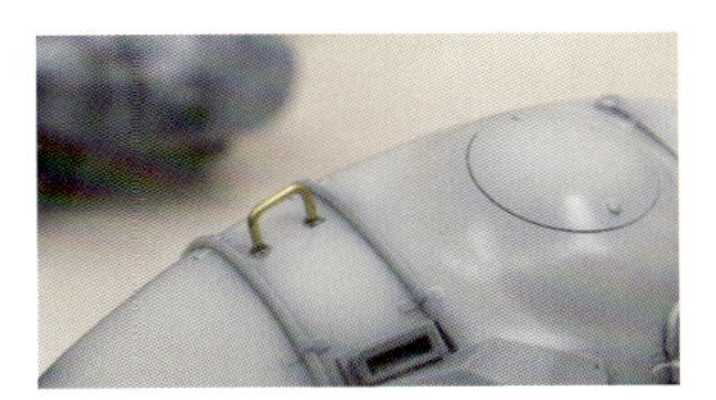

▲塗装中、注意しているにもかかわらず、なぜか掴んで折ってしまったフック。それも何度も繰り返しやってしまう……。自己嫌悪に陥りつつも気を取り直してシンチュウ線に替えちゃいました。これでもう触っても折れない、無くさない。おすすめです（笑）

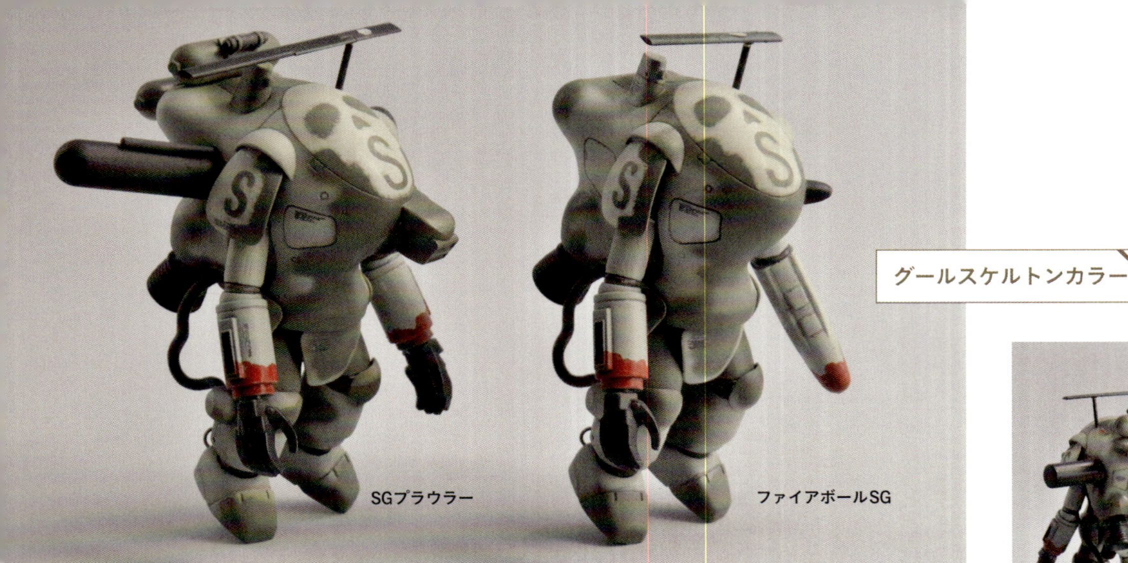

グールスケルトンカラー

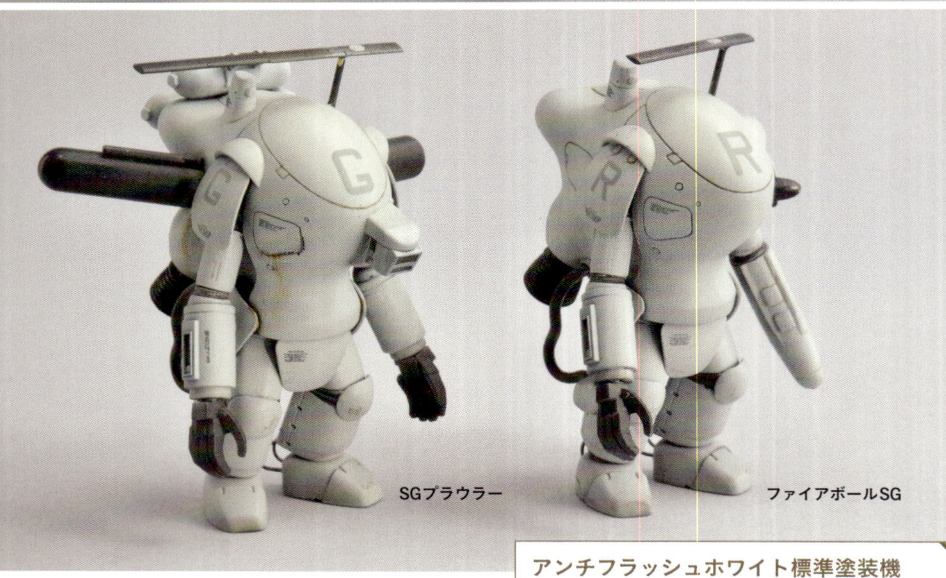

アンチフラッシュホワイト標準塗装機

▲ルナダイバーに付属の1:35ファイアボールSGとSGプラウラー。これがまたちっちゃくて可愛い♪　とても良い出来でサクサク組めて、たまらなく嬉しいオマケです。1:35スーツのシリーズ化熱烈希望！　グールスケルトン塗装の機体はパッケージイラストに合わせてつま先を伸ばした状態で製作しています

■ルナダイバー塗装工程

さて塗装については極々簡単に。MAX渡辺バカの一つ覚えMAX塗り、久々の復活です（笑）。黒にほど近い「ベースグレー」で全面を覆ってから❶、白に黄色やグレーや緑や赤などをちょっとずつ混入した、自称“Ma.K.ホワイト”を各面に塗布❷❸❹。その後各機体のパーソナルカラーを気持ち明るめに調色した塗料で塗り分けました❺。なぜ明るめかというと、デカール貼り付け後クリアーでコートしたらエナメル塗料でウォッシング、つまり暗めの色でフィルターをかける工程があるので全体が沈みすぎない為の配慮です。

筆塗りしたほうがいいんじゃない？　と自問自答しつつも、きっとユーザーさん的にはデカールを利用したいはずと勝手に決め、徹頭徹尾デカールを使いました。スカルマークなんかさんざん苦労してえらい騒ぎでした。軟化剤を使いながら、ここを切れば良いんだってできるようになったのがこういう状態なわけです❻。切込みを入れたところに筆を入れたりエアブラシ入れたりして修正❼。切り込みをガンガン入れればデカールは貼れます。そのままだと縮れちゃったりするのでクリアーを入れてやらないといけないんですよ。デカールが浮いた状態でクリアーを吹くと縮れちゃうのでそこは気を付けて。もし縮れちゃったら根気よく磨き落としてまた修正すればなんとかなるから気にするなってことですかね。そんなこんなで修正も終わり、全体にクリアーを吹きます❽。少なくとも2回から3回は厚吹きして、その上で段差をなくすためにペーパーがけします。

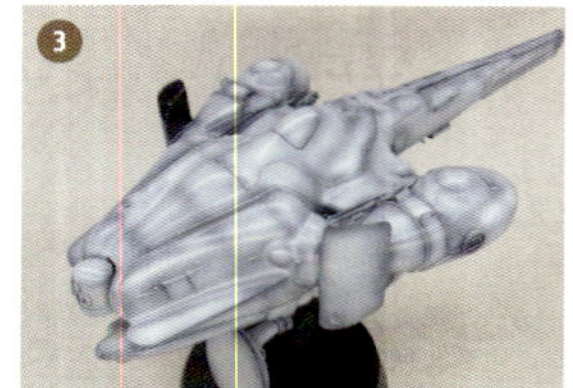

LUNADIVER STINGRAY

第7騎兵連隊第2地上襲撃中隊
ジオット・ウフツィ大尉機

Ma.K. in SF3D EXPLANATIONS

傭兵軍 月面揚陸支援艇
ルナダイバー スティングレイ

文／KATOOO（レインボウエッグ）

ルナダイバー スティングレイは月面での火力支援を目的に開発された傭兵軍の大型対地支援機です。傭兵軍では簡易トランスポーター・バナナボートに搭載した宇宙用装甲スーツを月面に強襲降下させる作戦を多用していましたが、侵入前に撃破されることもあり、戦術コンセプトを見直した結果、ルナダイバーという大型兵器が開発されました。推進装置に最大速度が秒速2.4kmを上回る小型プラズマロケットモーターを採用。急加速による月面へのダイブ後、目標施設や兵器を狙撃破壊して月軌道まで急上昇することから“ルナダイバー”という呼称が与えられます。兵器分類的な呼称が「ルナダイバー」で、機体名称は「スティングレイ（＝アカエイ）」。もし別形状の新型が発表されたら、「ルナダイバー ○○○」という別の機体名が付くわけで、ワクワクしますね。

ルナダイバーは瞬時に加速して急降下し、敵を撃破して急速上昇するわけですから、高速絶叫マシンで往復スカイダイビングするようなもの（笑）。となると、頑強な重装甲と強力な武器が不可欠です。設定によると、スーパーセラミック表面に放熱性の高いモノフェラメント繊維がコーティングされた装甲と、超長距離射撃が可能な大型レールガンを装備。スピード、装甲、武器と三拍子揃ったルナダイバーは、月面の怪物メカなのです。

ルナダイバーの初出は「月刊モデルグラフィックス」2001年3月号。21世紀に突入した2001年1月下旬に発表されました。1:20で全長約50cmというケタ外れなサイズで完全新規デザインなわけですから、もう大騒ぎ（笑）。誌面をボ〜ッと眺め、しばらく経ってようやく脳がルナダイバーの凄さを認識するような感覚でした。ユーモラスなフォルムなのに威圧感や恐怖も同居するルナダイバーは、得体の知れない新境地に達したような唯一無二の不思議な形状なのです。新デザインの経緯を横山先生に聞いてみると、「『謎の円盤UFO』に出てくるような、月に突入する兵器が作りたかったの。それと“サンダーバード塗り”したいって思いが先行してたなぁ。いずれ大きいPKAを作ろうと思って（ホビークラフト製）1:24ディフェンダーを準備してたんだけど、これを宇宙船のタンクにすればおもしろい形ができるなぁって、どんどん進んでいったんだよね」とのことでした。

オリジナル製作時のパーツには、エレールの巨大船1/200スミットロッテルダムや「ロスト イン スペース」のロボット、ハセガワ1/32スカイホークトレーナーなど置き場に困る大箱モデルをふんだんに投入。流用法も船の先端や後端を切断し本体として再構築したり、飛行機の翼を貼り合わせたものを別の飛行機本体で挟み込んで尻尾状のブレードにしたりと奇想天外。試行錯誤しながらのライブ感が伝わってくる複雑な立体パズルのようですが、全体のシルエットは実にきれいにまとまっています。横山先生いわく、「見た目がすっきりしてるのは、『SF3D』時代よりもバランスを上手にまとめられるようになったから。でもルナダイバーは上手にまとまり過ぎていることが、10年経った今見ると気になる。贅沢だよね〜。大人になるって悲しいなぁ（笑）。あと、重要なのはパーツとパーツを取り付けるときの角度。角度ひとつでいろんなことが変わっていくからね。それにわしがいいと思う曲面を出せる材料も工具も知識も飛躍的によくなってるから、ルナダイバーができたんだねぇ」。

2009年末、ハセガワ製1:35スケールのルナダイバーが全長30cm強と、模型的にしっくりくるサイズでキット化。オリジナルモデルのフォルムに忠実で、コクピットの再現やパイロットの昇降姿勢を選択できる設計、横山先生発案によるUSBコネクタを模したスタンドが付属するなど秀逸なキットです。キットを組み立ててみると改めて立体パズル的な構成の凄さを実感。さらに同スケールのファイアボールSGとSGプラウラーが付属しているのがうれしいところ。ルナダイバーは強襲降下時に宇宙用装甲スーツと共に行動。同スケールの宇宙用スーツが付属することで模型の世界も広がります。特にルナダイバーのような大型メカは、フィギュアや人間大の宇宙用スーツを近くに置くことで兵器の巨大さや特殊性がいっそう際立ち、マシーネンクリーガーの宇宙空間における戦闘シーンがよりドラマチックに見えるのです。

第32装甲猟兵連隊第4強襲中隊
“ムーンライダーズ”
ジェームズ・マンセル大尉機

◀はい、筆塗りですよ筆塗り。あんまりやったことないし、目は霞むしもう(泣)。「アーマーモデリング」やら参考にしながら頑張りました。やってみるとコレが楽しいんで笑います。もっとたくさん塗って巧くなりたいなぁ。不肖MAX渡辺、今年で48歳になりますよ、えぇ。老眼鏡ですとも。えぇ。老眼鏡って哀しい響きですよね。シニアグラスって呼びましょう(苦笑)。横山さん、かっちょいいシニアグラス、デザインしてください♪ 「Ma.K.シニアグラス」とか言って売りましょう。バカ売れですよ(笑)

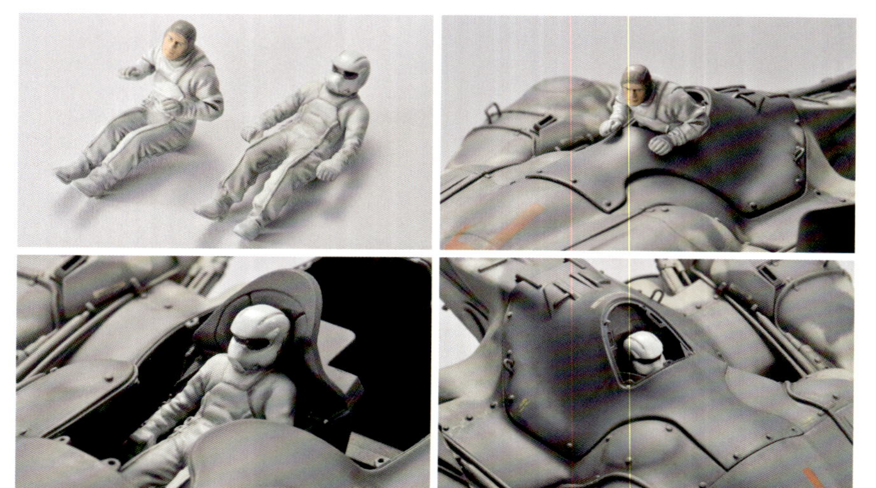

**ルナダイバー
スティングレイ**

●発売元/ハセガワ●7200円、2009年12月発売●1:35、全長約30cm●プラキット

ウェーブ 1:20スケール プラスチックキット

S.A.F.S.

製作・解説・文／MAX渡辺

『Ma.K.』レーベルとしての再販、在野のファンの手によるレジンキット、モデルカステンの日東ランナーパーツとレジンパーツのハイブリッドキットなどなど、脈々、連綿と続けられて来た『Ma.K.』の模型展開。ここ数年ではウェーブさんの旧日東＋新規ランナーによる「ファイアーボールSG」や「ラプター」、そしてノイスポッター＆クレーテ＋新規ランナーで構成された「ガンス」が記憶に新しいところ、でしょうか。このように地道かつ着実に続いてきた『Ma.K.』モデルシーンですが、1:20「AFS」が完全新金型によりリニューアルされたのを皮切りに、まさに「第二期ブーム到来!?」とも呼べる様相を呈してまいりました。

そう、ウェーブは『Ma.K.』の火を絶やさず、ここまで繋げて来た功労者なのです。

SAFSは横山宏なるアーティストを「この人、もしかして凄くない？」と印象づけた最強、最大のクサビではなかったでしょうか？　その後の横山デザインの方向性を決定付け、まさに『SF3Dオリジナル』の道を歩むきっかけにもなったデザイン、それがSAFSではないかと僕は思うのでした。

さて、ウェーブの「S.A.F.S.」。これはキットとして見ると、先行して発売された、『Ma.K.』デザインの次世代フラッグシップとも呼べる傑作＝「スネークアイ」の1バージョンとも言えるものです。が、ネガティブな後戻り感など微塵もない素晴らしい出来。これはリニューアルキット化に向け、進化して来た兵器としてのデザインの系譜を十二分に咀嚼した上で練り上げられた原型と、ラインナップ計画の賜物でしょう。

さてSAFSには仰天のエピソードがあるんです。27年前の連載発表当時、レジンの複製パーツを読者プレゼントにしたところ、応募ハガキがなんと2000通も寄せられたそうです。これは当時としては驚愕の数字、いかにファンの注目度が高かったのかを端的に示すお話です。これに当選できなかった人が旧日東のキットが発売された時、それこそ待ってましたとばかり、弾けたように模型店に走ったのは言うまでもなく、SAFSは記録的な数字が売れたのでした。その再現が今回のウェーブのキット発売にも見られるようで、キットの受注は凄いことになっているそうです。記念すべき連載第1回にこのSAFSを取り上げることが出来たのはまさに天恵ですね。

今回は新連載記念のダブルヘッダー、続いてはウェーブ1:20「S.A.F.S.」をお届けしよう。旧日東キットから26年、いよいよ2010年1月に完全新規キットで登場するSAFSを、MAX渡辺が一挙3機製作した。

WAVE 1:20 SCALE PLASTIC KIT
MODELED BY MAX WATANABE

| Mar.2010 | No.001 |

第14装甲猟兵連隊
“エッグプラント6”中隊機

▲SAFSの組み立てはとってもラクチン。1:144のガンプラHGシリーズが組める人ならなんら問題なく鼻歌で組めちゃいます。各関節でばらせるので接合ライン消しもストレスないですし、精度もバッチリなので、ほぼパテ要らずです

◀ベースグレーで全身を真っ黒にした後、ライトグリーンをエアブラシ。隠蔽力の高い濁った色なので下地が黒い効果はあまり顕著には出ませんが、MAX塗りの基本は外さず、面を中心に吹いてメリハリは多少なりとも残しています

▶ライトグリーンの後、一度クリアーを塗布。ブルーグレーをエアブラシでフリーハンドで塗り分け。色の境目はいかにもエアブラシな感じを軽減すべく、コンパウンドを付けた綿棒でこすって余計な塗料を取り除き、境界線をハッキリさせました。パッケージイラストのイメージを目指したのだけど、なかなか難しい色味ですね

◀デカールは正規のモノが間に合わなかったので、データをもらってプリンターで出力した物を使っています。貼り付け後フラットクリアーをコートし、これからが楽しいだけの作業です♪

▶それはもう色々な塗料を混入したスミ入れ塗料自称「秘伝のタレ」をシンナーで薄めて全面に塗布。ちょっと明る過ぎるかな？ くらいだった表面はすっかり暗く沈みます。これを綿棒で落としつつ残しつつ明暗の濃淡とウェザリングを兼ねて綿棒や筆でちょいちょいと延々手を加えて行きます。一体当たり2時間くらいかな？ 模型製作幸せの絶頂タイムです♪(笑)

Ma.K. in SF3D EXPLANATIONS

傭兵軍主力装甲戦闘服 SAFS(Super Armored Fighting Suit)

文／KATOOO（レインボウエッグ）

SAFSは、戦局により旧式化したAFSの後継機として開発された装甲スーツです。Super AFSという名称が示すように武装、装甲、機動力に加え、生産性や操作性も向上。初の間接視認システムも搭載し、AFSとはもはや別物と言える強力な装甲スーツが誕生しました。初出はホビージャパン1982年12月号で、10m超の無人ホバー戦車ナッツロッカーを一撃で破壊する衝撃的なデビューを飾ります。SAFSはその特異なデザインも極めて重要で、絵を描き立体を造りながら生み出された流麗なフォルムは、独創性と普遍性が奇妙に融合した類まれなる傑作です。全世界のこれまで発表されたロボットの中でも、SAFSのデザインは未来永劫評価されるものだと思います。

ミクロマン強化スーツを改造したAFSは頭部が存在しますが、次のPKAで早くも頭部と胴体の区別がない装甲スーツがデザインされます。キャノピー越しに兵士の顔が認識できるPKAに対し、全身を装甲で覆われたSAFSは「頭部と胴体の区別がない装甲スーツ」というコンセプトがみごとに突き詰められ結実しています。横山先生にお話を聞くと、デザインの秘訣を教えてくれました。「ロボットって、顔があって、胴体があることが約束事になっているようなところがあるから、顔がないロボットをずっとつくりたかったんだよね。顔というより『首がない』カッコよさかな。ウルトラ怪獣で言えば、キングジョーやザラブ星人、ジャミラとか。不気味だけどそこがカッコいい。ロビー・ザ・ロボットもフォルムとしては首の部分がないもんね。『マクロス』のリガードを見たときも、いいな〜って思ったんです。人間とちょっとだけ違うシルエットが、人を怖がらせるんだよね。SAFSはそういうことを踏まえたうえでデザインして、ああいう形になったんですよ」。

'82年のSAFS複製品の誌上プレゼントに2000通以上の応募があり、SAFSの絶大な人気が証明され、雑誌発企画のインジェクションキット化実現につながりました。'84年に日東SF3Dキット第4弾としてSAFSは販売されますが、大多数の読者が第2弾PKAの次はSAFSだと予想していたところ、第3弾はAFS MK.Ⅰとの発表。じらし作戦が功を奏してか、SAFSのキットへの思いは募るばかりでした。HJ'84年5月号の「キャラクターキットマンスリー」という小田雅弘さんが新製品を紹介するモノクロページで、ようやくSAFSのテストショットを組んだものが掲載されます。この写真が腰を抜かすくらいカッチョよく、アイドルの写真を見るように発売までそのページを毎日眺めていたものです（笑）。ちなみにSAFSは最初の記事で「スーパーAFS」と書かれていたので、私は「スーパーエーエフエス」と発音していますが、『Ma.K.』以降、頭文字を取って「サフス」と呼ばれるようにもなりました。新規ファンが増えるにつれて「サフス」という略称は浸透しているようです。

SAFSは『SF3D』〜『Ma.K.』を代表するアイテムでさまざまなスケールで商品が展開。メインは1:20で、2010年1月に発売されたウェーブ製SAFSがハイスタンダードに。1:20以外では1:35、1:6、1:16の塗装済み完成品などが各社から発売されました。過去のアイテムをあれこれ思い出し今後も充実していくだろうなあと考えるとき、横山メカの象徴といえるSAFSの魅力が不変であることを実感し、いつもうれしく思うのです。

SAFS

▼SAFS、可愛い。ユーモラス。でも兵器。2000年頃1:1でSAFS作られたことありましたよね。実物観たらやっぱり凄い存在感で怖かったんです。あぁ～これはしょんべんチビるなぁと。兵器、なんですねぇ

第113装甲偵察中隊
C小隊第1分隊
ケネス・プール曹長機

第24装甲猟兵連隊
第3機動歩兵中隊機

▼ハッチのセンサーはちょっと高いかな？　カタチが固いかな？　と横山さんの指摘もあったので便乗して加工しました。接着後荒めのペーパーでカタチを出し、プラ棒で突起を付けて穴開け。ハッチとの境は溶接痕っぽくパテでちょいちょいと。グッとよくなるのでこれもおすすめ工作です

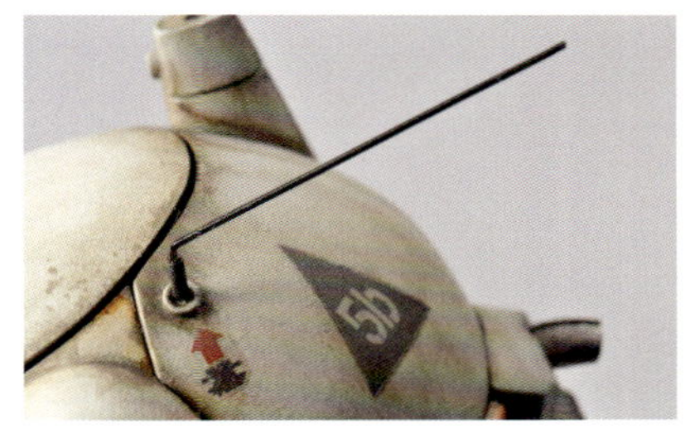

▲キットにはパーツ化されていないアンテナ。これはあるとなしでは大違いだし、お手軽なので追加工作候補ナンバー1でしょう。0.8mmのシンチュウ線（もちろんウェーブ製）とスプリングで作りました。おすすめ♪

▲かかと部の動力パイプもキットには同梱されていないのですが、やはりあったほうがいいかなぁと追加しました。かかとに穴開けしてスプリングを接着しただけ、超お手軽。スネの方にたくし込まれたスプリングはただ突っ込んであるだけでフリー状態です

◀エクサイマーレーザー部のセンサーもハッチのセンサーと同様の工作です

▼キット完成見本（製作／伊原源蔵）

S.A.F.S.
●発売元／ウェーブ●2400円、2010年1月発売●1:20スケール、全高約10cm●プラキット

▲写真は完成見本（製作／伊原源蔵）

メルジーネ
●企画／3Q MODEL、製造・販売元／ウェーブ●32000円、2010年3月発売●1:20、約10cm●プラキット

▲パイロットのバストアップが新規にセットされる

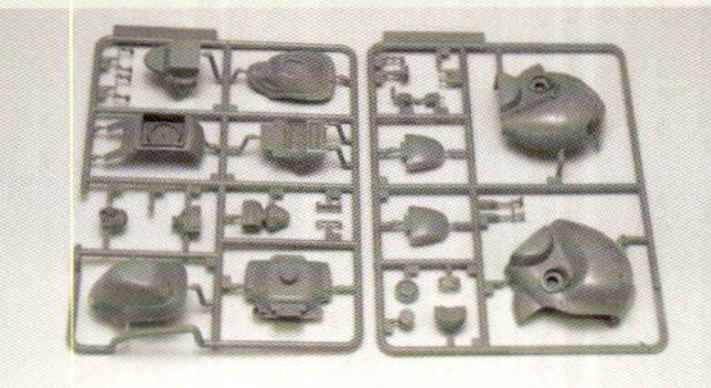

▲こちらが新規に開発されたメルジーネ用パーツ

“3Qモデル”新作、メルジーネ登場

日東製キットを横山宏氏自身が企画再販する「3Q MODEL」（製造・販売はウェーブ）、その新作として『SF3D』時代にはキット化されなかったシュトラール軍新型PKA「メルジーネ」が登場する。キットは日東製「グスタフ」をベースに、上半身を中心に新規開発パーツをセット。初のフルインジェクションキット化となる。単なる日東製品の再販に留まらない「3Q MODEL」の今後にも注目したい。

傭兵軍女性宇宙パイロットレジンキット化

『Ma.K.』フィギュアのレジンキットを展開する「ブリックワークス」より、インナースーツ姿の傭兵軍の女性宇宙パイロットが発売中。本体は1パーツ成型で、「Ma.K.B.D.」に登場する形状のヘルメットと左手首がホワイトメタルで再現される。原型はリアル系フィギュア造形に定評のある林浩己氏。

傭兵軍 女性宇宙パイロット(A) インナースーツ着用
●発売元／ブリックワークス●3320円、2009年12月発売●1:20スケール、約8.5cm●原型製作／林浩己

ハセガワファルケバリエーション第1弾

エクサイマーレーザーガン装備のファルケ後期生産型をキット化。機体中央の「エクサイマー高出力レーザーガン」、大型レドーム、左機首パネル部品が新金型で追加される。デカールはシルクスクリーン印刷で、横山宏氏による新設定で3〜4機分セット予定。「高瀬発煙機」制作によるCG映像作品を収録した特典DVDが付属する。

反重力装甲戦闘機 Pkf.85 ファルケ エクサイマーレーザーガン装備
●発売元／ハセガワ●6400円、2010年2月発売●1:20、約28.6cm●プラキット

▲横山氏によるレーザーガン装備ファルケのイラスト

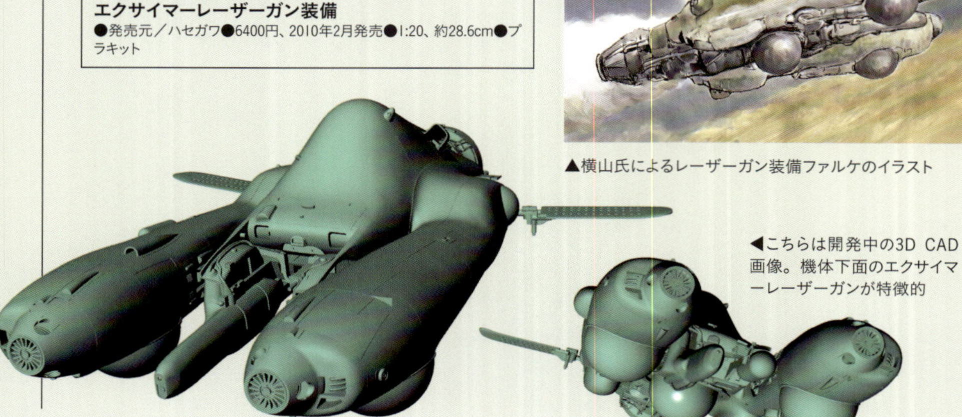

◀こちらは開発中の3D CAD画像。機体下面のエクサイマーレーザーガンが特徴的

『Ma.K.』用カラー新色

IR-J（イリサワ）が販売する『Ma.K.』用フィニッシャーズカラー新色は、ルナダイバーやスネークアイ用のベースカラー「ルナティック・フラッシュ（灰色）」と迷彩色「ムーングリーングレイ（緑灰色）」の2色。

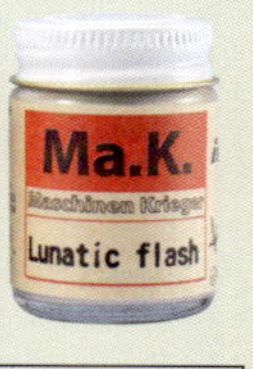

IR-J/フィニッシャーズ マシーネンクリーガー(Ma.K.)用カラー ルナティック・フラッシュ、ムーングリーングレイ
●発売元／フィニッシャーズ、販売元／イリサワ●各500円、2009年12月発売●ラッカー系塗料

| Apr.2010 | No.002 |

WAVE 1:20 SCALE PLASTIC KIT
MODELED BY MAX WATANABE

HAFS F.2
SUPERJERRY

本キットは、ウェーブが旧日東のジェリーに新規パーツを追加し2009年11月に発売した、いわばバリエーションアイテムのひとつ。
しかし、これは傭兵軍二足歩行スーツ「ジェリー」の強化発展型「スーパージェリー」を立体再現出来るに留まらず、
いわく現状のジェリー系スーツのすべてを網羅し、『SF3D』〜『Ma.K.』の最大の謎のひとつを昇華、解決する画期的アイテムなのだ。
「Ma.K. in SF3D」第２回は、ジェリーを4タイプ、MAX渡辺が劇作、その魅力に迫る!!

ウェーブ 1:20スケール プラスチックキット
H.A.F.S. F.2 スーパージェリー

製作・解説・文／MAX渡辺

こんばんは、模型芸人MAX渡辺です。横山さんの兄さんですよ（笑）。模型芸人って響き、妙に気に入っちゃいました。これからはこれで行きます♪

はい、遂にスタートを切ったホビージャパンの『Ma.K.』連載。横山さんの帰還は模型界の歴史的事件として関係各方面に衝撃を走らせつつも大変好意的に受け入れられたようで何よりです。『Ma.K.』がうけないなら、もうダメっしょ、プラモデル業界。と、本気（マジ）で思っているMAX渡辺としては大変喜ばしいことに、HJライター諸氏からも「『Ma.K.』がやれるならぜひ参加させて欲しい!!」との熱烈ラブコールが多数寄せられているとのこと。みんなやりたかったんだね、『Ma.K.』♪

そんなわけで、急速に高まりつつある『Ma.K.』フィーバー（死語）、今後とっても面白い展開ができそうなので皆さん期待してくださいよぉ〜〜。

と、ひとしきり前置きをしたところで閑話休題。第2回のお題目はジェリーでございます。数ある『Ma.K.』メカの中でも群を抜く面白フォルム、奇天烈生物でございます♪　4機並んだカットはもうなんだか分からないシュールな雰囲気を醸し出していますよね♪

さて、そう作例は4機。何がそんなにオマエを駆り立てるのかと聴きたい読者諸氏も多いことかと思います。だってね、このキットがリリースされた意味を考えたら、そりゃもう最低4機でしょう!!　ていう話はもう少し読んでいただければ納得いただけるかと思われます。しばしお付き合いを。

H.A.F.S. F.2
スーパージェリー
●発売元／ウェーブ●5800円、2009年11月発売●1:20、全高約18cm●プラキット

■ジェリーってなんで傭兵軍の兵器なの？

ジェリー。ちょっと『Ma.K.』をかじった方なら感じていたはずの素朴な疑問が、ありますね。「このデザイン、どう見たってPKA的でシュトラールっしょ？」と。でも傭兵の兵器だったんですねぇ。長いこと。しかし……。

「2884年、ニーベルンゲン社は農耕用2足トラクター“エンテ”のシステムを流用し、新型の2足歩行スーツ兵器を開発した。同社はこれをシュトラール軍をはじめ多くのクライアントに売り込むことに成功。その為この2足歩行スーツは、傭兵軍兵器“HAFS ジェリー”、シュトラール軍兵器“JKA フロー”という2つの名前をもつことになったのである。」（ウェーブ「スーパージェリー」パッケージ解説より抜粋）

なぁんてこった!! そうだったのか!!? もうビックリ仰天ですよ。このスーツは両軍に納入され使われていたわけですねぇ……。多少強引な気がしなくもないですが、これですべては繋がってしまいます。なるほど納得、万事解決でしょう!!（笑）

そんな数奇な運命をたどった兵器ジェリー。これは一体ずつと少ないですが、一通りカタチにしてみないわけにはいかない。だからこその4体なのですねぇ。つまり、傭兵軍：ジェリー、発展型スーパージェリー、シュトラール軍：フロー、発展型ギガントフローというわけです。

僕はこういうことに疎く、まるで詳しくはないのですが、実在の兵器ではひとつの兵器を敵対する複数の国、軍隊に納入するってことは、良くあること、らしいのですね。不謹慎な言い方に聞こえるかもしれませんが、これはとても興味深いと思いませんか？

「ホントはシュトラールとして作っていったのに、市村君がクレーテのライバルにしちゃったんだよね」（横山・談）

MAX渡辺 ジェリー塗装の基本工程

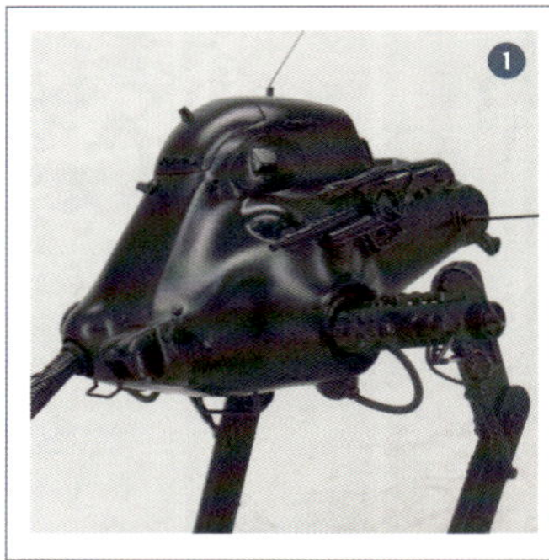

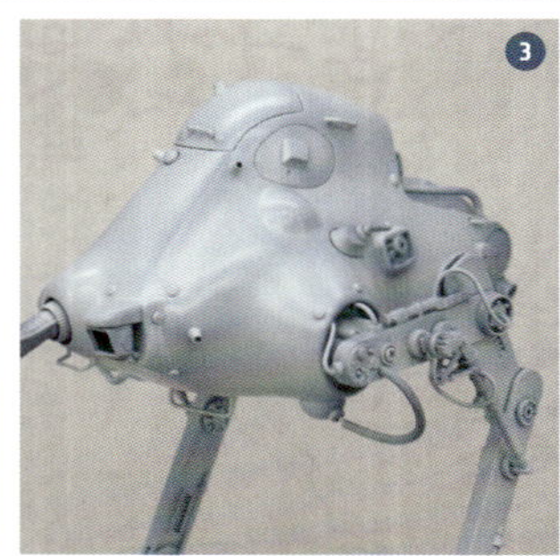

❶ 全機共通の塗装レシピ、○カの一つ覚えMAX塗りの下地段階、ベースグレーで真っ黒状態です。コレはコレでカタチが良く把握出来て良い感じですね♪
❷ 下面色を面吹きしています。出っ張ってるところ、面の中心に円を描くように吹き付けます。影の部分を残そう！と意識する必要はありません。あくまで自然な濃淡が残ればOKなのです
❸ これは下面色を全面に塗布した状態のジェリーです。ほとんど白色な青味の入ったグレーですが、重い感じで所々に濃いグレーの色味が残っているのが判るでしょうか？ この後、この塗装が完了して約1日乾燥させたなら全面にクリアーを吹き付けます（重要）

❹ クリアー吹き付けから1日後、上面色のミディアムグレーをエアブラシで吹きます。迷彩の境目はエアブラシのノズルをできる限り近付けて吹き付ける“零距離射撃”で、なるべくぼやけないように心がけます。しかし…
❺ 結構頑張ってもこのくらいはボケ〜っとしてしまいます…。これはこれで良いのですが、僕の狙いは筆で塗り分けた？ エアブラシ？ とにわかには判別できないくらいのクッキリ感であり、手作り感なのです

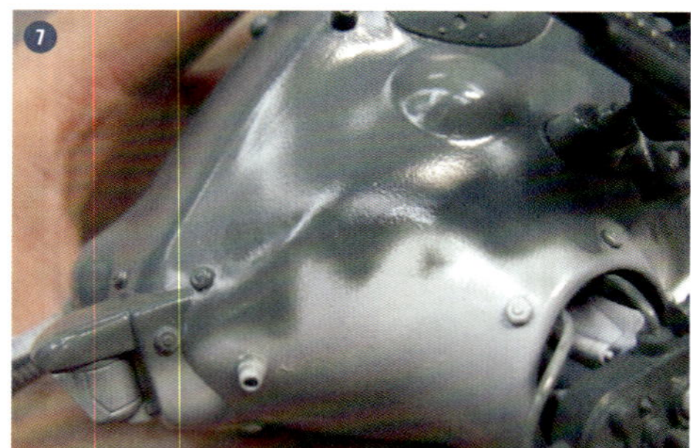

❻ そこで!! 上面色乾燥後、おもむろにコンパウンドをつけた綿棒で境目を擦るのです
❼ すると、あ〜ら不思議。境目がいい感じにくっきりしてきたじゃないですか!!? これは下面色がクリアー塗膜層に保護されてコンパウンドでは擦り落とされず、上面色の、余分な塗装だけがこそぎ落とされた、というわけですね。筆で境目をぼかす手法も大変味わい深くて良いのですが、いかんせん時間がかかるしある程度の熟練を要します。コレだととにかく早く勝負が決まるし、たとえコンパウンドで下地色まで擦り落としてしまっても、ソレはソレでよい風合いになるという（苦笑）『Ma.K.』モデラーにはぜひとも試して欲しい技法です

❽ クリアーパーツは出来上がると美しくて素敵なのですが、扱いはちょいとナーバスですね。マスキングって面倒臭いし……（苦笑）。でも『Ma.K.』モデリングなら多少のはみ出しや汚れは“味”に出来ちゃうので、あくまでおおらかにラクチン作業でやっちゃいましょう。ベースグレー段階でクリアーパーツは接着、もしくは仮止めしてしまい、塗装工程に入りましょう。後から接着することになると、透明部品にボディ色を施さなければならない箇所がある場合、ボディとその部分が色合いが合わせにくくなり、雰囲気が馴染まなくなってしまうのですねぇ
❾ 脚の可動部に塗料が回らないのですねぇ。深く曲げて吹き、乾燥後伸ばしてまた吹くのです。二回ずつくらいやれば塗り残しは防げます。擦れは気にしないのが健康的です♪

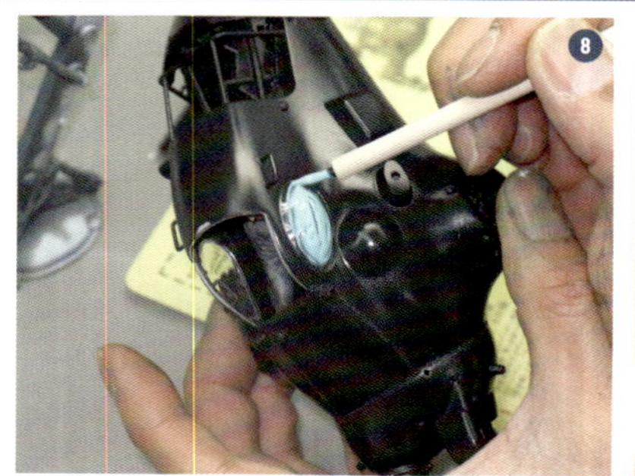

では作例ごとにコンセプト、主に塗装についてごく簡単に解説をしてまいりましょう。

HAFS JERRY

■ ジェリー
『カラーイメージはお魚』

愛くるしいフォルムを愛でるうちに閃きました！　よしコイツは魚介系、そうフグで行こう！　と（笑）。下面を明るいグレー、上面を緑味の青にし、塗り分け線は直線じゃなくムニュムニュの蛇行線。塗りを進めるにつれ、こ、これはまさにフグだぁ〜って楽しかったです。フロントのスカイブルーのライン、おちょぼ口にヒゲ、に見えません？　そう思うと、そうとしか見えなくなるから不思議です（笑）。キィウィの黄色のマーキングが挿し色として良いアクセントになったかと思いますがいかがでしょうか？

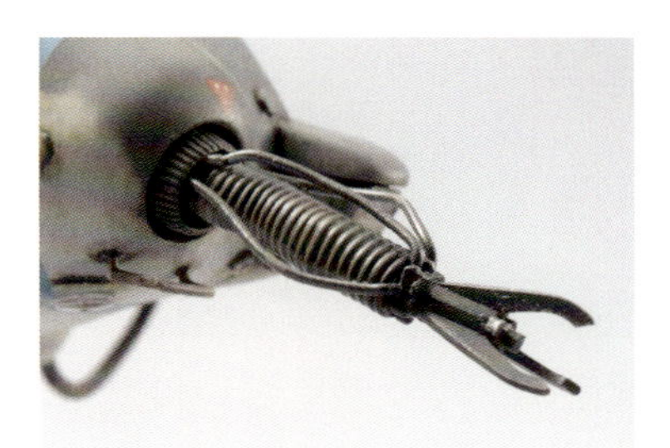

▲このマニピュレータは何をするんだろう???……「握ったり、拾ったり、なんだろうねぇ」(横山・談)ジェリーの謎は深まるばかりなのでありました(笑)

▲間接視認システムの開発では一日の長がある傭兵軍。脆弱なキャノピーはいち早く改修して装甲板で防御力を高めているわけですな。フロント周りの装甲は、旧日東の松本州平さん作のパッケージに倣って一体成型っぽく継ぎ目を均してみました。ちょいと間が持たないかな？　と感じたので青い帯を入れてみたのですが良いアクセントになったかと

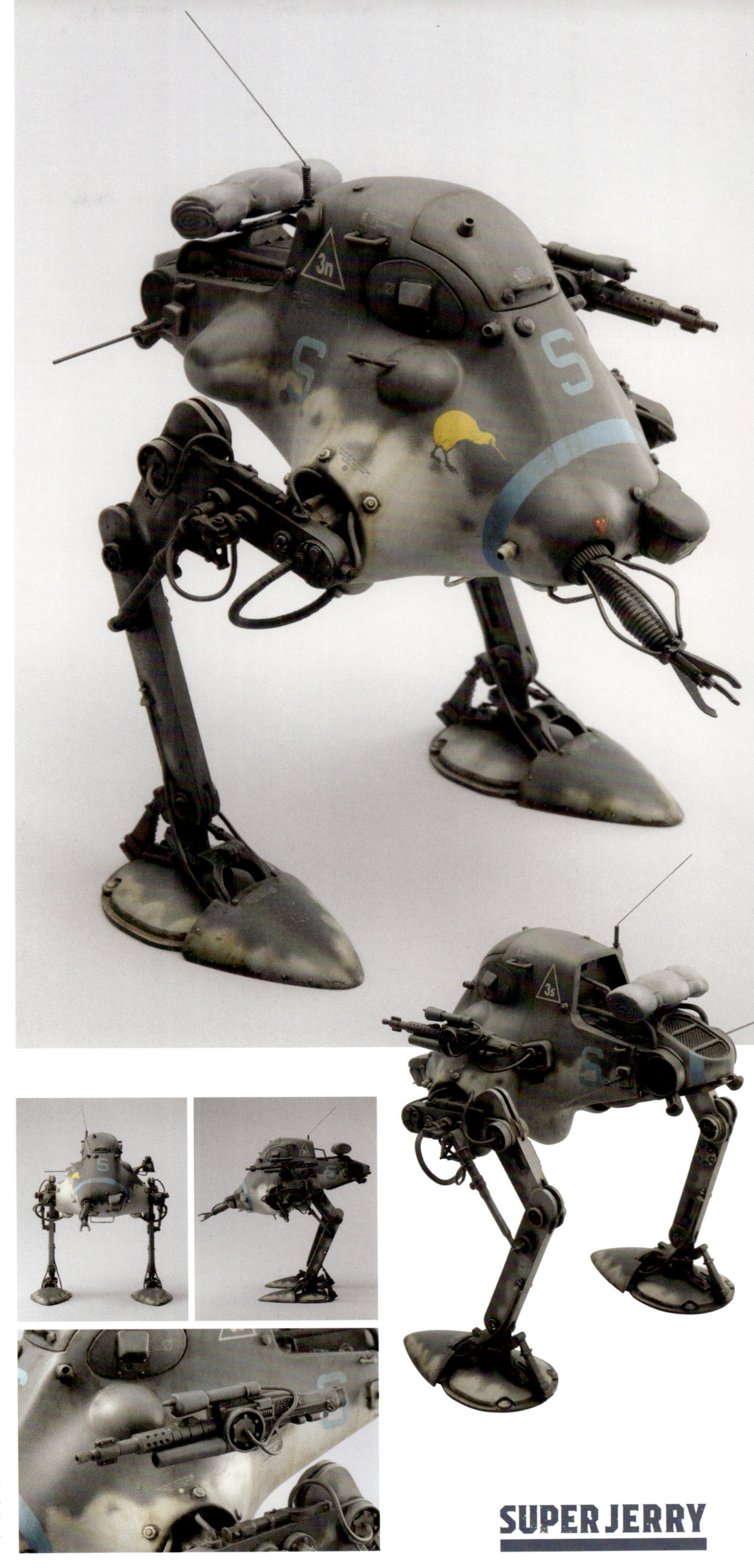

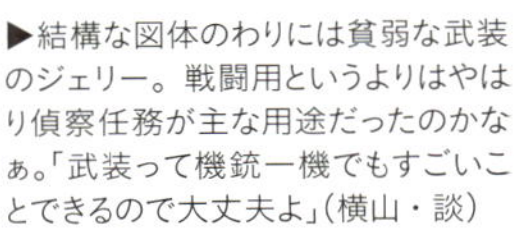

▶結構な図体のわりには貧弱な武装のジェリー。戦闘用というよりはやはり偵察任務が主な用途だったのかなぁ。「武装って機銃一機でもすごいことできるので大丈夫よ」(横山・談)

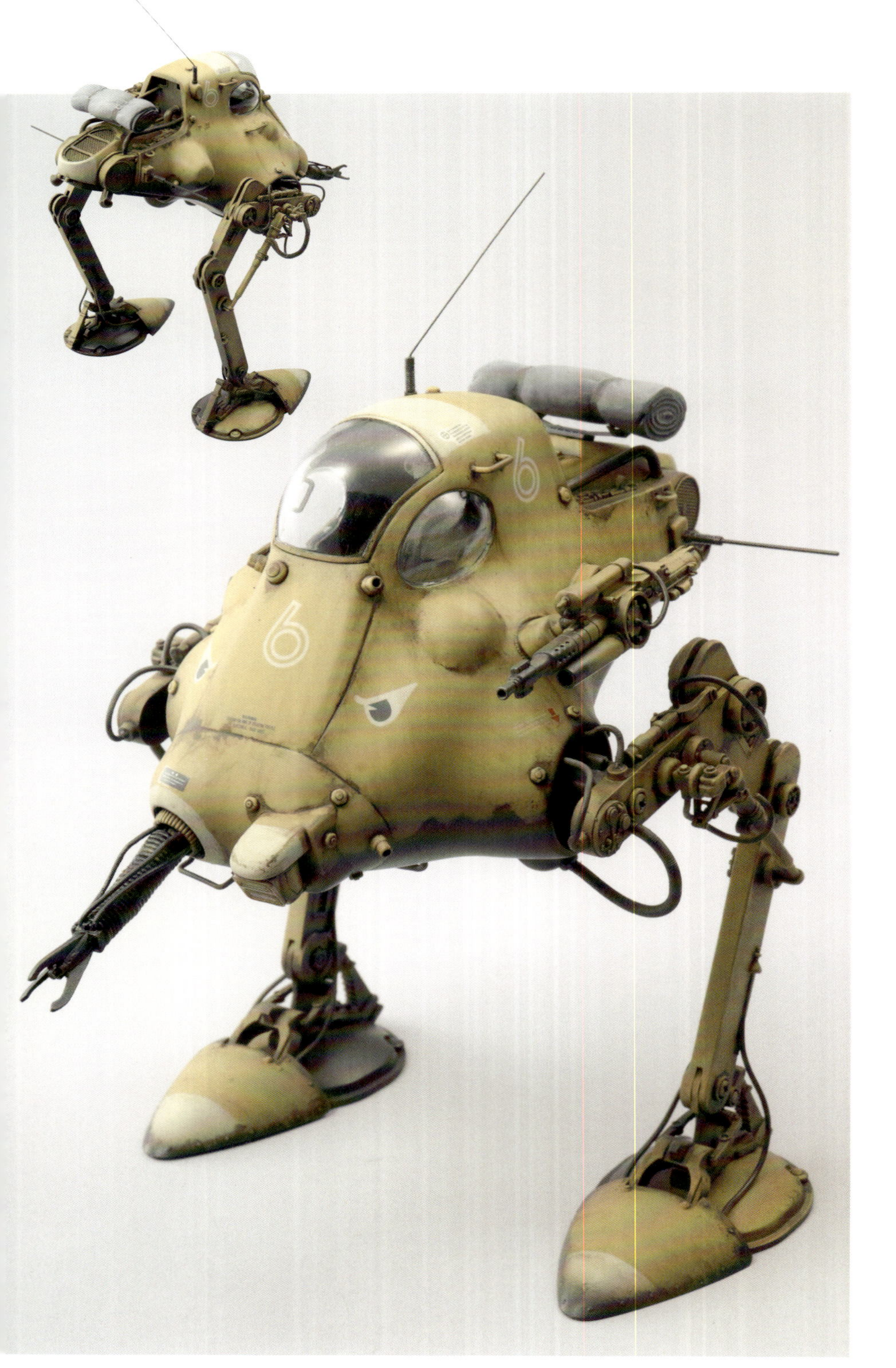

SUPER JERRY

JKA FLOH

■ フロー
『初めてのサンドカラー挑戦は……』

コイツの色は悩みました……。
僕はサンドイエローって塗ったこと無かったんです。でも締め切りは否応無しに迫ってくるのでしかたなく半ば降参気分で秘伝のタレを綿棒で拭き落としている作業中、神が舞い降りました。上面を拭いて下面を残していたら「あれ？　下面を暗く落としたら、なんか締まりが出て良くない!?」と。
「このサンドカラーの塗り、超かっちょいいねえ。これを中心に撮影してちょうだい」（横山・談）
まさに投了寸前で勝ちを拾った一作となったわけですねぇ。

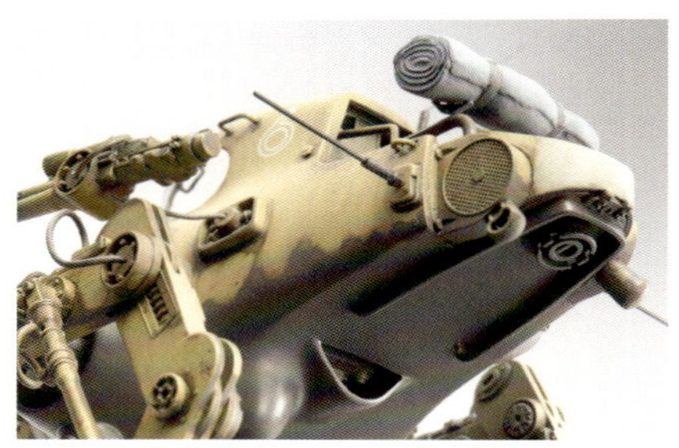

▲サンドカラー単色ではどうにも単調、と思い色々と試行錯誤していたところ、「秘伝のタレ」（＝ファクトリー御用達のエナメルスミ入れ塗料）を下面に残したらいい感じのツートンになったので採用！　なかなかに面白いカラーリングにまとまったのでした

▲可愛い♪　何ともキュートなフェイスではないですか。透明なキャノピーがより愛らしさを強調しますね。フロント周りはパーツの接合線をそのまま活かして成型。ジェリーと対比させてみました

▲シュトラール軍フローは有視界仕様が似合う。膨らみの強い新金型パーツの方が断然フォルムが可愛いので採用です

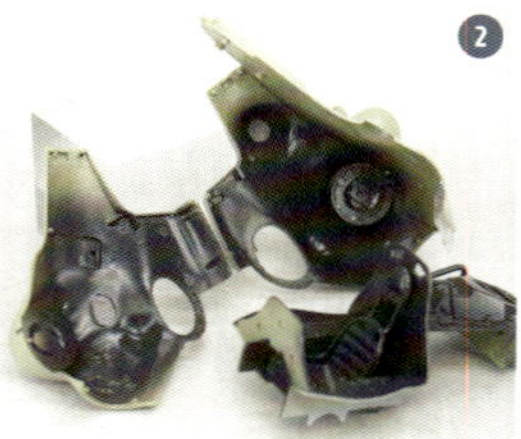

❶　このキット、ボディを全部接着してしまうと、フィギュアを入れられなくなってしまうのです。なので必然的に先に塗装を済ませてコクピットにセットしてからボディシェルの接着、工作にすすむことになります
❷　同様の理由でコクピット内部も塗装しておいた方が良いのですね。組み立て後はほとんど見えないので、黒っぽければOK！　黒に近いグレー（ベースグレー）をこんな風に適当に吹いておけばNO問題です♪
❸　フィギュアがセットされれば、その後の接着、工作が進められます。この画像、なんだかワクワクしませんか？
❹　ギガントフローを作る場合、そしてフロントのキャノピーを使う場合は透明部品とボディのアールがちょいと合わないので少量のパテ工作が必要となります。それほどの段差でもないので、「ポリパテなんて触ったことない！」って人は気にしないのが一番、おすすめ度は低い工作です

■ スーパージェリー
『失敗だって味。味方にしちゃえばいいのです』

色んな実験を施した一作です。塗装カードに倣い、元はグリーンに塗られていた機体だけど、戦地が冬になり雪が降ったので現場で冬季迷彩を施したっていう設定。

グリーンの機体をデカール、クリアーコート、研ぎ出しまで済ませた後、ラッカーのホワイトにタバコライオンを混ぜ込んでぶっとい筆でべたべたと筆塗りです。歯磨き粉を入れ過ぎたせいかビシビシとヒビ割れてきて焦りましたが、気にしないことに。ひとしきり塗ったら2日ほど乾燥させ、3Mのスポンジヤスリで全面をこれまた適当にサンディング。ガサガサした面、ちょっとツルリとした面、ペーパーをかけ過ぎて下地が露出したところ（苦笑）などたくさんの表情が生まれました。

秘伝のタレをぶちかけて残しめに拭き取り、コピックを荒々しく塗り込んでは拭き落として完成です。ちょっとボロっちい感じも傭兵軍の苦闘を滲ませていていい感じかな？　とか思うのですがいかが？

▲ひび割れとか塗装面のざらつきとかで残ってしまうテクスチャを消すこと無く、ありのままに受け入れて活かす仕上げを目指したスーパージェリー。今回の4作の中では実験作だけど、見応えは一番じゃないかなぁと自画自賛（笑）

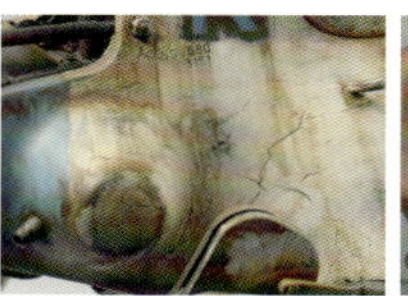

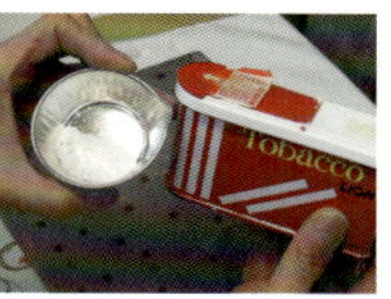

▲緑で塗った機体に冬になり雪が降って来たので急遽現場で水溶性の塗料をハケ塗りした、っていう設定をしてそのように重ねて行った作例。まず緑で塗ってデカール入れてクリアー吹いて研ぎ出して仕上げた機体に、タバコライオン（粉歯磨き）を混入したラッカー系白を筆で塗りたくったのですね。そしたら、歯磨き粉を入れ過ぎてヒビ割れるヒビ割れる（汗）

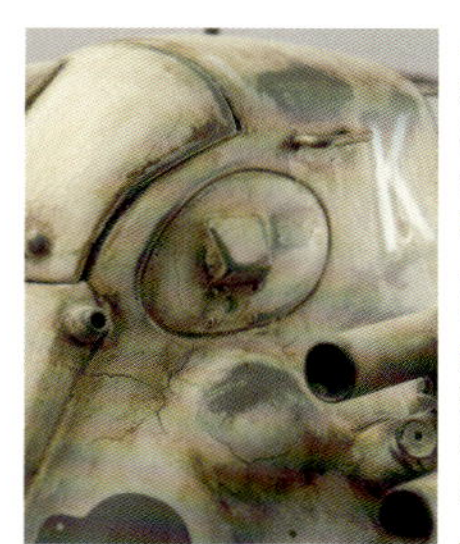

◀でもこのヒビは修正しないほうがいいんじゃないかってそのまま残したのです。すごくいい味が出ましたねぇ。秘伝のタレによるウォッシングも通常より残しめにして「傭兵軍は資金が乏しく、少ない補給で頑張ってる」んじゃないかって雰囲気を出そうとよりボロっちい感じに仕上げてます

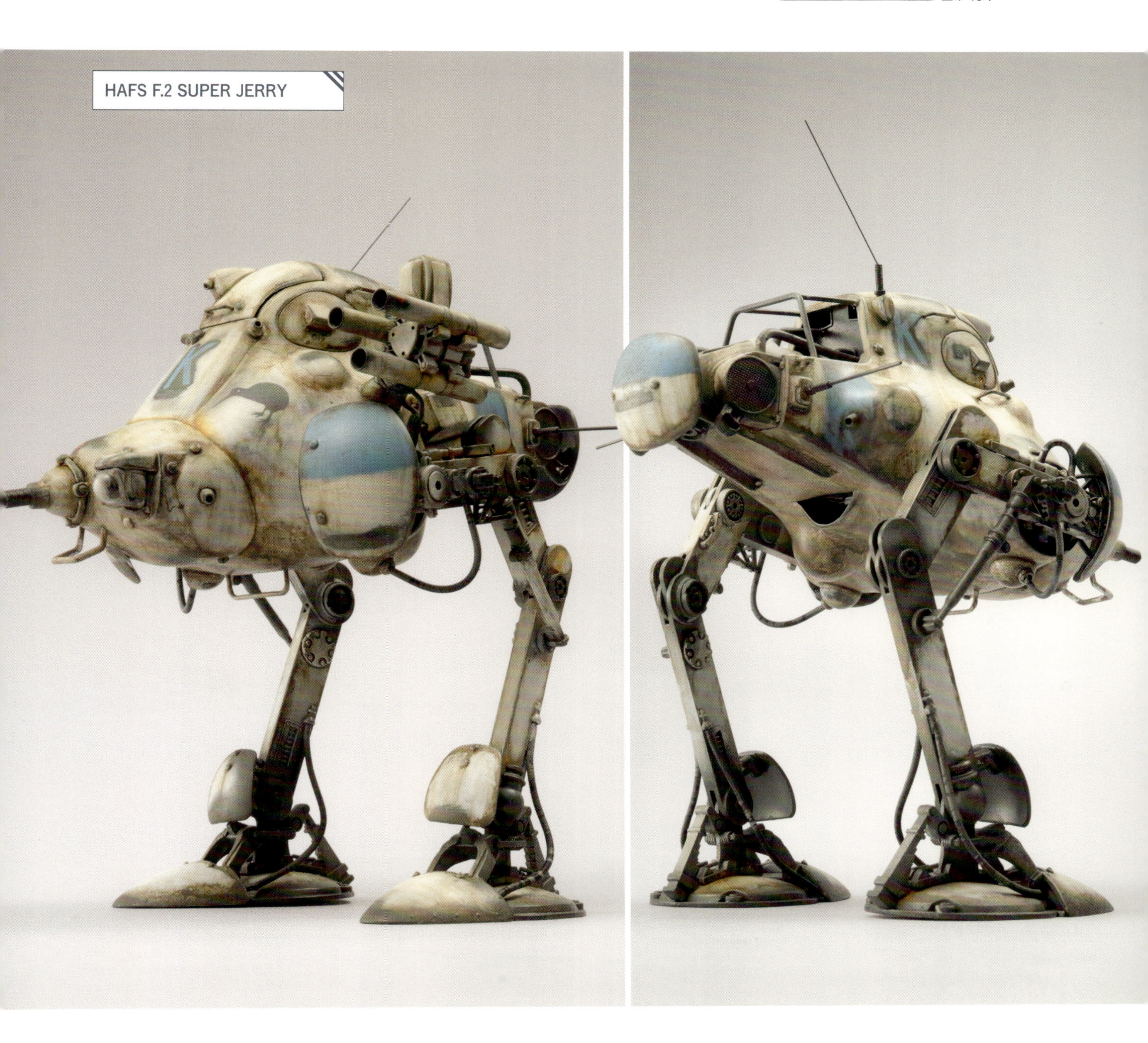

JKA ausf E GIGANT FLOH

■ ギガントフロー『白にオレンジ。サイコーにイカすシュトラールカラーです』

キットのパッケージのカラーリングですね。商品名がスーパージェリーなのに、パッケージはシュトラールのギガントフローっていう奔放さが『Ma.K.』ならではです（笑）。このカラーリング、伊原源蔵君が塗装例として製作していますが、どうしても自分でも欲しいと思い挑戦してみました。

こちらの機体はSジェリーとは変えて、現地で塗ったんじゃなくて元からこの色っていうオレ設定で進めています。挿し色こそ違え、同じような白い機体になってしまうのを避けたかったし、両軍の違いなんかも出せたらなぁという思いからですね。オレンジは筆塗り、これもウェザリングを考慮してかなり鮮やかで明るいオレンジです。そう、汚し前では「明る過ぎてダメじゃない？」って不安になるくらいがちょうど良くなります。これキモなのでもしやられる場合は信じてやってみてくださいね♪

▶ウェポンキャリアーとしては充分な武装を施されたギガントフロー。しかしシーカー類は旧態然で頼みの綱は有視界。白地にオレンジが超映えるカラーリングはナンバーワン人気なんじゃないでしょうかねぇ

◀旧日東のフィギュアを無改造で載せてます。昨今の超絶技巧フィギュアと比べてしまうとどうにも見劣りするオジサンですが、キャノピー越しなら全く気にならないのですよ

▲スーパージェリーのキットには丸みの強いつま先パーツが新規ランナーとして入っています。余った旧日東ジェリーのつま先はこんなところに活かされるわけですね。実在したらいかにもありそうな流用。何とも心憎いアイデアです

◀かっこ良過ぎて色んなアイテムに流用したくなっちゃう3連ロケットチューブ。武器セットとして別売りして欲しい！ぜひとも！

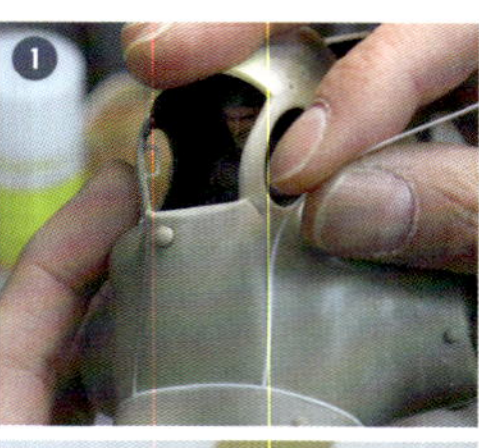

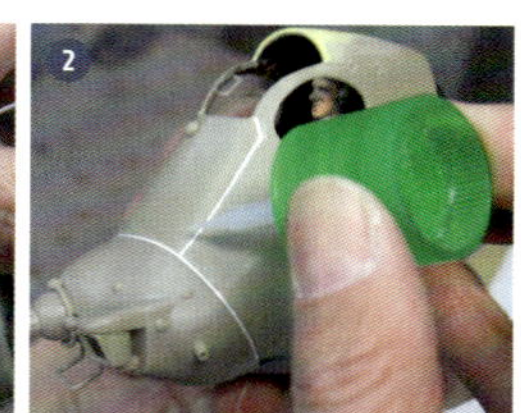

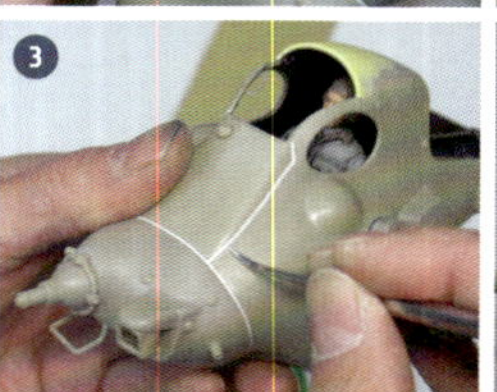

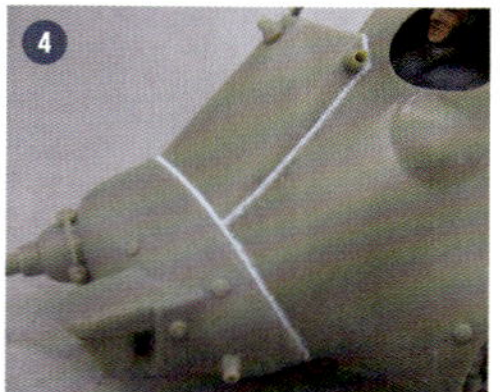

❶ フロント周りのパネルライン表現を色々試してみました。接合線を全部消しちゃうのを1体（ジェリー）。フツウに合わせ目を残すのを2体（フロー、スーパージェリー）。そしてこのギガントフローは溶接痕表現をやってみます。まず接合線に細切りのプラ板を貼り込み接着し……
❷ そのプラ板にサラサラ系の接着剤を塗ります。これは接着のためではなく、貼り込んだプラ板を柔らかく溶かすためです
❸ 接着剤が乾かないうちにスパチュラ（ヘラ）を押し付けてムニムニと潰します。ピッチ（間隔）は「まぁなるべく均一になるといいなぁ〜」くらいの気持ちでテキトーに（笑）。AFVモデル的には「なにその適当さ！」って笑われそうですが、雰囲気が出ればOK、万々歳です
❹ ほ〜れこの通り。なんかそれっぽくはなったでしょ？　ここにディテール（＝情報）が入ると密度が出て良い雰囲気になる気がするのです♪　"なんちゃって溶接表現"と呼びましょうか（笑）

傭兵軍 重装甲戦闘スーツ ジェリー

文／KATOOO（レインボウエッグ）

ジェリー、スーパージェリー、フロー、ギガントフローと4機が掲載されていますが、原点となる「ジェリー」を中心に述べたいと思います。

ジェリーはHJ1983年12月号に掲載された傭兵軍の重装甲戦闘スーツ。AFSに続く次期主力装甲スーツ候補として開発されたため、重装甲戦闘スーツ＝HAFS（ヘビー・アーマード・ファイティング・スーツ）と呼ばれます。1983年の連載当時、横山先生はシュトラール軍のPKA次世代機を作るつもりで、PKA同様コクピットにハセガワ1:48ディフェンダーを流用。にもかかわらずシュトラール軍にはクレーテがあったことから、当時の編集者・市村弘氏の要望により傭兵軍兵器になりました。テスト機として横山先生は機体を赤く塗りましたが、撮影当日、戦闘シーンにそぐわないからと編集部で塗り直しになったそうです（！）。

無人のクレーテは砲塔が旋回しますが、ジェリーのような有人2足機はコクピットがあるため、ボディシェルから細長い脚が生えているようなシルエットに。ジェリーはやわらかなフォルムのボディと細い脚のアンバランスさに加え、象の鼻のように前方に飛び出たマニピュレータやどこかレトロ感のある大型レーザーカノンも味わいを深くしています。左右後方のアンテナが水平方向に出ているのもジェリー特有の意匠。プラキット製作時、この水平アンテナを左右に付けると一気にジェリーらしく見えるから不思議です。

シュトラール軍のはずが傭兵軍になったジェリーは接収兵器だったという設定のもと、両軍でいろいろなバリエーションが誕生します。

「月刊モデルグラフィックス」2000年9月号でスーパージェリーが登場。作業用マニピュレータを撤去しレーザーカノン＆3連装ロケットチューブを装備した追加生産型です。横山先生が組立説明書を読まず、16年ぶりにキットを好き勝手に作った結果、前よりカッコよくなったというウソのようなホントの話なのです（笑）。

2009年にウェーブから発売されたスーパージェリーのパッケージイラストは未発表の「ギガントフロー」というシュトラール側の発展型でした。日東製「ジェリー」のパーツが基本となっていて、「スーパージェリー」「フロー」「ギガントフロー」の計4種に組むことができたのです。箱に記載された解説によると、ジェリーの基になったのは「エンテ」という農耕用2足トラクター。エンテから枝分かれして傭兵側がジェリー、シュトラール側がフロー（ドイツ語でノミ）になったそうです。フローのジェリーとの相違点は前方も側面も直接視認による透明キャノピーであること。26年の歳月を経て、当初の思惑どおりPKAに酷似したシュトラール軍の系列兵器となりました。

SUPER JERRY

▲「Ma.K.B.D.（バンドデシネ）」（大日本絵画刊）で登場のグライフを髣髴とさせるシュトラールのギガントフロー。この雰囲気を再現したいと思い立ち、グスタフ2機も急遽組んでみました。あぁ〜同スケールで並ぶとたまらんかっこよさですなぁ

◀基本的にはそのままの無改造組み。PKA系スーツは、良いフォルムをしているのですが、致命的に腕の可動が不自由なのです。なので一体は肩関節を市販ボールジョイントで改修し、前腕が前を向けるようにしてみました。あからさまに良くなりますねぇ

■SAFSのフロントアーマーって……

1月25日のHJ3月号発売後、2chスレッドで「フロントアーマーが間違ってる!!」というご指摘を受け、確認したところ、あいや〜〜!!　やってしもたぁ〜!!（汗）これってSAFSでは不要パーツだったのね……。まるっきり気付かずに使っちゃったよオジサン（苦笑）。気を取り直してランナーに残ってたパーツを再塗装、パーツを付け替えてみました。ウェザリングで馴染ませたら良い感じになったのでOKかなと。なるほど、SAFS陸戦型では角張ったアーマーじゃなかったわけだねぇ〜。でも全然違和感ないし、こっちの方が好きかも〜って思いました（笑）。

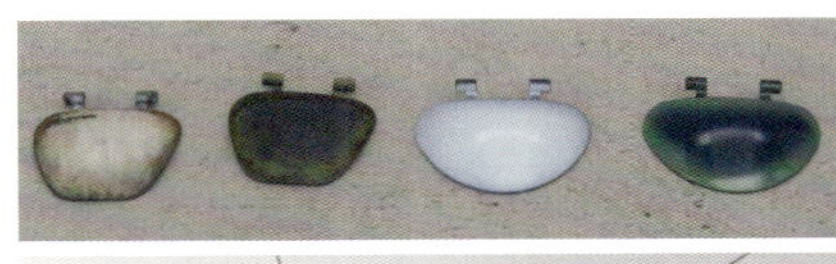

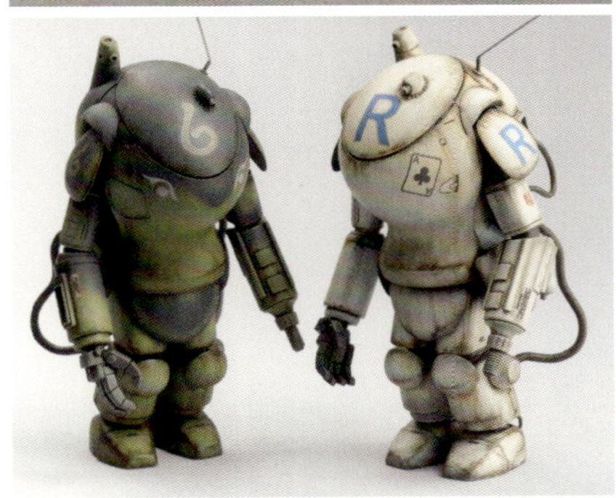

▲連載第1回の作例。メーカー指定とは違っていたフロントアーマーを指定通りに直してみました。なるほどそうなのね、って感じなのですがどっちでもOKだよなぁ〜とも思いますねぇ（笑）

横山宏：フロントアーマーのパーツを間違えたそうですね。最初わしなんか何言ってるか解らなかったよ。ファイアーボール用がFランナーで共通って事ですね。ちなみにそれがいつ発売されるのかは知らない。渡辺君の肩を持つわけじゃないんだけど、インストが無い時点で組み上げられるだけでもすごいよ。わしは絶対無理ですなあ。適当に組み立てて他のものになると思う。SFのものだろうが、実際の兵器だろうが、組み立てるときにパーツが複数あれば、その数だけバリエーションが出来るのが自然だよね。そもそも何かのきっかけで遺伝子が組み変わった生物のみが進化する事ができ生き延びていった。プラモだろうが生物だろうが、「ずーっとこれが正解だっ、間違いは許しませんよっ」みたいなものはどんなものも腐って滅びていくだけなんだよね。マシーネンは『SF3D』時代からキットのパーツを組み間違うことを「祝福」と考える事にしています。という事でまた間違えた状態に戻しておいてね。渡辺君。

エクサイマーレーザーガン装備ファルケ発売直前!!

ハセガワの1:20ファルケバリエーションとなる「ファルケ エクサイマーレーザーガン装備」が2月下旬にいよいよ発売。横山宏氏新設定のデカールは、BD版、サンド塗装、"ナス6"、夜戦仕様の4種分がセットされる。「高瀬発煙機」制作のCG映像収録の特典DVD付属。

反重力装甲戦闘機 Pkf.85 ファルケ エクサイマーレーザーガン装備
●発売元／ハセガワ●6400円、2010年2月発売●1:20、約28cm●プラキット

▲横山氏描き下ろしのパッケージ画像

クレーテが3Qモデル新作で登場

企画再販・横山宏氏、製造販売・ウェーブによる「3Qモデル」、メルジーネに続く第4弾は、シュトラール軍の二足歩行戦車「クレーテ」の登場だ。キットは日東製「クレーテ」に、ウェーブ「ガンス」用に新規に起こされた関節パーツをセット。パッケージも横山宏氏描き下ろしとなる。

▶写真は横山宏氏が製作したオリジナルモデル

クレーテ
●企画／3Qモデル、製造・販売元／ウェーブ●4725円、2010年5月発売●1:20、約19cm●プラキット

ハセガワ新作1:35ナッツロッカー

去る2010年2月4日（木）～7日（日）にドイツはニュルンベルクで開催された「ニュルンベルクトイフェア」にて、ハセガワの『Ma.K.』新作、1:35ナッツロッカーが発表となった。1:35にして全長約30cmのビッグモデル、続報が入り次第本誌でもお伝えしていこう。またトイフェア期間中にドイツの模型誌により選ばれる年間ベストキット「Modelle des Jahres」の「Modell Fan」Science-Fiction部門に、ハセガワの1:20ファルケが選ばれた。こちらも詳細は次回にて。

P.K.H.103 ナッツロッカー
●発売元／ハセガワ●7200円、2010年12月発売●1:35、約30cm●プラキット

▲写真は横山氏のお宅で撮影された、横山氏が製作した1:35ナッツロッカー。隣の1:20クレーテと比べるとそのサイズがイメージできるだろう。クレーテに関しては上の記事も参照のこと

❶「Drunk Dog & 申屋」では一般版権商品の「ニーゼ」改造キットを販売。原型製作&完成見本製作は伊原源蔵氏
❷ 弊社ブースではホビージャパン掲載のMAX渡辺氏による作例を展示。今月号掲載のジェリー（本当はフローだけど）も早くも展示された
❸ グッドスマイルカンパニー&マックスファクトリーの「WONDERFUL HOBBY LIFE FOR YOU!! 11」では、横山宏氏、MAX渡辺氏、本誌編集長によるトークショーが行なわれ、ホビージャパンの今後の連載やムック展開などが披露された
❹「マシーネンクリーガー・プロファイル1 ファルケ」でモデルを務めるロペス貴子さん。ブリックワークスから1:20フィギュアが発売されるのを記念して、先行販売とロペスさんのサイン会が、「アーマーモデリング」ブースで開催

Ma.K. in WONDER FESTIVAL

2010年2月7日（日）に開催された「ワンダーフェスティバル2010［冬］」では、多数のディーラーが『Ma.K.』を出品。また当連載「Ma.K. in SF3D」を受けてのトークショーやロペス貴子さんのサイン会などが行なわれた。

ホビージャパン別冊「SF3Dオリジナル」復刻へ

1983年発売、『SF3D』唯一の単行本にして、長らく絶版状態であったがために今や伝説となったホビージャパン別冊「SF3Dオリジナル」。ワンダーフェスティバル2010［冬］「WONDERFUL HOBBY LIFE FOR YOU!! 11」ステージにおいて、本書のホビージャパンからの復刻が告知された。発売は2010年の春を予定。2009年夏に発売された「HOW TO BUILD GUNDAM & 2【復刻版】」と同様、最新のスキャニング技術により、旧版に遜色ないクオリティーでお届けする。詳細は次回にてお伝えするので、乞うご期待。

◀こちらは1983年発売のオリジナル版

FALKE

| May 2010 | No.003 |

HASEGAWA 1:20 SCALE PLASTIC KIT
MODELED BY MAX WATANABE

Antigravity Armored Raide Pkf.85

'83年3月号に掲載された『SF3D』に登場して25年を迎えた'09年、
ついに長い沈黙を破りハセガワからプラスチックキット化された「ファルケ」。2月にドイツで開催された
「ニュルンベルクトイフェア」にてドイツの模型雑誌「Modell Fan」選定の「モデル・デス・ヤーレス 2010」SF部門を受賞した
本キットに改めて『Ma.K.』の魅力に気付かされたファンは多いのではないだろうか。
内に秘めていた“マシーネン熱”を一気に焚きつけられるきっかけとなったハセガワのプラスチックキット「ファルケ」に対して、
MAX渡辺氏は実に7機という超ボリューム作例で応えている。一挙ご覧いただきたい！

ハセガワ 1:20スケール プラスチックキット

反重力装甲戦闘機Pkf.85 ファルケ

製作・解説・文 MAX渡辺

■奇跡の復活、ファルケが インジェクションキットに

僕の、いや全世界の『Ma.K.』ファンの魂に再び、いや決定的に火をつけた一大事件。ファルケですよファルケ! ファルケがプラモデルに!! これを叫ばずにいられましょうか！

『SF3D』時代の連載より数年後にニットーさんが火事を出してしまい、唯一無二のオリジナルモデルが燃えてしまったファルケ。永遠に失われたジグソーパズルのワンピース。と思っていたらオリジナルモデルは横山さんの自宅倉庫に!!（爆笑）という、なんとも劇的なエピソードも極めつけに最高なファルケ。

多くのキット化希望の声を受けながら、しかしついぞ発売されることがなかったファルケ。それが25年の時を経てついにプラモデルで！ しかもアーティストモデルと同じ1:20スケールですよ！ しかもしかもあろうことかハセガワからですよ。もうね、これはね、模型文化の歴史的大事件なわけですよ!!

という長いような短いような前置きでスタートする「Ma.K. in SF3D」第3回。空回りして焦げ臭いくらい気合いがひと味違いますぜ。

「こうやって渡辺君が叫んでくれたおかげかどうだかわかんないけど、ドイツのプラモファンにファルケのキット化の意義が通じたようです。ご存じのように『モデル・デス・ヤーレス2010』SF部門を受賞しましたよ。日本の模型業界も何か賞を出してちょうだい」

（横山宏・談）

第500特殊戦闘爆撃航空団
“ボマーキャット”標準塗装機

何はなくともまずはこれ！　オリジナルアーティストモデルのカラーリングです。ミディアムなグリーン、カッコイイ。落ち着く。でも、実は、この作例にはちょっとしたエピソードが。連載の影もカタチもない頃、プライベートで組んだ3機のうちの1機をこのカラーリングで塗ったのですが、イマイチ納得がいかなくて今回丸々1機組み上げ塗り上げました〜。

◀▼この作例のテーマは飛翔感、そしてスピード感。前後に汚れを流すことで飛ぶモノ感を強調してみました。悪くないかと思うのですが、前後に縦の線が入ると上下幅は薄く見えてしまうんだなぁと実感。実際塗ると判ることってたくさんありますねぇ

▶カラーはフィニッシャーズの「スピナッチグリーン(ほうれん草の緑)」。ベースグレー地に一切手を加えず塗ってます♪　いい色だぁ〜〜

“ボマーキャット”
コリン・グレイ少尉機

「Ma.K.B.D.(バンドデシネ)」(大日本絵画刊)のAct.02に登場する機体。極秘最新鋭の機体なのにいきなり不時着、跡形も無く爆砕されちゃうんです。なんて思い切ったきっぷのいい(？)お話なんでしょう(笑)。機首左の膨らみがあってエクサイマーレーザーを装備している、過渡的でいかにもテストタイプっぽいのが痺れますし、迷彩パターンもカッチョイイので迷わずチョイスしました。

▼ファルケの秘密を守ることができた「報復装置」も作れて幸せです♪

▶脱出シーンの再現がしたくてフィギュアをポーズ改造、気合いの入った特撮カットを撮っていただけました♪(本松さんありがとう〜ございましたぁ〜)

“ボマーキャット”
ハルフェ・ユーティライネン少佐機

連載が始まる前、ボマーキャット制式カラーの機体はプライベートで完成していたのですが、ちょっと失敗して色が濃過ぎ暗過ぎだったんですね。連載という願ってもない好機を得たので1機丸ごと新作、それが掲載作例です。残った旧作はユーティライネン機に塗り直しました。機首以外は塗装指定だと赤いところがないのですが、ちょっと後ろが寂しい気がしたのでスタビライザーにも赤帯を入れてます。潰れてしまったマーキングは再度デカール貼り込み。始めから組み上げるより遥かに短い時間で一機増えてお得気分です♪

◀眺めているうちに閃きが!「そうだ! コレを下地扱いにして違う機体にしちゃおう!」と。そんなわけで境目は筆で塗り分け、広い面はエアブラシを用いて直線的な迷彩パターンを再現しました

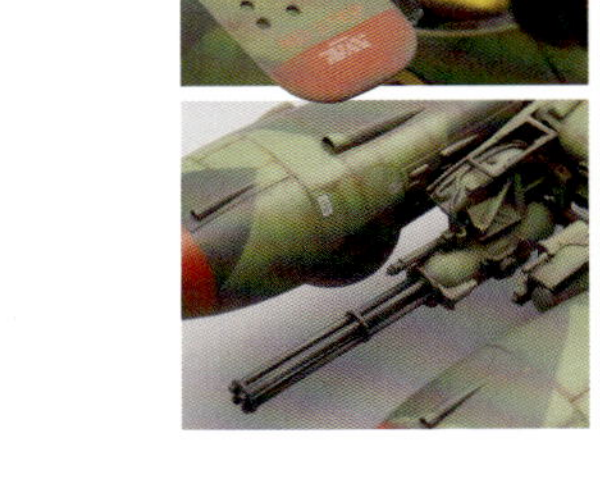

全7機の共通工作はコレ!

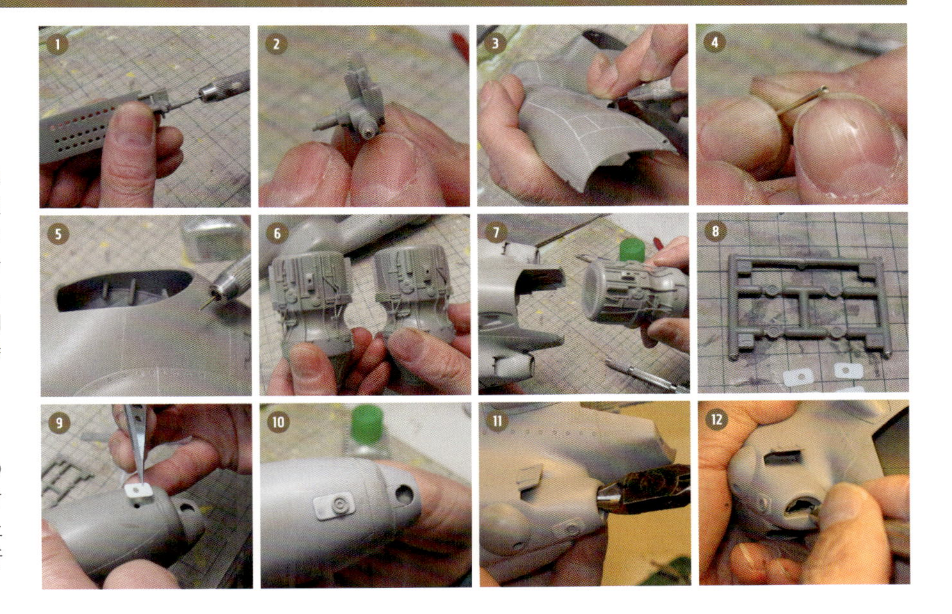

「とにかくたくさん塗りたい、飾りたい!」
でも時間は限られている…そんな僕は工作はほどほどで切り上げてしまい、塗装に取れる限りの時間を割くことにしています。これまでの作例はすべてこの考え方で進めていますし、今回紹介する7機の作例もその例に漏れません。以下が全機に共通の工作メニュー。腕と時間とお好みに応じて摂り入れていただければ幸いです。

■スタビライザー接続軸の強化

❶❷おっちょこちょいで残念な僕には必須の工作(苦笑)。接続軸にピンバイスで穴をあけて1mmのシンチュウ線を差し込んで瞬着で止めています。これでよほどのことがない限り折れません! これはおススメです。

■フロント周りのインテーク開孔

❸組み立てを終えてからも出来るお手軽工作。ピンバイスで孔を開けてデザインナイフで拡げてやるだけでいい感じに仕上がります。

■リベットモールド強調

❹❺成型の関係でモールドが浅めのボディ側面、そして組み立てて合わせ目消しをしていると消えたり甘くなったりしてしまう機首周りのリベットを少し深くしてやる工作です。リベットの箇所にサラサラの接着剤をちょんと塗ってやりしばらく放置。生乾きのところでピンバイスにかませたシンチュウパイプをクルリとひと回ししてあげます。接着剤で柔らかくなっているので力を入れてグリグリやる必要は全くありませんし、失敗してもやり直せます。多少のズレは味ってことで(苦笑)。少し難易度が高そうに見えますが、慣れると楽しいのでチャレンジしてみてはいかがでしょう?

■エンジンの後ハメ加工

❻❼ヤクルトエンジンとボディとの接合部、ボディは弄らず、エンジン部のダボを削り込むことで取り外しが出来るようになります。でもまぁ一緒に塗っちゃってもなんら問題ないのであんまりおススメはしません(苦笑)。

■ボディサイド4ヵ所のスラスター?

❽❾❿これはなんなのでしょう? ボディを固定するフック? 姿勢制御のスラスター? きっと横山さんに聞いても「んん~何だろうねぇ~何でもいいよねぇ~」といつもと変わらないお返事を頂戴すると思うので敢えて聞かないことにします(笑)。この部位、ボディの上下接着の際に仕上げが面倒になるので思い切って削り落とし、切り出した0.5mmのプラ板を貼り込んじゃうのです。もしかしたらスジ彫りでも良かったかも? とも思いますが、凸のほうがメリハリが出るし、スジ彫り工作は好きじゃないので一瞬迷いましたが即決定です(笑)。

■左右ノズル開孔

⓫⓬プロファイル本にも紹介されている工作です。ピンバイスで何ヵ所かで開孔してやり、ニッパーで孔をつなげてヤスリで仕上げます。簡単で効果が高い工作と言えるでしょう。ボディの方も開けてあげるとさらに洞穴チックになってグッドです。

FALKE

第53戦闘航空団
ジョン・ミラー少尉機

エクサイマーレーザーガン装備ファルケのパッケージイラストにもなり、横山さん自身が塗装作例を作っているカラーです。これはラインナップには欠かせない！　でも真似て塗ってもそれはそれでいいんだけど、せっかく塗るんだから違うアプローチをしてみたい、と思い至りました。僕は彩度と明度をともに上げたカラーバランスで構成してみようと。パッケージイラスト画像を穴が空くほど見つめ続け、下面色はかなり明るいグリーンが隠し味のライトグレー。上面色は青味、赤味をイラストより強めに出し、緑の帯も相当鮮やかにしました。スピナッチグリーンを残しているっていう設定とは違ってしまいましたが、面白い仕上がりになったんじゃないかなぁと気に入っています。

▼横山さんの作例では手描きだった瞳のマーキングがデカールでは気持ち大きくなっていて可愛いですね♪

◀「補色を下地に塗っておくと、上塗りした色の発色が"より良く"なるよ。グリーンの下にはオレンジがいいんだねぇ。騙されたと思ってやってみてちょ」と、横山さんのアドバイス。本作例の緑帯には下地にオレンジを下塗りしています。うん、凄く良い発色！　蛍光カラーが入ってるみたいに映えます

◀ みんなコクピットに座っていても面白くないので、パイロットをポーズ改造。フライトを終えて降りて来ているところにしてみました。それだけだと寂しいしおねえちゃんが可愛いのでフィギュアセットのコーヒーカップを流用しつつ右腕をちょいと改造、立たせてみました。戦争中だけどつかの間ホッと一息なシーンになったかな？

第66戦闘航空団 "クロックワークス"
ポール・エリアール大尉機

ダークイエローとライトブラウンの迷彩に白帯がキリッ！　グレーのマーキングも締まりがあってバランスのいいイカすカラーリング。ダリの「カマンベールの時計」のアイコンをあしらった部隊マーキングもエピソードとともに心憎い大好きな機体です。前回掲載のフローが初のサンドカラー作例だったので、感覚を忘れないうちに塗っておきたかった色でもあり、反省も含めて下塗りとしてはかなり明るくしています。

『Ma.K.』迷彩塗装の基本手順

時間は無限。でも僕が使える時間は有限です。「塗装に全行程の大半の時間を費やしたい」。でも否応なく〆切はやって来ます（汗）。筆塗りの楽しさをゆったりと楽しんでいたくてもできない僕はエアブラシを多用して時間短縮を図ります。それでも単調で味気ない仕上がりにはしたくないので色々と試行錯誤するうちにひとつのルーティンパターンを手に入れることができました。これからも変わって来ることでしょうが、現時点でのMAX渡辺流『Ma.K.』迷彩塗装の基本手順は以下の感じです。あらゆる模型仕上げに流用出来るメソッドなので参考にしてくださいませ。

1 表面の状態を400～600番見当でそこそこに仕上げたらサーフェイサーを吹き、乾燥後ベースグレーを全面に吹きます。ベースグレーを吹いたら半日くらい放置して1色目を吹きます。MAX塗りのようにエッジやフチに意図的に黒を残そうとはあまり意識しません。むしろ下地の黒の影響が感じられないくらいに何度かに分けしっかり吹き付けます。

2 1色目を吹いたらやはり半日くらいは放置乾燥させてクリアーを全面に吹きます。まんべんなく行き渡るように注意しますがやはりそんなに神経質にならずに2～3回くらい。缶スプレーもお手軽でよいので多用しますが、吹き過ぎにはちょっと注意します。1色目同様、ホコリが塗装面に乗りまくったりしてちょっとブルーになりますが、ここでは気にしないことに（苦笑）。

3.4 クリアー塗布後、やはり半日くらいは置いて次の色を吹きます。塗り分けの境目はエアブラシのノズルをギリギリまで近づける名付けて“零距離射撃”でできるだけハッキリと塗り分けます。塗り分けラインは塗装図を参考にしながら、でも適当にやるのが気楽で楽しいです♪

5.6 例によって半日は乾燥させ、コンパウンドの出番です。塗り分けラインの境目をコンパウンドを少量つけた綿棒で擦ります。1色目はクリアーで保護されているので色落ちはしませんから飛んでしまった2色目を擦り落とすことできるわけですね。境をハッキリさせる効果に加えライン自体も好きに変えられるので、良い景色や味を加えることもできる楽しい作業です。零距離射撃では幾度となく失敗して作ったクラウンもこの工程を経ることで味のある「ひっかかり」に転嫁することができるわけです。コンパウンドは荒目が仕事が早く僕には相性が良いです。

7.8 デカールを貼ったらやはり半日は放置してクリアーを吹き付けます。デカールと塗装面の境目を重点的に、生乾きになったら吹くを繰り返して5回以上。表面はかなりトロリとしたつやつやの状態になります。吹き過ぎて垂れてしまっても慌てずそのままで♪　約1日は放置乾燥させたなら研ぎ出しです！　『Ma.K.』モデルには3Mのスポンジペーパーが相性バッチリ！　600～1000番見当の番手である「ウルトラファイン」が良いですね。これでシャコシャコとヤスって平滑な感じに仕上げます。ヤスり過ぎるとデカールが露出してしまうので一応用心深く。とはいえよくやっちゃいますが、もちろんこれも味です♪　超絶美しいクルマの模型のようにする必要は全くありませんのでクリアーもほどほどの回数、厚みで良いのです。事実指で境目をなぞるとうっすらと高さの違いを感じます。

9 クリアーの削りカスを掃除したら全面にツヤ消しクリアーを吹き付けます。まんべんなく回数は2回くらいで充分です。半日放置したら“秘伝のタレ”を全面に塗ります。秘伝のタレとは黒、白、赤、茶色、緑などメチャクチャに混ぜ合わせたエナメル塗料で見た感じはふか～いオリーブドラブといった色合い。明るい色には白をたっぷり入れた“秘伝のタレ2”を使います。あまり希釈せずベタベタやるのがキモ。シャブシャブにしすぎると細いパーツや可動部が破損してしまいます。とは言っても折れる時は折れるのでその時は修理してやります（苦笑）。仕事が早いし乾燥時間も短いので最近はこれをエアブラシで吹いちゃうことがあります。問題なく吹けますが、エアブラシの洗浄はちゃんとしないと後で困りますのでご注意ください（汗）。

10.11 約半日置いたらエナメルシンナーをつけた綿棒でひたすら秘伝のタレを落とします。イメージとしては画用紙を鉛筆で真っ黒に塗りつぶし消しゴムで絵を描く、そんな感じです。綿棒はドンドン新しいものに替えて行きます。100円ショップで300本も入っているのが買えるので湯水のごとく使っても心も財布も傷みません♪　汚れた綿棒は塗装面に薄らとタレを伸ばす効果があり濃淡を調整しながら進めます。この作業がまたとても楽しい。気楽な気持ちでグイグイ進めます。

12 綿棒の作業が納得のいく仕上がりになったら、軽く1回ツヤ消しスプレーをかけて秘伝のタレを定着させます。何故ここでツヤ消しクリアーを入れるかというと、この後のエナメルカラーでの汚し工程でタレ工程の塗料を落としてしまわないためです。エナメル塗料やコピック、タミヤウェザリングマスターを使用して塗装のハゲやサビなどを表現し、最後にエアブラシの吹き付けで調子を整えたら完成です！

第5戦闘航空団
ウェズリー“ゴースト”スミス軍曹機

　スカルマークはカッコイイ。いつでもどこでもカッコイイ。黒いボディに白いドクロ…松本零士先生の洗礼を受けてしまった僕にはコレの魅力に抗う術がありません。ほぼ反則技ですよね(笑)。赤も効果的でいいですねぇ。顔にドクロをペイントしてるカブキ者スミス君のフィギュアもいずれ塗りたいものです。

▲スカル部分のデカールは悪戦苦闘しつつもなんとか貼り込めました。切れたところはクリアーコート後、筆とエアブラシで繋げたので無問題

▼機首部分の骸骨の手は横からのビューでも見せたかったので余っていたデカールを使って一本追加して6本指になってるんです。ゴーストで死神のイメージですからOKですよね？　指の長さもデカールを繋いで長くしてあります

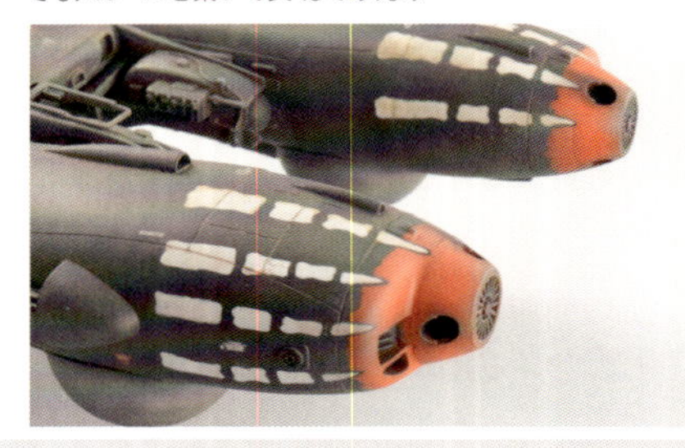

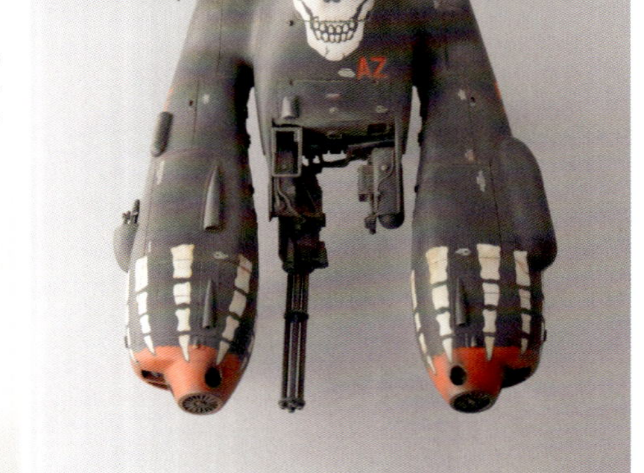

Ma.K. in SF3D EXPLANATIONS

傭兵軍 反重力装甲戦闘機
ファルケ

文／KATOOO（レインボウエッグ）

ファルケは反重力装置を搭載した傭兵軍の装甲戦闘機です。初出はHJ1983年3月号。連載時から非常に人気が高い傑作デザインで『SF3D』を語るうえで欠かすことのできない象徴的なメカです。

地上部隊の近接支援が主任務のファルケですが、ホルニッセやフレーダーマウスをはじめとする敵戦闘機との交戦や迎撃につくことも。反重力装置に緊急用ジェットエンジンを備えた運動性能もさることながら、SAFSと同じ間接視認システムを採用することで防御上の足かせとなる透明キャノピーを排除。装甲防御力は格段に上がり、シュトラール軍の制空権を奪取することに成功します。

ファルケはドイツ語で「鷹」。傭兵軍は英語でのネーミングが通例ですが、2009年に刊行された「マシーネンクリーガー・プロファイル1 ファルケ」（大日本絵画刊）に、フィンランド人とドイツ人のハーフである傭兵軍のユーティライネン大尉がニックネームをつけたというストーリーが掲載され、「ファルケ」の由来が明かされました。

形状や設定上の魅力はもちろんのこと、ファルケにはモデラー魂に火をつける魅力があります。それは既存のキットの一部を組み合わせて作る流用モデリング。レベル1:32 P-38ライトニングと1:24トヨタスポーツ800（いわゆる“ヨタハチ”）とヤクルト容器があれば、ファルケが簡単にできるのではないかと思えてしまうのです。簡単ではないものの、実際に流用パーツを使ってスクラッチすると横山先生のパーツの着眼点や工作法を充分理解することができます。

2008年、『Ma.K.』に新規参入したハセガワからのファルケ・キット化のアナウンスが。この朗報に古くからのファンは耳を疑い、目を疑いました。当初は1:35で発売される予定でしたが、横山先生は1:35のファルケを手にして「ちっちゃいのじゃダメだ〜」と叫ぶ夢を見たそうで、ハセガワの担当者に直訴。上下2パーツにすれば作りやすくなり、金型費用もかさまない旨を説明し、めでたく2009年に1:20でのインジェクションキット化という悲願が達成するのです。

ファルケのキット化は往年のファンにも、新規のファンにも歓迎され、『Ma.K.』がさらに活性化する起爆剤に。構成がシンプルで作りやすく、プロポーション、ディテールともに完璧なこのキットは、記録的なセールスとなりました。2010年にはドイツの「モデルファン」誌による「モデル・デス・ヤーレス2010」のSF部門を受賞。雑誌が違うので集計年が違いますが、ルナダイバーも「キットマガジン」誌の「モデル・デス・ヤーレス2010」を2011年に受賞しており、そんな2つのキットがこの本に掲載されているのはダブルでうれしいですね。

第3戦闘航空団
カズ・ヤマザキ少尉機

マップロ本（「マシーネンクリーガー・プロファイル」の愛称）掲載の横山さんの作例にモデラー心を鷲掴みにされたファンの方も多いのではないでしょうか。僕もその1人で、これはぜひとも挑戦したいと思い、連載前プライベートでチャレンジした1機です。緑に青帯の機体をデカール入れ＆研ぎ出しまで済ませて用意。タバコライオンを混ぜた白を筆でペタペタと塗って行きます。コーションマークや部隊マークなどは塗り残してやるのですが、多少はみ出たって一切構わず景色を残すように適当に。焼酎を飲みながら進める冬季迷彩はやっぱり一番楽しいなぁ。筆ムラ刷毛ムラバリバリですがいい味になります。クリアーを塗布して軽く研ぎ出しして少し表面を落ち着かせてエナメル塗料とコピックでかなり汚れてる感じに仕上げています。何機でもオカワリしたい楽しい塗装でした♪

on the rooftop

**MAX渡辺氏渾身のファルケ7機という作例群に対し、急遽、ホビージャパン本社屋上での屋外撮影を決行することとなった。
撮影前日までぐずついた天候であったのに、この日はまるでファルケの
「モデル・デス・ヤーレス2010」SF部門受賞を祝福しているかのような見事な空模様。
作者・MAX渡辺、原作者・横山宏、そして7機ものファルケの撮影は、澄み切った晴天の中奇妙で愉快に繰り広げられた。**

横山：えーと…何年ぶりだろ、ホビージャパンの屋上に上がったのは。27年前？　そう、ビルも場所も違うけど、ホビージャパンの屋上に上がって「Ma.K.inSF3D」のことをやってるってのは、なんかデジャブのような？(笑)　そういう意味でも丁度さ「モデル・デス・ヤーレス2010」SF部門受賞記念企画ってことで。いいよねぇ、何かオリンピック的な感じで。みんな俺のことを「真央ちゃん」だと思ってくれれば良いな(笑)。

横山：これが渡辺君が冒険したっていうだけあって面白い色で。良いですよ。このグリーンとかもさ、今まで通りとは全然違うグリーンで塗ってるけど、全然面白いです。蛍光グリーシっていうのが、ドイツのレーシングチームとか識別カラーで入れそうだもん。そもそもがムラサキとグリーンが並んで、なんかリアルに見えるもんってなかなかないんだ。ほんと、大戦末期のドイツ機のようでもあり、すごいカッコイイですね。これにまた色を塗りたくなりますね。

横山：なんか良いねこれはこれで。面白いですよねぇ。不思議な感じ。こういうケーブルがあって上にメカ乗ってるとこの絵自体が、大友克洋さんの書くコマみたい。ねぇ？　『AKIRA』に出てくるメカみたい。良いですねぇ〜。カッコイイねぇ〜。ホント、カッコイイ(笑)。いやー、ワシ天才だねやっぱ(笑)。ホント今回はこの屋上に来ようってことに必然性があったんですよねぇ。また天気がね、今日が良いってのがね。この日を選んだのも良かったし。うん。いろんなことでホントに意味があるんです。うん。渡辺君があの時に間に合ってたら雨の中撮影だったからこんな写真取れないしねぇ。全然違いますからね。良いわ良いわ。楽しみだねぇ。

横山：なんかすごいあまりに上手に塗装面が決まってるから、何かもったいない気が逆にする。あの、目をつぶったような跡も好きなのよ。なんかここは仕上げてませんよみたいな感じが残ってるともっと嬉しいくらいなんだけど。まあ余計なお世話なんだけどね(笑)。

MAX:そういう勢いとかですね、横山さんの作例からは感じるので、真似したいなぁって思うんだけどコレがなかなか……気持ちが堅いんだよね、俺。人間がっていうか。

横山：渡辺君は真面目だからねぇ。

MAX:だから意識して真似てみたり、遊んで遊んだまんまにしたりとか、色々試してるんですけどねぇ

横山：もちろんその、遊ぶ時にも無意識に遊んでるだけじゃなく、意識しながら遊んでる部分って多いから。その意識した遊ぶもんってのは見てる人も同じように多分楽しめてると思うから、上手に伝えてあげたいよね。

MAX:ですよねぇ。いやーでもね、全然楽しかったし♪

横山：そうそう、それが一番大事なことなんだよ。そういえばさ、ハセガワの国分さん（『Ma.K.』開発担当）に7機のことを伝えたら、「銀河で一番ファルケをこさえた人ですね」って。ハセガワ様公認のファルケ最多量産男ですな。

MAX:銀河一の大バカファルケ野郎ってことですか（笑）。

横山：いやいや一番偉い男としましょう。

ハセガワファルケ モデル・デス・ヤーレス 2010受賞!!

前回でもお伝えしたとおり、ハセガワの1:20ファルケが、ニュルンベルク・トイフェアで発表される、ドイツの模型誌により選ばれる年間ベストキット「モデル・デス・ヤーレス」を受賞。それを記念して3月13日に『Ma.K.』ファン主導によるオフ会が都内某所にて行なわれた。オフ会でハセガワ専務(当時)長谷川勝人氏による賞状やメダルの披露が行なわれた他、本誌と「月刊モデルグラフィックス」合同の模型コンテストの開催が横山氏より発表となった。

▲ニュルンベルク・トイフェアでのファルケ受賞の展示の様子

▲横山氏、MAX渡辺氏、ハセガワの長谷川専務(当時)などの関係者もイベントに参加。ファンとともに受賞を祝った

◀こちらは当日会場に持ち込まれた、25年前に横山氏が製作したファルケのアーティストモデル

新型PKA 「メルジーネ」ついに発売

ついに発売となったファン待望のシュトラール軍新型PKA「メルジーネ」。初のフルインジェクションキット化となった本アイテムのパッケージイラストは「3Q MODEL」の製造企画も行なっている原作者・横山宏氏が新規に描き下ろしたものとなっている。

●企画/3Q MODEL、製造・販売元/ウェーブ●3200円、2010年3月発売●1:20、全高約10cm●プラキット

ホビージャパン別冊 「SF3Dオリジナル」復刻版、5月発売決定!!

1983年発売、『Ma.K.』の原点『SF3D』の初にして唯一の単行本、ホビージャパン別冊「SF3Dオリジナル」。本書はHJ本誌連載の第1回AFSから第15回クレーテまでの内容を再構成、コンラート・アムゼルを主役とする「SF3Dオリジナル背景設定小説」や横山氏による描き下ろし戦闘劇画などが掲載されている。絶版となって永く、現在入手困難となっているこの本が、ついに復刻される。

復刻版では、「SF3Dオリジナル」の全ページを高精細スキャン、オリジナルと遜色ないクオリティーで、「SF3Dオリジナル」を現代に甦らせる。定価は税込2000円(当時)、発売は5月31日を予定している。

原本をお持ちだがもうボロボロになってしまったというオールドファンも、『Ma.K.』以降のファンで本書をお持ちでない方も、この機会にお手元にいかがだろうか。確実な入手にはお近くの書店にてご予約いただきたい。

SF3Dオリジナル【復刻版】
●発行元/ホビージャパン●1905円、2010年5月発売●B5判、総140ページ

MAX渡辺×横山宏

2010→2018 まもなく連載100回!!

「Ma.K. in SF3D ARCHIVE」刊行記念対談

100AX(ヒャックス)渡辺さんへ

なんとまもなく
連載100回目になります。
こんなにたくさんの
マシーネンのキットを
作ってくれて感謝しています。
本当にありがとう。

2018年3月　横山百回より

こんなに連載が続くと思ってなかった

MAX：ありがとうございます!!　ヒャックスですか!?（笑）
横山：100回目の連載は、100AXって書いて「ヒャックス渡辺」って名乗るといいよ。わしは「横山百回」ってペンネームにするわ。
MAX：アハハハ。100回って感動するなあ。
横山：感動するねえ。SAFS100個作った時も驚いたけど、連載100回になるんだね。びっくりだ。始まったの8年前でしょ。
MAX：連載始まった時って……横山さんが53歳で、僕が47歳かぁ。そういえば2人で100歳だって言ってましたね。
横山：8年経ったから今は116歳だ（笑）。
MAX：横山さん、今の僕（55歳）より若かったんですねぇ…。
横山：8年なんてあっという間だ。アーカイブ本やっとまとまりましたね。
MAX：待ちに待った出番が来た感じです。よくケンカしないで8年も続きました（笑）。
横山：どっちもぶっ倒れないでよかった。ケンカとかするエネルギーのない年齢になったからね。若かったらケンカしたかもしれないけど、おじいちゃんとおっさんだから。
MAX：まさに長寿連載です。
横山：いやあ、映画の話もなんにもない時からずっと続いてるのは、マシーネンが純粋にプラモデルになるためにできてるカタチだからだね。最近はわしの作例が載ることもあるけど、最初のころはほぼほぼMAXさんがやってるでしょ。
MAX：最初のころはずっとやってますね。
横山：毎回たくさん作ってくれて、トライアスロンやってるアスリートならではの発想だよね。まず数をこなさなきゃっていう。スクワットやるぞ的な。でも最初のころはアスリートじゃなかったのか。タバコ吸ってたもんね。なっとらんよ（笑）。
MAX：アハハハ。
横山：ホント不思議なもんだよね。何度も言ってるけど、『SF3D』の連載してる時からMAXさんがウチに遊びに来て、仕事も手伝ってくれた一番初めのお客さんなの。わしが屋台引いて商売始めた時からの。
MAX：今は大店になってきました。
横山：老舗になってきましたね。MAXさんが一番初めのお客さんだったってことに大きな意義があったんです。この連載始まる前からキットもたくさん持ってたし、MAXさんのところに遊びに行ったときにもらったパーツで『SF3D』はできてたりするんで。大勢のお客さんに商品を出す前のモニターをしてもらってるようなものなんですよ。「これ作ったらMAXさん、カッコいいって言ってくれるだろうなあ」って明確にできるからスムーズに行くんです。
MAX：ありがとうございます。正直言うとこんなに続くとは思ってなかったんですよ。なんというか、やめる気がしないんです。ウチのマネージャーが「1年くらいでやめてくれるんじゃないかと思ってたんです」って言うんですよ（笑）。この連載のために結構な時間を割くじゃないですか。
横山：「こんなことやってたら会社つぶれる」ってずっと言ってたよ。
MAX：時間的にもマックスファクトリーの仕事になんらかの影響は出てましたね。だから自分的には「2年はやらないよな」って思ってたら……。
横山：8年経って9年目に突入しとるがな！幼稚園児が中学生になっちゃうよ。なんにも変わってないわしらはヤバいなあ。

楽しい事をやれば楽しさは伝わる

MAX：この連載で僕はあからさまに上手になったと思うんですけど…。
横山：でも、上手くなり過ぎちゃいけないんです（笑）。「MAXさんだから作れるんだよな…」っていう作例はよくないんだよね。超絶作例は「俺たち作れないからもうやめる」って促してしまうんです。
MAX：なるほど、そういう側面は間違いなくあります。いきなりマジ話になりましたね。
横山：楽しいってことを伝えないと。どうやれば伝わるかっていえばカンタンなことで、わしらが楽しいと思うことをやれば、楽しさは伝わるんです。
MAX：「楽しそうな感じがよく伝わります」って結構言われますねぇ。
横山：そうでしょ。ツラいことないもんね。資料照らし合わせて「ここが違う！」とかないもん。
MAX：「これをやれ！」って言われたことないですし。
横山：そうそう。
MAX：「いくつ作れ」って言われたこともない。撮影日にとにかく「スゴいね～」とか「ワ～!!」って言ってもらいたくて。それだけのためにやってます。
横山：わしもそう。「いいでしょ？」って子供が何か見せて「すっげ～」って言われる延長線上でやってますよ。それにしてもこれだけ長くやってて何がスゴいかというと、100回分もよくそんなネタがあったね。
MAX：原作者がそれ言いますか（笑）。連載の最初の頃は1ヵ月で7機とか12機とか作ってましたから（笑）。
横山：たくさん作ってくれたことでわかったことがいっぱいあります。実際に塗ってみたらこっちのやり方のほうがよかったとかね。一人じゃできないから会社（マックスファクトリー）の人に協力してもらってやってるのがスゴいですよ。会社規模でマシーネンやっ

ホビージャパン2010年3月号から連載を開始した「Ma.K. in SF3D」は一度の休載もなく、2018年6月号（2018年4月25日発売）で100回を迎える。栄えある100回を目前に、連載内容を掲載号順に再編集する「Ma.K. in SF3D ARCHIVE」の刊行がスタート。同連載で数多くの作例を手掛けてきたMAX渡辺と、毎回撮影を監修し現在は作例も発表する原作者・横山宏の両氏が9年目に突入し今なお続く長寿連載となった「Ma.K. in SF3D」について語り合った。

てるもんね。

MAX：実は1冊目のこの本に載ってる作例は僕一人で作って塗ってるんですよ。

横山：ホントですか!?　そうだったっけ？

MAX：はい。この頃はアシスタントさんに手伝ってもらってないんですよ。フィギュアの原型を作ってもらった回がありますけど（044ページ参照）、基本的には全部自分でキットを組んで塗ってました。

横山：よくぶっ倒れなかったねえ。フツーだったら無理でしょ。

MAX：はい。ホントよくやったな〜と思います。アシスタントさんに組み立ててもらうようになってからは、より安定してできるようになりました。

組む時間は一秒でも短いほうがいい

横山：ハセガワのファルケとかそうだけど、MAXさんのような人のために、本体を上下2パーツの分割にして組むのをできるだけ簡単にしてもらってよかったわ。

MAX：上下2パーツの分割だから頑丈なんですよ、ファルケのキット。最高です。ファルケもいくつ塗っても楽しいキットの一つですよね。

横山：組む時間は一秒でも短いほうがいいっていう考えは正しいね。

MAX：間違いないです。マシーネンの展示会で一人でたくさん同じもの塗る人増えましたよね。

横山：みんなハマってますねえ。

MAX：何かに取りつかれたような人いるもんなあ。そう、連載はネタが尽きないって話ですけど、2巡目になったかっていうと、そうでもなくて。連載第1回の1:35ルナダイバーがようやくまた出るけど（HJ2018年5月号掲載）、やってない機体もあるんです。「なんで飽きないんだろう？」って思います。

横山：曲面とかが女性のカラダを想起させるようなカタチだからかな？　キットも何回作っても面白いの。「カッコいいなあ」って自画自賛しながらプラモデル塗ったり絵を描いたりしてます。

MAX：理由は一つじゃないと思うんですよ。マシーネンはいくらやっても終わりが来ないんですけど、毎回の連載で毎月一度はいったん終わりが来て、リセットできる。それも楽しいんです。

横山：マシーネンがなくならないのはAVが永久になくならないのに似てるかも（笑）。

MAX：マシーネンはかなり性的ですよね。個性的でモコモコ出っ張った部分とか塗ってて楽しいし。

イヤなことはしなくてもいい

横山：マシーネンの女性パイロットはリアルなお姉さんを隣に立たせたくて、林浩己さんに原型をお願いしたんです。リアルなお姉さんをスーツとかの横に置いておくと、これは現実なんだって思ってくれる人もいるだろうから。アニメだと描く人によって好みが分かれるけど、リアルなフィギュアだったら自分の好みを投影できるもんね。やっぱり性的なんだね。

MAX：マシーネンやってる人って面白い人が多いんですよ。彼らのやってることで「いいじゃん！」って僕も横山さんも思うレベルのものがたくさんある。これってなかなかないことだと思いますよ。

横山：やっぱり人とのつながりが面白い。マシーネンはお客さんが面白い。

MAX：相当面白いです。それって大きいですよね。

横山：はい。さっきも言ったけど、マシーネンはプラモデルになるためにできてるカタチだからお客さんも喜んで作ってくれるんですよ。戦艦大和とか零戦とか模型のためにデザインされてるわけじゃないでしょ。8年経って年を取ると同じこと繰り返すからね（笑）。この連載でまたわしが同じ事言ってると思ったら、それは大事なことなんだって思ったほうがいいよ。

MAX：マシーネンはイヤなことしなくていいですからね。楽しいことが多いんですよ。

横山：イヤなことってほどじゃないんだけど、一番新しいホビージャパン（2018年5月号）に載る1:35ルナダイバーのフックのプラパーツが折れやすくって金属に置き換えたんだけど、連載第1回で、ここはまず金属に置き換えましょうって書いてあるのね（009ページ参照）。暗記しとくんだったと思ったよ（笑）。

MAX：そうなんですよ。連載第1回のルナダイバーで書きました。連載始まった時の話ですけど、僕が編集部の繋ぎで連載開始の打診を横山さんにした時、「渡辺君がやるならいいよ」って言われて始まったじゃないですか。始めてみたら、自分でできないことが山ほどあることに気づいたんです。打ちのめされて最初のうちは悔しい気持ちだったんだけど、どんどん面白くなって気が付いたら相当上手くなって嬉しいなって今に至るという。

横山：筆で塗ったりする技術はわしのほうがあって、それを少し年の離れた人に教えるっていうのが面白かったんだよね。教えることって自分のやってることの再確認と整理なわけで、じゃあ筆を買いに行こうってところから入るわけですから、それはやってて面白いに決まってますよ。MAXさんも連載の中でいろいろ実験してるしね。

MAX：今も実験場です。

横山：マシーネンって、「自分がこうしていいのかな？」って遠慮がみんなの中にあったんだよね。「先生の横に並べるには」って意識があったと思うんです。この連載でMAXさんが毎回作る状況になって、キットをガンガン作っていったでしょ。MAXさんが初めてスタートラインに立ってみんなの先頭になったんじゃないかなあ。

MAX：そうだと思います。

横山：ここ最近の全国のマシーネン展示会の盛り上がりは、この連載が始まった影響が大きいと思いますよ。

MAX：そう言っていただけると嬉しいです。たぶん連載の影響はあったと思います。

横山：MAXさんのファンがマシーネンを作ってくれるようになったんです。「MAXさんがやってるなら俺も作ってみよう」って。明らかに「ガンダム」から来てるファンがいるもんね。

MAX：たくさんいますね。8年も連載が続いてる意義があるなあって、今話してて改めて思いました。このアーカイブ本で連載の最初の頃から読み返してもらえれば、ものすごく上手くなる人が増えると思います。

横山：うん。とにかく模型は作ったり塗ったりしてるだけで楽しい。この本読んで模型を楽しんでくれる人がきっと増えますよ。

ウェーブ 1:20スケール プラスチックキット
メルジーネ

製作・解説・文 MAX渡辺
協力／浅井真紀、智恵理、マックスファクトリー

■シュトラール最新陸戦スーツ・メルジーネ

こんにちは、模型芸人のMAX渡辺です♪

桜が咲いてますが、日中篭りっきりで塗装していたのでまだちゃんと観られてません（泣）。そんなわけで今月も突っ走っちゃいましたよオジサン（笑）。しばしお付き合いくださいませ♪

さて、シュトラールのスーツデザインの系譜はとても興味深いものがあります。最初期スーツ、PKAはなんだか愛くるしささえ感じるコロンと丸いフォルム。ちょっと頼りないくらいの印象なのですが、強化型たるグスタフ、ハインリッヒ、コンラート、グッカーと、より無骨に兵器然と進化してどんどんゴツく可愛げはなくなって行きます。宇宙用スーツとして開発されたフリーゲはツルリンとしたフォルムとパイロットが覗けるキャノピーと相まって愛らしさが戻り、ホッとしたのも束の間、次に登場したカウツはというと……これはもう理屈通じないでしょ!?（汗）ってくらい何を考えてるのか判らない凄みがあるデザインになったのでした。ユーモラスで愛嬌さえ感じるフォルムを持つ傭兵軍のSAFSと比べ、カウツ君たらもう。

そんなカウツ君を地上用に改修したのがこのメルジーネさんなわけですね。陸戦用なんで塗装も白ベースの宇宙用と異なり、よりダークになりさらに怖さ倍増です。こんなのに森の中で出くわしたらもうチビること間違いなしです。

そんなメルジーネさん、インジェクションキットになっちゃったんですねぇ。長生きはするものです♪　新たに提示されたカラースキームがこれまた素晴らしく魅力的。ファルケの時も選ぶのに苦労したのですが、この方の場合はそれ以上。いわば省くに省けなかったのです。そして6種という絶妙な数……（苦笑）。全部やれなくないじゃん！　と思ってしまったのが運の尽き（なんの!?）。

そんなわけで全部塗ってみよう〜！　ということにしました。しかも！　今後の掲載展開を考えるに大型無人スーツと絡ませて量産兵器っぽく、集団戦を見せたいと。そうなると1機じゃ寂しいじゃないかと。2機いたらたくさんいるっぽい絵が撮れるじゃないかと！

なので2機ずつ（2色除く）合計12機を同時に進めることにしました。12機一気組みなんてザクでも、スコープドッグでもやったことのない未体験ゾーンです（苦笑）。

2機ずつ塗る。そうは決めたものの、同じ手法で塗ったのでは記事として面白くない、というか選択の幅を持たせた方がより読者さんの参考になりやすいのではないかと思い立ち、

MELUSINE

Panzer Kampf Anzug Ausf M

WAVE 1:20 SCALE PLASTIC KIT
MODELED BY MAX WATANABE
| Jun.2010 | No.004 |

3Qモデルブランドより発売された1:20メルジーネ。過去にモデルカステンからレジンキットはリリースされていたもののインジェクションキット化は今回が初となる。今回はこのメルジーネの新設定カラーリング6種をすべて再現するだけでなく異なるアプローチからの表現法も紹介し作例数は実に12機に。何がそこまでMAX渡辺を駆り立てるのか!?　また今回はスペシャルゲストも参戦！　ご覧いただきたい！

各カラーリングで違うメソッドを用いてみました。そんな意味でも今回の作例群は多分に実験的な試みをしています。

■本体

基本的にはプロポーションなど一切手を加えずストレート組みを旨として進めています。ボディシェルとコクピットハッチの接合はちょいと調整が必要なので、ボディを組み立てた後、ハッチの一部を削って合わせを良くしてやります。その後、ハッチを瞬着で仮止めしつつ合わせ目周辺をツライチになるように荒目のサンドペーパーでならしました。面倒だったらハッチを接着しちゃう手もあるのですが、パイロットが乗ってるほうが断然楽しいので、挑戦してみてください。

▲写真の部分を削って本体に入りやすくします

■脚部

脚部はグスタフのそれとは違い、腰のジョイント方法が改良されているので別パーツとして塗ることができひと安心、まったくのストレート組みです。股関節ブロックが若干広過ぎる印象があったので、12機中5機は接着面で約1mmずつ詰めてみました。簡単ですのでやる人はどうぞ。そうそう、横山サンは「足首（ブーツ部分）をいったん水平方向で切り離しガニマタにして再接着するとえぇ〜よぉ〜」とアドバイスしてくれました、撮影当日に（笑）。これは比較的難易度が低く、効果も高いおすすめ工作かと思いますので、作例が返却されたら全部にやってみます♪

■腕部

腕部はさすがに昔のキットということもありパーツ構成の都合でヒジを前に曲げることができないので市販ボールジョイントなどを用いて肩に可動を仕込んでみました。

……そう、みたのですが、12機もあるのですがに時間がなく…この改造は1機のみにとどめ、ズルい方法を取らせてもらいました（汗）。ズルい方法…すなわちキットパーツを用いて肘を曲げ表情を付けた両腕をひと組作り、これをシリコーン複製、量産したわけですね。

メルジーネ
●企画／3Q MODEL、製造・販売元／ウェーブ●3200円、2010年3月発売●1:20、全高約10cm●プラキット

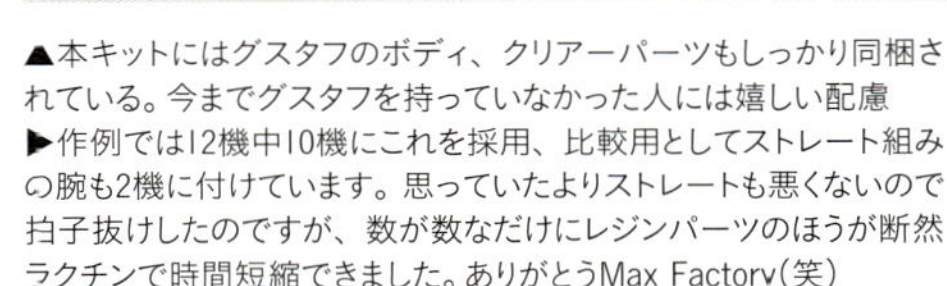

▲本キットにはグスタフのボディ、クリアーパーツもしっかり同梱されている。今までグスタフを持っていなかった人には嬉しい配慮

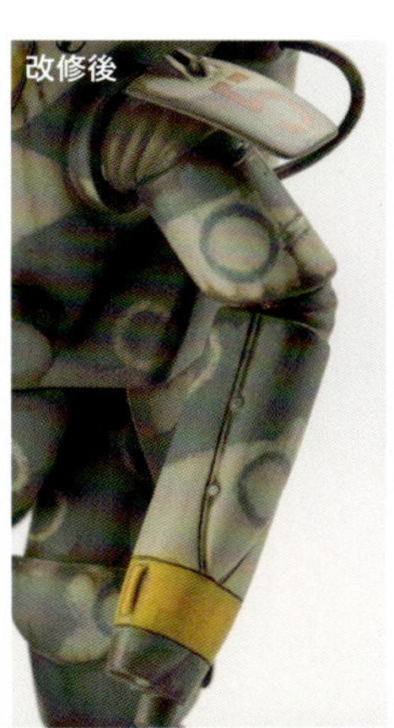

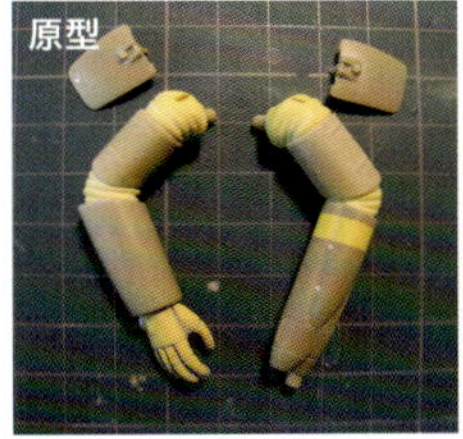

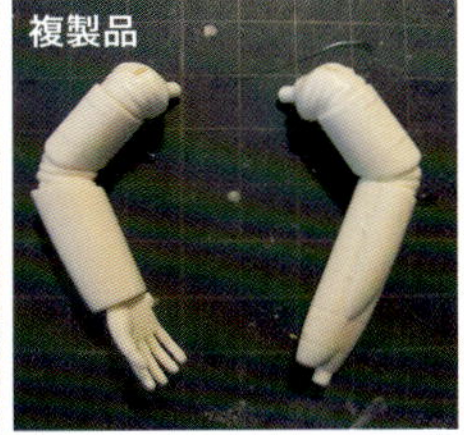

▶作例では12機中10機にこれを採用、比較用としてストレート組みの腕も2機に付けています。思っていたよりストレートも悪くないので拍子抜けしたのですが、数が数なだけにレジンパーツのほうが断然ラクチンで時間短縮できました。ありがとうMax Factory（笑）

MELUSINE

第401装甲猟兵大隊
第1中隊ズッカー小隊機

これはマシーネン的定番の冬期迷彩ですね。下地にグリーンがあってその上から白が塗られている。擦れて剥げたグリーンがチラチラと見えるのが良いアクセントになるカラーリングです。

37番機は実験作。伊原源蔵氏が提唱する「Mr.シリコーンバリアー」を使った剥がれ表現に挑戦しました。メンタームやマスキングゾルを使用するなど過去に様々なメソッドが紹介されていますが、これは現在最新の技法かもしれません。伊原氏名付けて「バリア工法」。なんか建築用語みたいで再考すべきかと思いますが（苦笑）。彼がこのシリコーンバリアーなるシリコーン離型剤を筆でサッと塗るところ僕は面倒くさかったし時間もなかったのでエアブラシで吹いてしまいました（笑）。この上にダークスノーを吹き付け認識帯も塗装。乾燥後ツマヨウジでこすってみると…剥がれない（爆笑)!!

と思いましたが気を取りなおしアートナイフでそっとこすってみると…おぉ?? 剥がれる剥がれる！ これはラクチン♪ 面白いのでついついやり過ぎちゃうのを注意しないといけない技法ですね。

伊原氏曰く「1層ごとにシリコーンバリアーを塗ってやればそれぞれの塗膜が剥がれやすい状態になって幅のある表現ができて良い」とのこと。いずれ何かで実験してみようと思います。これは今までに体験したことの無い感覚でとても新鮮でした。ぜひチャレンジして欲しいですね♪

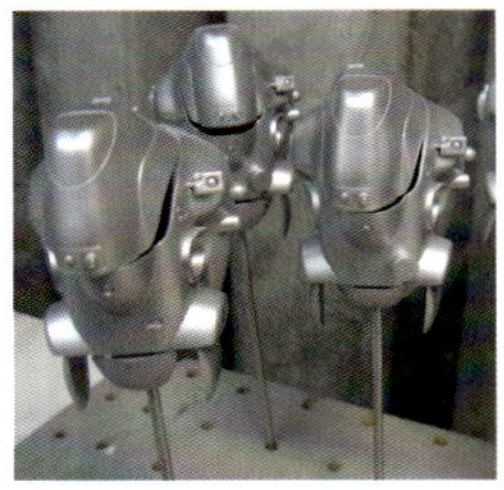

▲全機サーフェイサー後にシルバーを吹き、これにクリアーでコートしてその後ベースグレーを全面塗布しています

▼まずは2機ともベースグレー地に「スピナッチグリーン」を全面塗装し、機番が入るところにだけ「ダークスノー」を吹きデカールを貼ってしまいます。これをクリアーコートして保護し、デカール余白が目立たないように3Mスポンジペーパーで研ぎ出しします

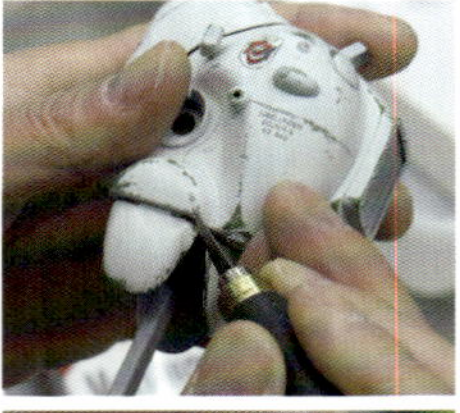

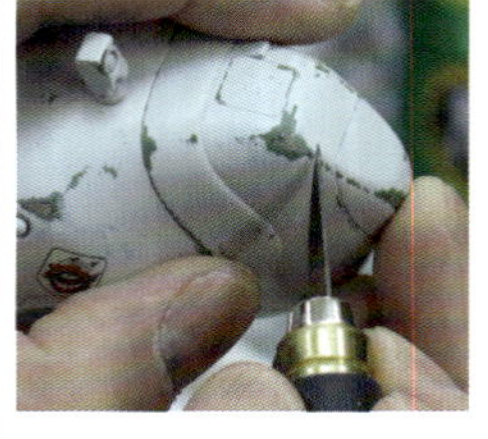

▲シリコーンバリアーを塗布した37番機はデザインナイフでそっとこするだけだとグリーン地しかでてこないので、より強く引っ掻いてベースグレーやシルバーやプラの地なども露出させてやりました

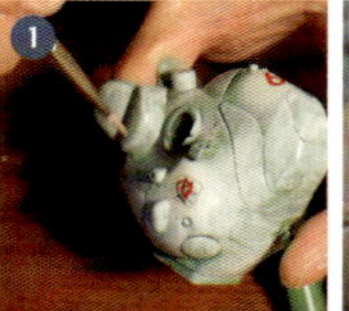

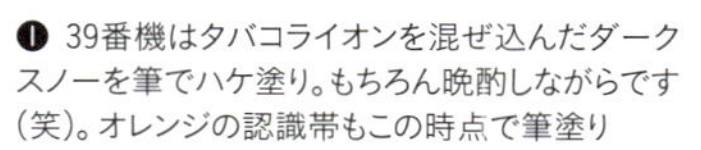

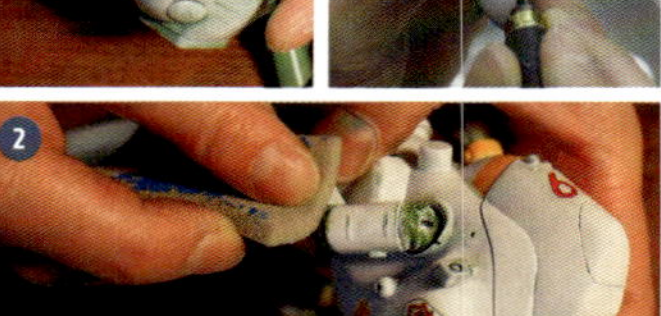

❶ 39番機はタバコライオンを混ぜ込んだダークスノーを筆でハケ塗り。もちろん晩酌しながらです(笑)。オレンジの認識帯もこの時点で筆塗り
❷ 翌日スポンジペーパーを適当にかけ下地のグリーンを所々で露出させてソレらしく仕上げげたらアートナイフやカッターでエッジや周辺を削ります
❸ グリーン→ベースグレー→シルバーの順にチラチラと顔を出し、なんともいい雰囲気のダメージ表現に。もちろんやり過ぎてプラの茶色までもが出て来たりもしますが、これもよいアクセントになるので大歓迎です(笑)

◀20番機は下地のスピナッチグリーンの上に、ベースグレーに白を加えたライトなダークグレーを全面に吹き、認識帯を筆塗り

◀乾燥後デザインナイフやカッター、針などでエッジやその周辺を中心にコリコリと剥がしていくオーソドックスタイルで仕上げました。

第1装甲擲弾兵連隊“髑髏戦闘団”第8中隊機

黒くて渋いボディにオレンジの認識帯と赤をあしらったドクロマークが映える渋くてかっちょいいカラーリングです。冬期迷彩と同様に下地にグリーンがあってチラチラと露出していますので「スピナッチグリーン」をベースグレー地に全面塗装してクリアーコーティング。デカールを貼ってクリアーをコートし研ぎ出しして2機の下地を作ります。

21番機は冬期迷彩37番機と同じく「バリア工法」にチャレンジしました。下地に「Mr.シリコーンバリアー」をエアブラシで全面に吹き、20番機に塗ったのと同じグレーを吹き付け。これをナイフで…と何かおかしい。ナイフどころかちょっと爪でこすっただけで剥がれるじゃないですか!? そこで伊原氏に質問メールというか抗議メールを(笑)。すると「エアブラシだと塗膜が薄いので当然剥がれやすいですよ」との返答が。でも明らかに白のそれとは剥がれ具合、塗料の食いつきが違うのです。冬期迷彩の白が発色しにくいために塗膜が厚かったことと、グレーは発色が良いので塗膜もその分薄かったこと、加えて白の顔料の粘りが強いことにも理由があるのではないかと思います。

かくして爪のこすれだけで落ちてしまうグレーは白の時よりも繊細なタッチで剥がしていくことにしました。いやぁ～未体験ゾーン! 面白い技法です。

◀「バリア工法」の21番機は、得物もツマヨウジに変更。スルスルと剥がれてくれます。あまりにラクチンだったのでズッカー小隊の37番機以上にやり過ぎに注意が必要でした。実際やり過ぎたかも(笑)

◀ひとしきり剥がしに満足したらクリアーを何度もエアブラシしてコーティング。それでも通常よりも塗膜がだいぶもろい印象ではありますから完成後も気になる人はご注意ください。もちろん僕は全く気にしませんが(笑)

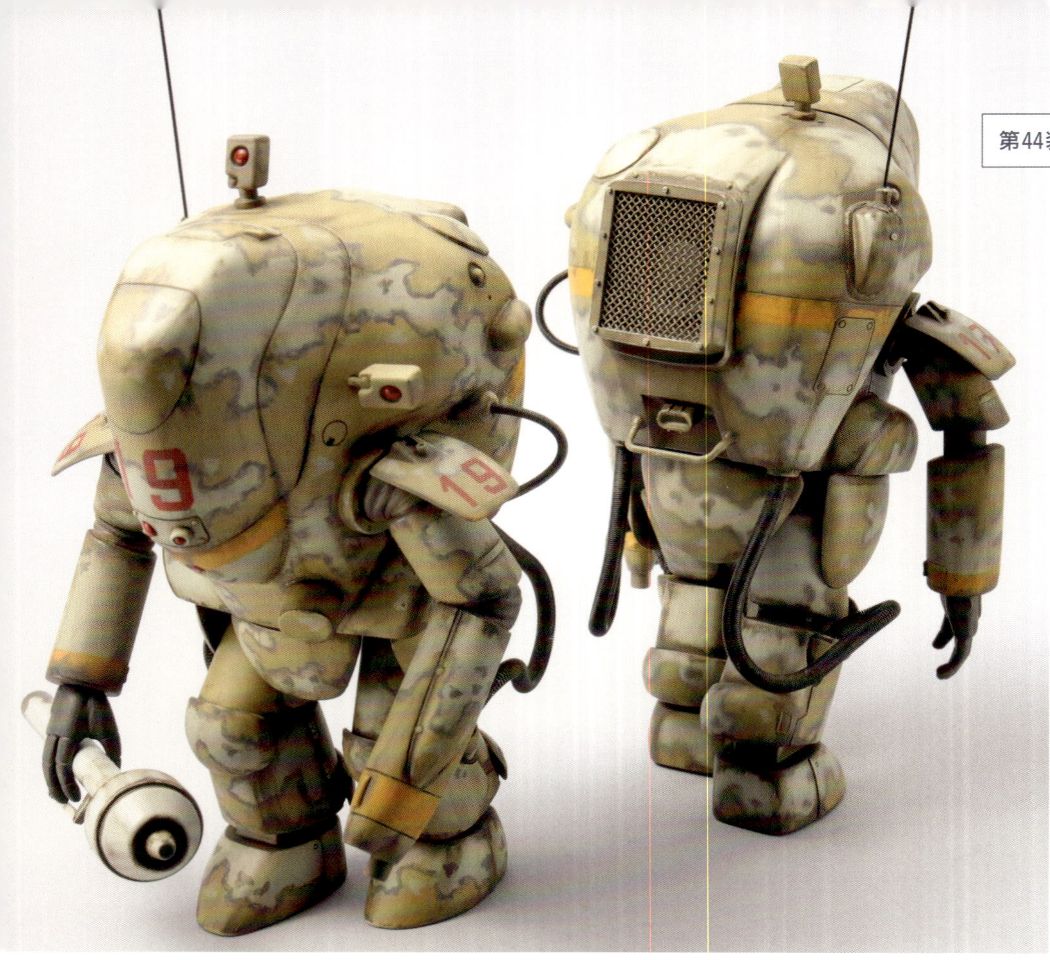

第44装甲戦闘団第22強行偵察中隊機

伊原源蔵氏の手による塗装参考作例が紹介されているカラーリングですね。ウ〜ン上手い！　手強い！（笑）氏の絶妙な筆さばきはファンには周知のことですがそこはそれ。『MAX渡辺なりの落としどころをやってみよう！　ということでチャレンジです。

2機ともフィニッシャーズの「ルナティックフラッシュ」を全面にしっかり吹きクリアーでコーティング。17番機は鉛筆でアタリを付けてからエアブラシだけで塗装しています。

19番機は黄土色を零距離射撃し、最終的には筆で仕上げています。最初のうちは感覚が掴めず失敗も多いので目立たないところで練習するのが良いと思いますよ（笑）。

▲キット付属のパイロットトルソに新造形でとっても良い出来映え。何ら弄る必要はなく塗るだけで素晴らしい仕上がりになります

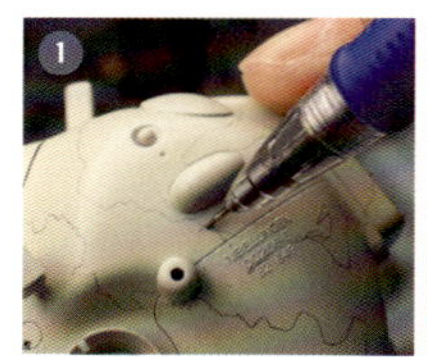
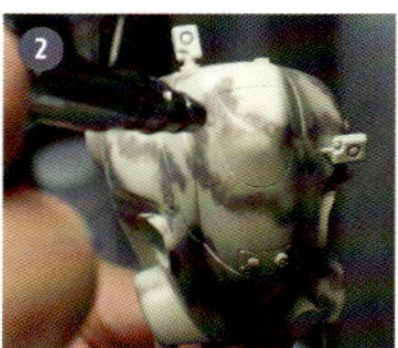

❶　17番機はクリアーコーティングしたルナティックフラッシュに、まず迷彩の濃い方の色を鉛筆でアタリをつけます
❷　フリーハンド零距離射撃で吹き付け→コンパウンドで境目をくっきりさせたら再びクリアーを吹きます
❸　2番目に濃い黄土色を吹いてコンパウンドで境をハッキリと。すると塗り分けラインがエアブラシ特有の柔らかくふんわりとした仕上がりになっています。この薄い→濃い→中間の順にした理由は「とてもじゃないけれどこの細いラインをエアブラシで吹くのはしんどい！　けれどこの順番ならなんとか塗り分けラインを成立させられる」との考えからです

▲19番機は黄土色を零距離射撃→コンパウンド→境目の濃い色を筆塗りします

▼乾燥したら塗り分けの境目を細い面相筆に少量のシンナーを含ませてぼかしを入れました。筆をこまめに洗うこと、キレイなシンナーをふくませることがキモです。シンナーが塗膜に乗ってしばらくすると塗料が溶け出しますのでその頃合いにちょこちょこっと筆でなでてやるのです

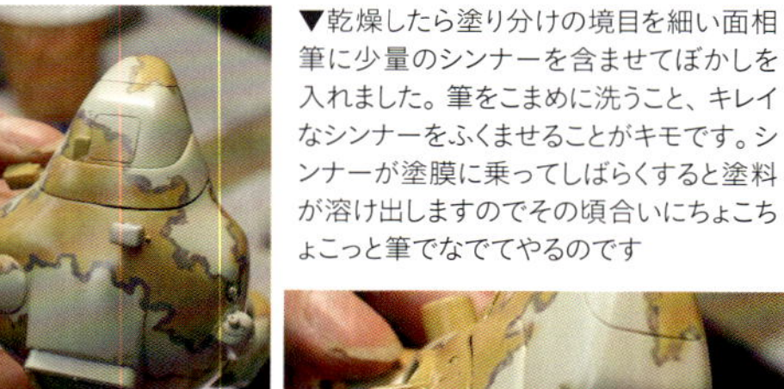

▲全身各所の点々（モットリング?）は、17番機はエアブラシで。ちなみにかかった時間は明らかにエアブラシ主体の17番機の方が短く済んだのですが手が疲れました（苦笑）。エアブラシの仕上がりはちょっと上品すぎて印象が薄いかもしれません。エアブラシ後に筆でタッチを入れるのも良いでしょうね

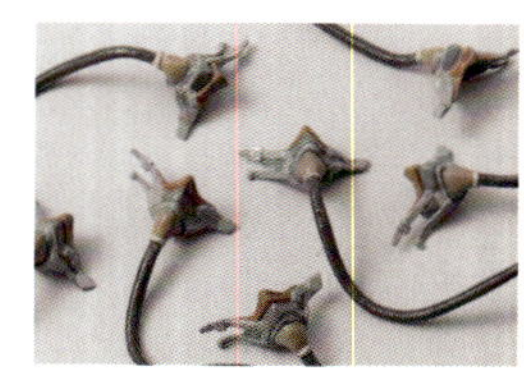

◀作例では酸素マスクのパイプを追加してやりました。マスクを外した状態を再現したかったので、キットパーツを切り取ってベルト部分を追加し、これを複製しました。空間と臨場感がいい感じなのではないかと♪

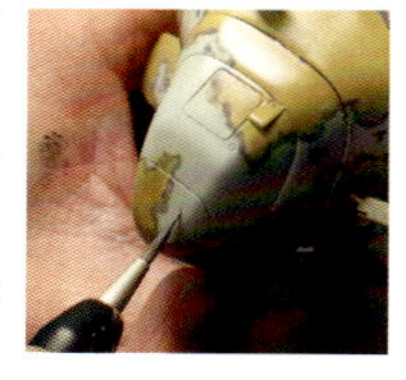

◀19番機のモッ~リングは筆塗り。ここでもやり方を変えていますが、それぞれに長所、短所があると思います。お好みと自分の技量で選べは良いのではないかと。個人的感想では筆の方がメリハリがより出て心にひっかかっていいかなぁと

Ma.K. in SF3D EXPLANATIONS

シュトラール軍 装甲戦闘服M型 メルジーネ

文／KATOOO（レインボウエッグ）

メルジーネは間接視認システムを搭載したシュトラール軍の新型装甲スーツです。シュトラール軍装甲スーツで初めて間接視認システムを搭載した宇宙用カウツを陸戦兵器に転用する仕様で開発が進められました。しかし宇宙用のカウツからの陸戦転用は容易ではなく、期間短縮のためG型グスタフおよびK型コンラートと共通のボディフレームと機関を採用。こうしてカウツとほぼ同じ形状のボディシェルに間接視認システムを搭載、腕と脚はグスタフという新型陸戦スーツが誕生します。カウツとグスタフの特性をもつこの新型スーツは、上半身は美女で下半身は蛇というフランスの妖精Melusineの名前が付けられました。

メルジーネの初出はHJ1985年10月号。横山先生が日東製1:20カウツとグスタフからメルジーネを作りました。『SF3D』連載当時、傭兵軍SAFSの対抗兵器がグスタフだったので、メルジーネは現在のラプターに位置付けされるスーツになります（ラプターも宇宙用スネークアイを陸戦転用しているのが興味深いですね）。『SF3D』終盤の登場でしたが、無骨なシルエットの強力な新兵器という印象から人気は高く、日東プラキット＋レジンパーツで展開されたモデルカステン『Ma.K.』キットの第1弾になり、日東からは1:6の大型ソフトビニールキットも販売されました。

横山先生が製品を企画しウェーブが販売する3Qモデル第3弾として1:20メルジーネが発売された際、キットのシリーズNo.は22でした。モデルカステン製品の時も第1弾なのにNo.22でしたが、これは日東のプラキットシリーズがNo.21のカウツで終了したため。メルジーネのキットは『SF3D』と『Ma.K.』をつなぐ架け橋のような存在なのです。

▲迷彩は1番機は筆で入れました。まず適当に描き入れてからシンナーで点の周りをぼかしてそれらしく

▲3番機はエアブラシで施しました。エアブラシを吹いた後、ボケすぎた周りをコンパウンドでスッキリさせます。茶色も筆で塗ったらもっと感じが変わって面白かったかも、と反省しています

第5装甲猟兵大隊 第3中隊機

渋くてカッコいい迷彩ですね。これはまずフィニッシャーズの「スピナッチグリーン」を全面塗装しクリアーコートした後、レッドブラウンに少量の白を加えた茶色をカラーガイドを参考に適当に零距離射撃（笑）。コンパウンドで境目をハッキリさせたら黄色味の入ったライトグレーでスポッティングです。

▶この2機のパイロットは二人とも女性にしました。美人さんとぽっちゃりさんのコンビ、面白くないですか？ 浅井君はぽっちゃりさんの方を男性として作っていたのかもしれませんが、塗ってみたら可愛らしくなったので女性に性転換！（笑）

第110戦闘団 ブラシュコー・ベーラ軍曹機

カラーガイドを見た第一印象は「何コレ!?（笑）」だったんです。だから1体きりなんですねぇ。

でも1日1色で塗り進めるうち、「アレ？ これもしかして面白いんじゃない」と思い出しました。ちなみにそう思い始めたのは4色目（4工程目）くらいからでした。なので皆さんコレに挑戦するなら途中であきらめないように！ というのも、この子なかなか良くないですか？

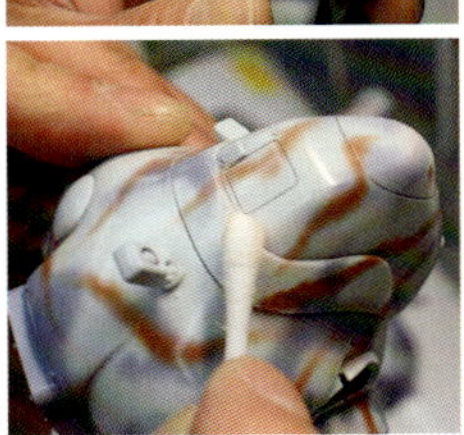

▲カラーリングは薄いブルー→濃いブルー→茶色→肌色→ピンクの順で施し、最後に薄いグレーと白の点々を入れました。各色前には必ずクリアーがけを。次の色塗布後には必ずコンパウンド調整をしています。黄色の認識帯以外全部エアブラシ!! とこだわってみた作例です。オレ結構上手いかもエアブラシ（笑）

MELUSINE

第11降下猟兵団
第5中隊DAF隊機

今回のメインイベント、パッケージイラストにも採用されている迷彩パターンです。これってなんて呼べば良いのでしょう？「丸迷彩」？　スミマセン、センス無さ過ぎです（笑）。

さてこのカラーリング、無茶苦茶映えてかっちょいいのですが、どうやって塗ろう……と。どう進めたらいかに短い時間でたくさん並べられるだろうかと何日も考え続けました。理屈や命乞いがまったく通じそうにないメルジーネの、問答無用に何を考えているのか判らない不気味っぽいこのカラーリングの機体。3機も並んだらチビるほどかっちょいいじゃないですか。そんなわけでこの3機も違うアプローチをそれぞれに実験してみました。

下地は3機とも同様の工程を踏みます。ベースグレー地にルナティックフラッシュを全面塗装してクリアー吹き。そこに3機共通用に調合したライトグリーングレー（なんだよそれ）で塗り分けます。

さてこのあとが問題、というか課題。この◎たくさんあるんですよね（苦笑）。フリーハンドで筆描きもいい感じになりそうだったのですがいかんせん時間がない（汗）。ひとしきり悩んだあげく、◎をデカールで作りこれを貼り込んでアタリとすることに。

塗り分けラインはカラーガイドにビッチリ忠実に…などしていないので、◎の位置もこのラインに合わせて変わって来ます。本当の軍隊とか兵器だとカラースキームってキッチリ厳密に同じモノにするのかもしれませんがそんな堅苦しいのはゴメンなので行き当たりばったりで適当に。でもバランスは良くなるように頑張ってるんですよこれでも（苦笑）。

◎のデカールをクリアーでコートした後、ひたすら筆でデカールのラインをガイドにして描き込んでいきます。

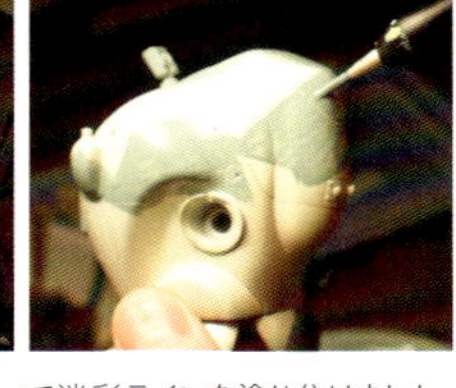

▲5番機は筆塗り。ライトグリーングレーで迷彩ラインを塗り分けました。自宅で飲みながら…くどいですか（笑）

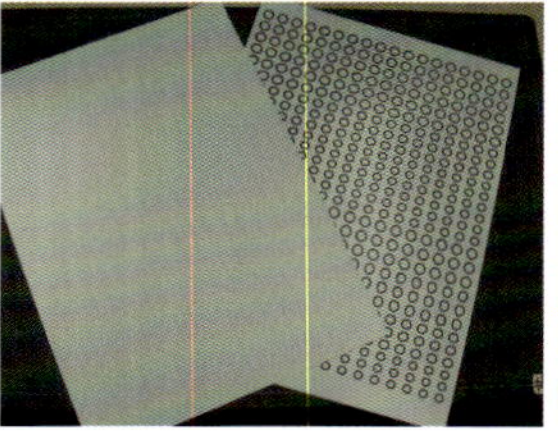

▲デカールの◎が綺麗過ぎると面白くないので、フリーハンドタッチにして微妙に歪んだものもデータで作り、大きさも5種類ほど用意して大量に印刷しました。そしてこれを5番機8番機の2機にベタベタと貼り込み。イラストやカラーガイドを眺めながらワインなど飲みながら楽しく進めました。ちょうど福岡から智恵理君が来ていたのでお手伝いしてくれてさらに酒宴は盛り上がり……何の話でしたっけ？（笑）

▼白い◎が全身に入ると不気味さがさらに増しましたが、色が散らかり過ぎている印象でもありますね。このデカールはアタリに過ぎないので、クリアーでコートしてやり、段差を消すべく軽く研ぎ出しし、さらに軽くクリアーを吹いて表面を平滑にしてあげます

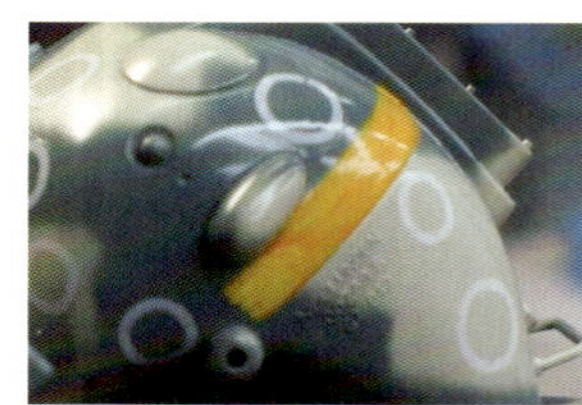

◀認識帯は他の10機と同じオレンジを入れていたのですが色のバランスがイマイチに感じてしまったので黄色を塗り足し。重ね塗りした方が良い感じのムラが出たり、合わさって微妙な色合いが出たりして素敵な仕上がりに。と思うのは自己満足だけでしょうか？

▼8番機はこの塗り分けをエアブラシで施しています。クリアーコートされたルナティックフラッシュの塗装面はコンパウンドで擦ってもそうそう剥がれ落ちないので塗り分けラインをある程度くっきりさせ、かつ不本意な箇所にうっすらとかかってしまった部分もキレイにすることができます。全部落とさないと味として残るし、コントロールはお好みで自在です

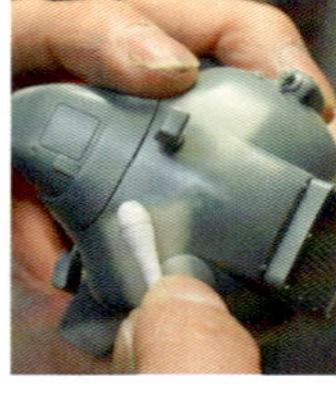

▼◎のデカールをなぞっただけだと単調になるので乾燥後シンナーでぼかしたり、作った塗料でフチを細かく描き入れたりと時間の許す限り馴染ませます。困ったのはだんだん慣れるにしたがって上達してしまうこと（笑）。最初描き込んでいたのが陳腐に見えてしまいひと回りしてまた修正……とある程度納得が行くまで何回転か作業を繰り返して終了です

さて最後の1体、7番機はまさに実験的試みです。冬期迷彩、夜間迷彩で試した「バリア工法」を進めるうち、「こんなに剥がれるんだったら迷彩の塗り分けにも使えるのでは!?」と思いついてしまったのです！　ナイフで落とすとなると表面を傷つけてしまいますし（ソレはソレで面白い味にはなるかもしれないのですが）、何より時間がかかる！　でもツマヨウジで出来るならもしや!? と。思い立ったが吉日です。幸いこの迷彩の機体はすでに2機あるので失敗したらなかったことすればいいじゃないか（笑）！　と軽い気持ちで臨みました。

ルナティックフラッシュ後「Mr.シリコーンバリアー」をエアブラシで吹き、ライトグリーングレーを全面にエアブラシします。色が早めに乗る隠蔽力の強いカラーなので塗膜も薄め。これなら剥がれるのではと。ツマヨウジを当てていくと、案の定狙った通りにスルスルと剥がれてくれました♪　これで塗り分けラインもすり落としながら形成でき、◎も剥がしながら描く、もとい削りだせるというなんとも奇妙な塗装法です。◎をこする際にちょっと失敗してもこれは味！　と決めつけ、あまりにも…という失敗をしたら面相筆で描き足してやりました。なんだろう、版画的？　なんとも面白い仕上がりになったかと思いますがいかがでしょうか？　筆で塗るのとはまた違う感覚、感触で進めることができ、仕上がりもまた独特です。初めてでしたし、まだ実験の域を出ませんが、今後さらに色々とやってみたくなる手法だと思います。興味のある方はぜひ試してみてください。

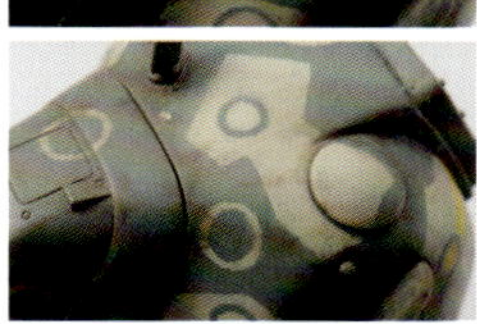

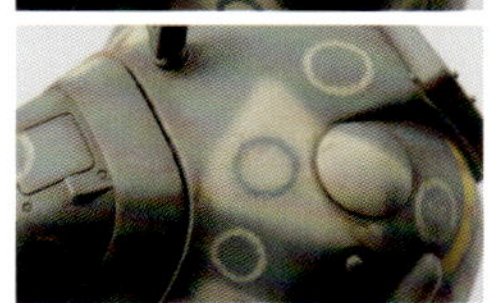

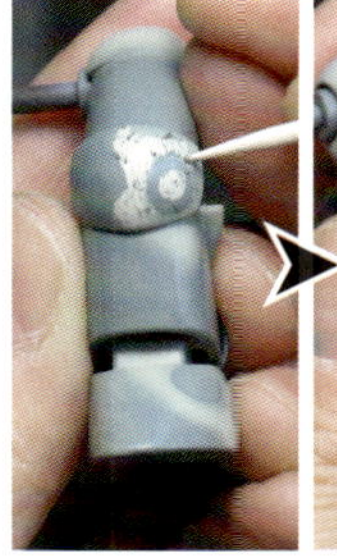

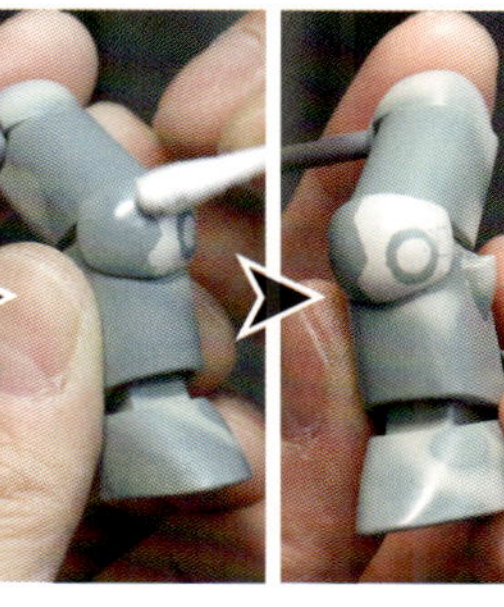

▲ツマヨウジで塗膜を剥がし、広い面に付いたこすりカスは綿棒で拭ってやればキレイになります。夜間迷彩と同様に剥がれやすさが強いのでクリアーを何回か重ねて塗装面を保護します
◀上から5番機、7番機、8番機。同じ迷彩スキームを元にしていますが、塗り方の違いで違った景色が現われています。塗り分けの境目のタッチの違いがお分かりいただけると思います

メルジーネ撮影当日、編集部にて作例の最後の仕上げ中のMAX渡辺氏にアクシデントが発生した。
そんなピンチを救ったのは皆様ご存知のあの方。今回も笑いあり、涙あり？　サプライズありの撮影風景をお伝えしよう。

MAX：編集部に1mm径のスプリングってある？　置いてきちゃった。
横山：いやスプリングよりさ、伸ばしランナーで作ってあげようか？　わしねぇ、伸ばしランナー伸ばすと、かなりうまいよ。ライター持ってる？
MAX：持ってます。
横山：煙草吸いだからねぇ（笑）。ニッパー貸して。

MAX：今回はまた違うノリになってきました。
横山：いつも渡辺君がね、大変な数作ってきて、わしはこうやって見てて楽しませてもらってるだけなんで、お手伝いできる事があれば、"そこをこうやれ！」みたいなのが一番面白い（笑）。
MAX：命令なんてしてませんけど（笑）。
横山：ランナーを伸ばしたり膨らましたり、両方からギューとやると太くなりますよね。こういうのをディテールにね。ランナーさえあればなんでも作れるんでねぇ。ランナーを火で炙るっていうコピーをね、昔ホビージャパンで誤植でね、シンナーを火で炙るって（笑）。大変だったんだよ？　市村君たちがやってるころ。家焼けちゃうよっていう（笑）。
MAX：多分パイプをそのままつけるよりも表情が出てそっちのほうがカッコイイですね。
横山：ね。面白いでしょ？　渡辺君さ、その足らないやつってどれだっけ？
MAX：えっとね、白いやつ。
横山：合うかどうかまず当ててみましょうか…いけそうですね。もうちょっと先を細くしよう。カッター貸して。
MAX：今日はまた違う絵になっている（笑）。
横山：これなかなかコード良い形になってると思いません？
MAX：お～！

横山：マジックで箱にさ、何が入ってるか、わし絵描くんだけどね必ず。メルジーネの絵描いとくといいよ。
MAX：描いてくださいよ（笑）。
横山：描いてもいいけどさ、マジックある？
MAX：描いてくれるんですね？　ワーイ！
横山：メルジーネ以外入れられない箱になったねぇ。うちもう全部こうやってるんですよ。編集部に行ってもケースだけ必要になってとられることもなくなるし（笑）。

MAX：こっちから見ると良い感じですよ？　ほら、水森亜土みたい（爆笑）。
横山：そりゃ良いや。10年長生きだねぇ（笑）。サインもしとこ。
MAX：525円って書いてあるのがまた良いですねぇ（笑）。横山さんこれから毎回ご褒美で僕にこういうケースに描いてくださいよ？
横山：いいですよ全然。ご褒美というかもう収納しやすいし、また楽しいしね。
MAX：いいですよ～。
横山：なんかしまう時ワクワクするんですよ。
MAX：なんか毎回おかしいことになってるよ（爆笑）。めちゃくちゃ面白いんですけど（笑）。

MELUSINE

メルジーネ12人衆

「彼等のことはメルジーネ12人衆と呼びましょう〜♪」と横山サン。そのまんまじゃないですか（笑）。というわけで12人のパイロット達です。figmaのお仕事でちょくちょく工房に入る浅井真紀君と話すうち彼が『SF3D』時代からの『Ma.K.』ファンである事が徐々に明らかに。それもかなりディープなので話がついつい弾んでしまい「『Ma.K.』のフィギュアとか作りたいですよ〜」とか、いつものように口を滑らせる軽卒な彼（笑）にチャ〜ンスとばかりすかさず「んじゃ今回メルジ12機やるんで12人分顔作って!」とオーダー(笑)。2つ返事で引き受けてくれ、わずか数日で納品してくれたのでした。上手!! 拍手!! 果たしてまさに多国籍軍然とした様々な国の方々が乗せられることになったわけです♪ いやぁ〜なんと素敵なコラボでしょう〜♪

そんなわけで怒涛のメルジーネ12体一挙掲載でした。いやぁ〜ちょっとしんどい時期もあったけれど、最高に楽しかったです。次回はさすがに12機はやりませんが、やはり複数塗りたいと思います。では皆さんごきげんよ〜〜ビバ『Ma.K.』♪

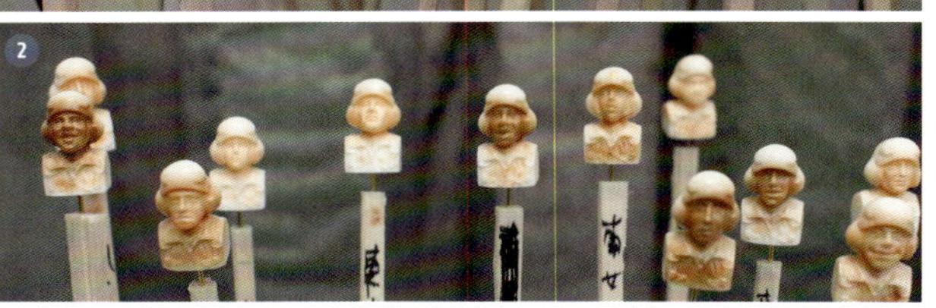

❶ シリコーンで型取りし、レジンパーツとして複製。レジン特有の透明感を肌に活かしたかったのでサフは吹かずにメタルプライマーで表面をコートします
❷ Max Factory流メラニン色素塗装法で着色。これはいずれしっかりとご紹介しますのでここでは割愛します。浅井君にひと通りどこのお国の方？とヒヤリングし肌の色を決めました。黒人の人たちはマイケルジャクソンのfigmaに使った塗料、ほかの方々は全員涼宮ハルヒの肌色です（笑）

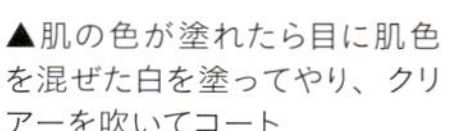

▲肌の色が塗れたら目に肌色を混ぜた白を塗ってやり、クリアーを吹いてコート

◀瞳ばかりは息を止めて一発で！ なかなか決められないのでシンナーで寄せたり消したりしながらなんとかかんとか。この大きさならブラウン1本でもそれなりに見えるでしょ？ 見えませんか？
スミマセン…精進します。浅井君ありがとう〜またお願いねぇ〜♪

◀肌部だけマスキングしてヘルメットや服を塗って剥がし面相です。面相はエナメルでレッドブラウン1色のみで仕上げています。影にしたいところに適当にブラウンを薄く塗ってやり、エナメルシンナーをふくませた筆で拭いたり寄せたりしながら濃淡を描き入れてやるわけです。ビシッと一発で決めるテクニックなど残念ながら持ちあわせていないのでこの方法が一番性に合っているわけですねぇ

メルジーネ12人衆製作記

文/浅井真紀

造形仕事をやっております、浅井真紀と申します。
まさか小学生の頃から憧れていたマシーネンクリーガーの、いや、HJに掲載される『SF3D』の記事として自分の造形物が載る日がやって来るとは思いませんでした。

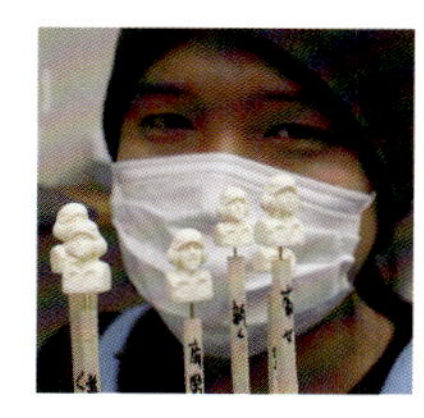

これまでの浅井の仕事をご存知いただいている方から見ても、アニメ系のフィギュア原型や可動設計を主としてきた自分とマシーネンはあまり縁がなく、意外な取り合わせと思われたかもしれません。実際のところ日常の仕事として工具と材料にまみれる日々を送る自分にとって、あえて趣味としてプラモデルを組み立てる事は、ほとんどなくなってしまっています。そんな中で「組み立て、改造し、塗る」というプラモデルの醍醐味を、綺麗に作ろう、きちんと作ろうという意識を捨て去り、好き勝手に楽しんでいる数少ないアイテムがマシーネンクリーガーだったりするのです。

今回製作したメルジーネのパイロット達も、好き勝手に妄想を膨らませてスカルピーを捻ってみました。定番である白人っぽい造形や、ヒストリカルフィギュアっぽい彫りではなく、かといって割り切ったアニメ調というわけでも無い自分好みの、表情やキャラクター性が解りやすいと感じられるバランスの情報量としています。

土台として3Qモデルのメルジーネ付属パイロットから顔面を削り取ったものを複製して使用しましたが、シュトラール側キットの伝統とでも言うべきか、傭兵軍よりもパイロットのサイズが微妙に小さく、自分の作った物でも美形っぽい小顔キャラに関しては、SAFS付属のパイロットより、ふた回り程も小さくなってしまいました。作業中も「あれ？ こんなに小さかったっけ……?」とは思いましたが、ちょっとやりすぎてしまったかもしれません。今回は時間との戦いでもありました。12体の顔面に使えた時間は数日間。そのうち7体は最後の1日で一気に作っています。作業時間が足りない、というよりも心の余裕がなく、後半にしたがってネタがなくなってしまいました。次の機会があれば、今度はそれぞれのキャラクターに絡んだ要素を含ませてやりたいものです。

実は今回、塗装に携わっていない為、この原稿を書いている段階で、どんな仕上がりになっているのか、未だ知らずにおります。このドキドキ感というか、模型雑誌の発売をこんなにも緊張感と楽しみの中で待っているのも久しぶりです。

学生のころのように胸踊らせながらページをめくり好き勝手に文句言ってやろうかと思います！

イリサワ流通 限定アイテム アイテム第2弾!!

「A.F.S. G-POWN」に続くウェーブと模型卸売問屋イリサワのコラボレーションアイテム第2弾として「S.A.F.Sスノウマン」の発売が決定した。鼻は新金型によるパーツで再現し、デカールも寒冷地用である本機体に合わせて新たに作られている。完成見本と合わせて横山宏氏による描き下ろしパッケージイラストもご覧いただこう。

S.A.F.S.スノウマン
●発売元/ウェーブ●2400円、2010年6月発売●1:20、全高約10cm●プラキット

ホビージャパン・モデルグラフィックス 合同マシーネンクリーガー 模型コンテスト応募要項!!

先月号にて第一報をお伝えした『Ma.K.』模型コンテスト。本誌と『Ma.K.』連載誌である「月刊モデルグラフィックス」の合同開催ということで早くも話題となっているようだ。

今月号では応募要項を発表する。今回のコンテストは写真審査で、締め切りは夏休み明けの9月15日。審査結果は、秋の全日本模型ホビーショー会場での発表を予定している。作品募集は来月号より開始するが、まだまだ製作時間は十分にあるので、ぜひ奮って応募いただきたい。

■応募作品
『SF3D』、『Ma.K.』を扱った作品全般。ただし模型コンテストなので、立体作品に限ります。お一人で何点でも応募できます。
■写真
コンテストの参加は写真での応募となります。デジタルカメラでの参加も可能ですが、データでのご応募はできません。必ずDTPショップかプリンタで出力したものでご応募ください。
■参加方法
来月発売となるホビージャパン7月号およびモデルグラフィックス7月号掲載の応募用紙に必要事項を記入し応募。なおご応募の際にお送りいただいた写真は返却できませんので、予めご了承ください。
■締め切り:
2010年9月15日(水)消印有効

ホビージャパン別冊 「SF3Dオリジナル」復刻版 5月31日発売予定

『Ma.K.』の原点、「月刊ホビージャパン」に1982年から、85年まで連載された『SF3D』。その唯一の単行本が、1983年発売のホビージャパン別冊「SF3Dオリジナル」である。永らく入手困難だった本書が、ついにこの5月に復刻される。復刻版では旧版の全ページを高精細スキャン、原本と遜色ないクオリティーで、「SF3Dオリジナル」を現代に蘇らせる。

なお本書は部数限定商品であるため、確実な入手には注文書に記入の上、お近くの書店にてご予約いただくことをおすすめする。

SF3Dオリジナル【復刻版】
●発行元/ホビージャパン●1905円、2010年5月発売●B5判、総140ページ

イエローサブマリン秋葉原スケールショップ メルジーネ限定プラモデルコンテスト開催!

メルジーネ初プラキット化を受け、模型店イエローサブマリン秋葉原スケールショップにてメルジーネのみエントリー可能なプラモデルコンテストが開催される。今回紹介したMAX渡辺氏による多様な作例群も参考にして参加してみてはいかがだろう。

レギュレーション
・3Qモデル製1:20メルジーネを使用してあれば、単品、ディオラマともに可。
・作品サイズは、奥行き200mm×幅150mm×高さ250mm以内。
・作品は必ずベースに固定してください。
(固定されていない作品に関しては、受け付けられません。)

「メルジーネ12人衆」 読者プレゼント!!

左ページで紹介している、浅井真紀原型の1:20メルジーネパイロットトルソ「メルジーネ12人衆」。そのレジン複製品を読者プレゼントとしてご提供いただきました。全12種から2種セットにして、計12名にプレゼントいたします。2種は異なるものですが、顔の種類は選べません。プレゼント希望の方は、郵便はがきに住所・氏名・年齢・性別・職業・電話番号・本誌連載「Ma.K. in SF3D」へのご意見・感想を明記の上、下記の住所までご応募ください。締め切りは2010年5月20日(木)。当選は発送をもって代えさせていただきます。

SAFS VARIATION FIRST PART

WAVE 120 SCALE PLASTIC KIT S.A.F.S. CONVERSION
MODELED BY MAX WATANABE

| Jul.2010 | No.005 |

SAFS type R RACCOON

S.A.F.S.
●発売元／ウェーブ●2400円、2010年1月発売●1:20、全高約10cm●プラキット

2010年1月、ウェーブより発売された1：20スケール「S.A.F.S.」。横山宏氏最高傑作との呼び声も高い至高のデザインを再現しつつ、現代のプラモデルスペックに倣ってリニューアルされた秀作キットだ。既存のユーザー、出戻りモデラーのみならず、新規ユーザーも多く参入し売れ行きも絶好調、昨今の『Ma.K.』ムーブメントの牽引役としても大きな役割を果たしているアイテムだ。
今回は(も)MAX渡辺が裂帛の気合いのもと、前回のメルジーネとならぶ"12体"もの作例を仕上げた。
今回はその前編として、SAFSのカラーバリエーションと旧NITTOキットからパーツをチョイスして製作した「ラクーン」を中心に紹介しよう。

ウェーブ 1:20スケール プラスチックキット S.A.F.S.改造

指揮偵察用装甲戦闘服 ラクーン

製作・解説・文／MAX渡辺
協力／浅井真紀、マックスファクトリー

■作例多過ぎ！（汗）

こんにちは、模型芸人のMAX渡辺です。この呼び名、自分的にはだいぶ板についてまいりました（笑）。

さて、今回は6月予定のイリサワ流通限定「S.A.F.S.スノウマン」発売を記念し、先駆けてSAFSで絶対にやっておきたいバリエーションをドバッと作りました♪　作例数はまた12体!! バカですか!?　はい、そうですがなにか？（笑）

ファルケ7機、メルジーネで12機と回を追うごとに作例数が増え、さすがに誌面で十全に紹介、解説できないのはいかがなものか？　写真ちっちゃすぎてダイジェストにもほどがあるだろうという反省のもと、SAFSバリエは前後編にわけて掲載することになりました、納品時に（苦笑）。

■発売まで待てない！！

最新のSAFS、もう組まれましたでしょうか？ストレスなくサクサク作れて最高ですよね？連載第1回で3体やってみて、こりゃいいわぁ〜と。もっとたくさん塗りたかったので、暇を見つけてはシコシコとまとめて組んでいたんですね。そうこうするうち、やっぱり素のSAFSだけじゃなくて宇宙用の「ファイアボール」や偵察用の「ラクーン」も欲しくなってくるじゃないですか？　でもこれらアイテムの発売アナウンスは聞こえて来ていない…でも早く欲しい…!! だったら作っちゃえばいいじゃないかっ！　というわけで。幸い旧日東のキットは手元にあるし、きっとそんなに手間をかけなくてもフィットするんじゃないか!?　と思い立ったら即行動。これがバッチリ!!　ほぼ無加工で合うんですねぇ〜♪　流石『Ma.K.』です!!

ストックのキットをお持ちの方も大勢いらっしゃるだろうから、この旧キット流用は"アリ"のネタだろうということで決めさせてもらいました。これらバリエーション部分のパーツを使ってしまっても、旧キットはSAFSとして問題なく組めて無駄にはなりませんし、万事OK!?　ただし僕の場合は複数欲しいので、バリエパーツを組んでフィッティング調整も済ませ、シリコーン複製して使うことに。ウェーブの新SAFSにコンバージョンレジンキットを使った作例というような体裁となりました。

ネタは『Ma.K.』というか『SF3D』的SAFSバリエの定番「ラクーン」「ファイアボール」そして「プラウラー」です。

今月はラクーンを行きます♪

SAFS/ラクーン共通工作

SAFS本体はプロポーション改修などは一切ナシのほぼ思いっきりストレート組みです。SAFS、ラクーンともに施した共通工作は次の2つ。

1 アンテナ装着

これはSAFSでは今回細くしてみようと0.3㎜シンチュウ線にパイプスプリングの組み合わせで自作。ラクーンのそれは0.5㎜でちょっと力強く。太い方がよかったかも？

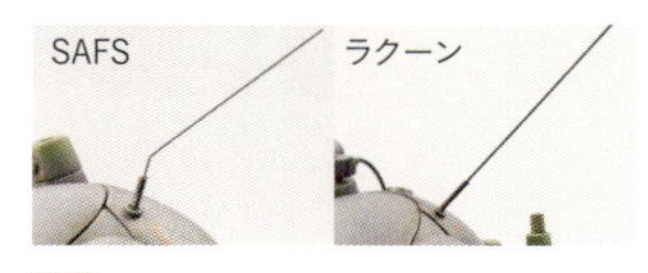

2 足首のパイプ追加

これはビニール被覆した針金をピンバイスで開口した孔に差し込んで終わり。スネ側の穴は深くして足首の動きにも追従しつつ抜けないようにしてあります。ビニールパイプでももちろん問題ないですが、表情がつけられて固定できる方がよいかと思いチョイスしました

SAFS改修箇所

SAFSは連載第1回同様、2箇所だけです。

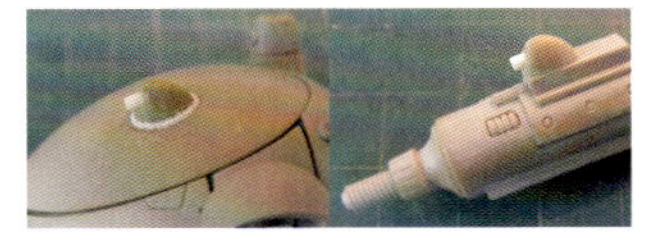

左：ハッチ上部のセンサーを低く削りサイトを増設　右：左腕エクサイマーレーザーのサイトを加工

全機共通塗装工程

全機共通の塗装工程はサーフェイサー地にシルバーを吹き、チッピングの際シルバーの塗膜の弱さを保護すべくクリアーをコート。その後ベースグレーを塗っています。

旧日東キットのパーツ加工

旧日東のSF3Dキットは現在の目で見れば組みにくい箇所があるものの、ディテールはバッチリシャープで、基本形状には全く問題がありません。なのでストレートに組んでヒケ等だけ修正し、後は新キットとのフィッティングをやるのみです。ほとんど削りなしで合いますが、そこはそれ。作例を量産する際のストレスを減らすためにも隙間は無くしておきました。これらパーツを型取り複製し使用しているので、好きなだけラクーンが作れるようになったわけですね（笑）。

▶右肩後方に付く大型のセンサーポッドは本体基部を切り飛ばしてフタをし、取り付け穴を開けただけ。成型の都合で先端が大きくヒケていたのでひとまず平らに削り六角ボルトを貼り付けています

ブルー＆グリーン迷彩機

旧版の「BD（バンドデシネ）」の帯に載っていたカラーリングが気に入ったのでこれで部隊を編成してみました。ライトグリーンを下地に、もう一つの迷彩色は紫の色味を加えたブルーグレー。『Ma.K.』で同じカラーリングの機体が複数並ぶと、また俄然気分が盛り上がります！　これってなんででしょうねぇ？

デカール貼り付け後、クリアーコート＆研ぎ出しでライトグリーンを筆にて上塗り。フチは強くぼかして手描き感を強調しています。塗り分けは「BD」の帯に倣いつつ、昨今の『Ma.K.』カラースキームで定番化しつつあるビビッドな挿し色としてクリームイエローをチョイス。グンと締まりが出て良くなったと自画自賛です。

▲本体にメンタームを塗り、少量のポリパテをつけたバリエパーツを乗せて硬化させ、外して整形。前面のシーカーおよび背部ユニットに施してやりました

▶ちょっと面倒なのは、左腕でしょうか。とはいえ新キットのパーツを切って回して再接着しただけですけど（苦笑）。マニピュレータは右手のソレを親指と小指で入れ替えるべく加工。旧キットのパーツを見たところ、新キットとは合わないので改造する手を選びました

海◯堂部隊（笑）

コントラストの強いヤツを一機作ってみたかったので、ルナティックフラッシュ地にクリアーコートした下地にブルーグレーを迷彩して境目コンパウンド。挿し色としてオレンジも悪くなかったのですが、ここはファルケ作例で味をしめたので明るいグリーンを配色。前例に倣ったカタチなので冒険はしていませんが、面白いカラーリングに仕上がったかと思います。

▶マーキングはベーシックなロゴを自作デカールで施した後、クリアーコートして研ぎ出し、その上からルナティックフラッシュを筆塗りしています。フチはボカシ気味にして手描きっぽく

森林迷彩マダガスカル機

❶ なんか面白いカラーリングをもう一発!! と「ルナティックフラッシュ」色のブツを睨みながら数日思案に暮れ、おもむろに「スピナッチグリーン」を吹いてしまいました。
❷ うん、色の相性は悪くない…で、これからどうする!?（汗） しばし悩んで前回のメルジーネでやってみた塗り分けの境に茶色を筆入れ。
❸ こうなったら！ とばかりに迷彩パターンは違うものの、メルジーネのそれと同じで、白っぽいところにはグレーの斑点、緑の部位には明るいグレーの斑点を。おぉ～なかなかじゃない！
❹ でもなんだかコレだけじゃつまらないなぁ…そこでスネークアイのデカールシャークマウスを！（笑） 貼ってみたら赤が緑部分の補色としてよいアクセントに。採用～。
❺ でもまだだ…悩みに悩んで様々な色を試し塗り。どれも悪くないんだけど収まりが良過ぎてつまらない。業を煮やしてMax Factory塗装部の連中に助けを求めました（苦笑）。

MAX：「何色がいいと思う？」
塗装部牟田主任：「んん?黄色系ですかね？」
MAX：「試した。イマイチやった」
牟田：「青系とかどうですか？ こんなのとか」と、塗装部で使っているドライヤーを指し示す。
MAX：「えぇ～こんなのぉ～？ 緑に青ってどうなのさぁ？」
新人K：「いいと思います」
MAX：「…やってみるね…」

聞いてみるもんです（笑）。そして何事も実行ですね。いい感じではないですか？ お気に入りです♪

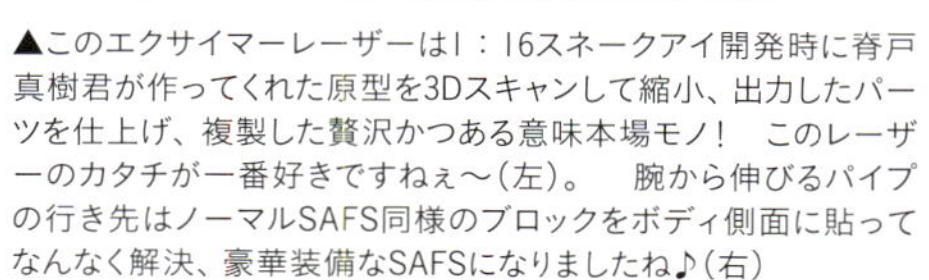

▲このエクサイマーレーザーは1：16スネークアイ開発時に脊戸真樹君が作ってくれた原型を3Dスキャンして縮小、出力したパーツを仕上げ、複製した贅沢かつある意味本場モノ！ このレーザーのカタチが一番好きですねぇ～（左）。 腕から伸びるパイプの行き先はノーマルSAFS同様のブロックをボディ側面に貼ってなんなく解決、豪華装備なSAFSになりましたね♪（右）

フィギュアヘッド

今回の作例には前回に引き続き浅井真紀くんが作ってくれたヘッドを使わせてもらいました。う〜む、似てる!! 上手い!! 素晴らしい〜♪ 造形のよさに比べて僕の塗りがいただけないのが申し訳ないです。近日再チャレンジしたいと思います。え？ もうこいつら見たくない?! そんなこと言わずに、ねぇ(苦笑)。

▲パイロットはM◯X◯辺とホビー界のあの御仁です。とても良く似ていますね(笑)

▲センムと僕のヘッド以外はブリックワークスのフィギュアから移植しました。メリハリの利いた造形が素敵でとても塗りやすかったです

「やっぱヘッドが付くといいねぇ。特に渡辺君とセンムのは気持ち悪くて最高ですね。みんなも自分やお気に入りキャラのヘッドを入れてみましょう」(横山)

▲デカールはSAFSのキットから。ハッチ先端の1つ目がキュートです♪ 魔女のも拝借

ナイトストーカー

偵察用→夜間作戦行動という連想から黒いヤツを塗ってみたくなりこんなカラーにしてみました。イメージソースはAFSの「ナイトストーカー」から拝借。「こんなに赤を使ったら目立ってダメじゃん！」とか一瞬自問自答しましたが地味にまとまるより、カッコイイ方が良いに決まってる！ と即決（笑）。青味を入れたダークグレーを全面に吹きクリアーコート後、レッドをエアブラシ。コンパウンドで境目をクッキリさせつつ、さらにダークグレーをタッチして迷彩のキワを面白くしています。なかなかカッコよくないですか？

納品＆撮影当日、横山さんいわく「赤ってね、黒の次に暗闇では目立たないんよ。だからワシもナイトストーカーに赤使ったの。だからこれでバッチリ正解よ」とのこと。なぁ〜んだ、これでいいんじゃん！ みたいな（笑）。

■仕上げ

時間節約のためにエアブラシを多用していますが、エアブラシの塗装面はムラがほぼ出ない分どうしても情報量が不足気味になります。濃厚なテイストが楽しい『Ma.K.』塗装においてはよいことばかりではないので、僕は「秘伝のタレ2」を全面に吹き付けてただひたすら綿棒で拭き落とし＆タッチ入れる“秘伝のタレ工程”でムラや変化を意図的に施すようにしています。明るい色を足せないという欠点はありますが、雰囲気はかなり出せると思っています。いかがでしょうか？

また今回はコレに加えてデザインナイフやエグザクトのアールの付いた刃で塗装面をコリコリと引っ掻いてやるリアルチッピングを全身各所に施しました。下地のベースグレー、シルバー、サーフェイサー、そしてプラの生地（苦笑）、それらがチラチラと顔を覗かせて面に変化と抑揚を与えてくれるわけです。これはもう楽しいばかりの作業で、思わず熱中してやり過ぎたり。力加減や部位ごとの塗膜の状態によって何が出て来るかやってみないと分からないライブ感がとても刺激的なんですよ。

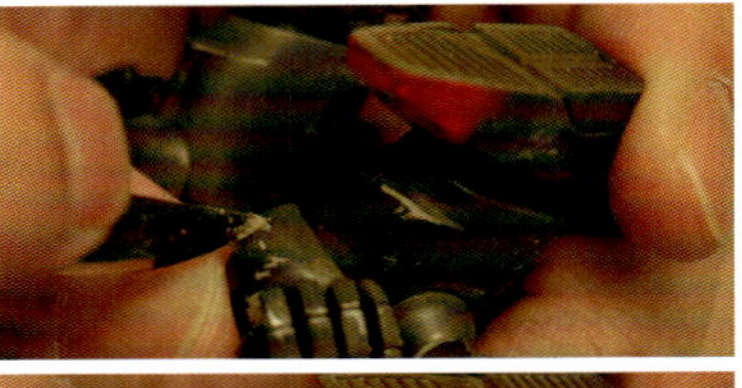

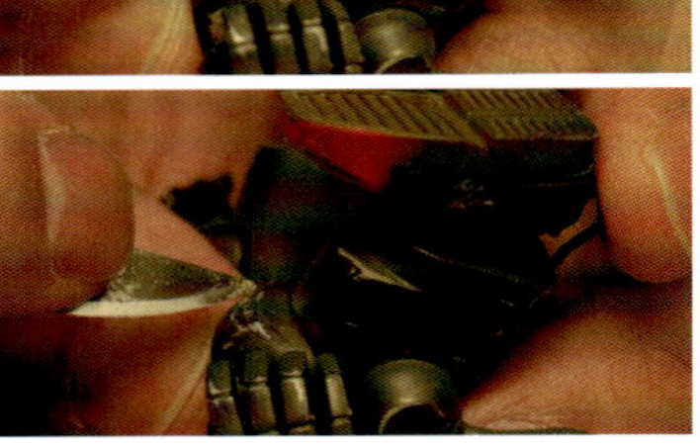

撮影当日、今回は横山さんに完成品に手を入れてもらいました。

横山：このさ、つま先の上とかも剥がすとカッコイイよね。あと多分思うんですけど、このフチも剥げると…
MAX：やってくださいよ（笑）。
横山：いやいやいや（笑）。
MAX：今回はこれを狙って仕上げないで持ってきたんですよ（爆笑）。毎回ですからねぇ、なんか中途半端に持ってくるっていう。
横山：人の完成品ってどういう色を下に塗ってるかわかんないんで、そういうモデルを剥がすと面白いですよね。
MAX：面白いですよねぇ〜。上に乗ってるエナメルの塗料が持ってかれて周りがすこし白くなるじゃないですか？　それがすごく良い味になるんですよね。
横山：擦れた感じもね、いいですよねぇ。
MAX：やる人が違うとまるで違うパターンが入って面白いんですよ。
横山：そうそうそう。予定調和にならないんだよね。
MAX：どんなに超絶テクニックでも描いたやつは描いたものですからね。奥から出てくるやつとは違うんですよ。
横山：あの黒のさ、夜戦もできるの？　あれやっていい？
MAX：もちろん。黒は塗料が弱いので、コリコリいけますよ。
横山：あ、ホントだ。または暗いところにいきなり銀で、一番明度差があるコントラストで目立つってのもあるんだろうね。白髪の人のほうが禿げたときに目立ちにくいっていうような。
MAX：あ〜…違うと思うなぁ（爆笑）。

◀汚し塗装の実演までしてもらっちゃってファン第一号は感涙だったのでした♪

ハッチの開閉について

SAFS、そしてスネークアイのハッチ、かなりハメ合わせがきつめです。ダボを少し削って緩くする方法もありますが、加減をミスるとぴっちり閉まらなくなる可能性もありますので、キットのままでピッタリ閉まる、開ける工夫をチョット。

❶ そのままで無理矢理押し込もうとしても隙間が出てしまったり、本体を破損する可能性も
❷ そこでこのようにバラしてしまいましょう。バラしたら力がかけやすくなるので、この状態でキュッと！
❸ こんなふうにピッチリと気持ちよく収まります♪　外す時はナイフやツマヨウジを差し込んでジワジワっと拡げてやると破損もなく良い感じです
❹ ハッチ脇の垂直ラインは本来のデザイン的には合わせ目を消してしまった方がよい部分。でもこうやってばらせる方が後々都合も良いし、あまり気にならないので僕はここは消さないと決めています♪

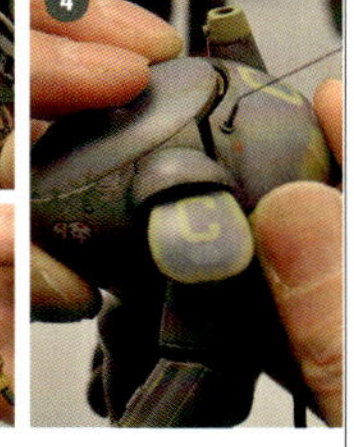

■締めの言葉

SAFSバリエ前編、いかがでしたでしょうか？　今回は複製に3Dスキャン、スタッフに相談したりと、普通のモデラーさんには出来ないような物量作戦を展開させていただきました。「社長モデリング」と名付けましょう〜!!（笑）

今回の作例をやっていてこの新キットと旧キットのミキシングビルドはお勧めだなぁと実感。ストックのキットをお持ちの方で、ある程度経験があるモデラーならそれほど難易度が高い工作ではありませんし。ラクーンもプラウラーも、新しいフォーマットで販売されることは約束されていますが、僕のようにそれまで待てない人はチャレンジして欲しいですねぇ〜♪　では次回は宇宙用SAFSファイアボールとプラウラーで♪

▼でも実はね、自己新記録を目指して15機やってたんです…ゴールデンウィーク進行ってやつでどうにも納得のいく仕上げには至らないだろうと判断し泣く泣く3体は途中断念。残念無念

Ma.K. in SF3D EXPLANATIONS

傭兵軍 指揮偵察用装甲戦闘服 ラクーン

文／KATOOO（レインボウエッグ）

完成度の高い装甲スーツとして量産されたSAFSには、戦地や作戦に合わせた派生型＝バリエーション機が多く生まれます。

HJ1983年10月号にSAFSの偵察型であるラクーンが発表されました。シュトラール軍では無人兵器が偵察任務を担うのに対し、傭兵軍では通常スーツに対し一定の割合で偵察型が生産・配備されています。偵察用スーツについて横山先生にお話をうかがったところ、「『コンバット』とか観てると、たいてい任務は偵察なんですよ。軍隊の仕事には情報収集、偵察、索敵、攻撃があってそれの繰り返しだから、偵察は重要な任務なんです。それに忍者みたいでカッコいいじゃない（笑）。『ガンダム』とかだとあんまり偵察がないんで、じゃあ『SF3D』では偵察任務をメインにしようってすんなり決まったんだよね。戦争って偵察のし合いだから、偶然敵に遭ってめちゃめちゃ至近距離で打ち合うこともあるでしょ。陸戦ではそういう緊張感が一番怖いはずですよ。お化け屋敷と同じですよね。いつ出るかわからないところに行くんですから」と誕生の経緯を教えてくれました。

ラクーンは偵察・指揮・先導が主任務で、武装がない代わりに通信機能、探査能力、機動性がアップし、隠密性を高めるために機関部に消音装置や放熱分散装置が取り付けられています。横山先生によると、「絵としての記号が欲しかったので、あえてそういう偵察用の機器をつけたんです。通常型と見た目があまり変わらない偵察型を出すより、プロップものとして『形からわからなければいけない』という演出を重視してるんです」ということです。非武装型のラクーンは固定武装をもったSAFSとペアで行動するのですが、開発当初の設計理念からすると、攻撃は付随するSAFSに任せて、パイロットには偵察機器の操作を優先させたかったのだと思います。

ラクーンのオリジナルモデルは横山先生が自らレジン複製したSAFSにハセガワ1:48ディフェンダーやポケール1:8ロールスロイスなど流用パーツを組み合わせ、メリハリのついたフォルムとして完成。偵察ユニットを装着し上半身のシルエットが変わったため、肩や腰のアーマーを小型化。SAFSと違いまっすぐ伸びるアンテナや、両腕のコード、トップヘビーな上半身に合わせ大型化されたひざ装甲などバランス調整も巧みです。

連載時のフォトストーリーではライティングによって、カーキ系にもグレー系にも見えるラクーン。オリジナルモデルは所在不明ですが、おそらく初出時のSAFSと同系色に塗られているのではないでしょうか。日東から発売された1:20キットのパッケージ底面や塗装カードには、夜間行動用のダークブルーグレーの基本塗装色が載っていますが、このダークブルーグレーとエッグプラント6のマーキングが強く印象に残っている方も多いのではないでしょうか。

PLAY BACK NEW ITEM Jul.issue 2010

レインボウエッグのフェルクル、一般販売決定！

『Ma.K.』のレジンキットを多数リリースしているGKディーラーで、3Qモデルのパッケージデザインも手がける「レインボウエッグ」。ワンダーフェスティバル会場限定で販売された、シュトラール軍宇宙戦闘ポッド「フェルクル」の一般販売がこのたび決定した。Arpeggio製のアルミバーニア、パイピング用コード4種、本誌登場時の姿を再現できるシルクスクリーン印刷のデカールに加えて、新規デザインのデカール、塗装カードも付属する豪華セットだ。レインボウエッグのサイト（http://www.rainbow-egg.net/）で購入可能。

シュトラール軍宇宙用戦闘ポッド フェルクル
●発売元／レインボウエッグ●22800円、2010年5月発売●1:35、約25cm●レジンキット●原型製作／KATOOO

ホビージャパン・モデルグラフィックス合同 マシーネンクリーガー模型コンテスト募集開始!!

本誌と『Ma.K.』連載誌である「月刊モデルグラフィックス」の合同開催による「『Ma.K.』模型コンテスト」。この回で参加用紙を掲載し、いよいよ募集が開始された。コンテストは写真審査で、締切は夏休み明けの2010年9月15日。審査結果はこの年の秋の全日本模型ホビーショー会場で発表された。

ホビージャパン・モデルグラフィックス合同 マシーネンクリーガー模型コンテスト

■応募作品　『SF3D』、『Ma.K.』を扱った作品全般。ただし模型コンテストなので、立体作品に限ります。お一人で何点でも応募できます。他のコンテストや展示会、ウェブ上で発表された作品の応募も可能ですが、その際は過去の発表場所を参加用紙の当該箇所に明記し、今回のコンテストに際して手を加えた部分があればそちらも明記してください。
■写真　コンテストの参加は写真での応募となります。デジタルカメラでの参加も可能ですが、データでのご応募はできません。必ずDTPショップかプリンタで出力したものでご応募ください。
■参加方法　作品写真を封筒に入れ、参加用紙に必要事項を明記して、下記住所までお送りください。なおご応募の際にお送りいただいた写真は返却できませんので、あらかじめご了承ください。

■締め切り：2010年9月15日（水）消印有効
■送り先　〒151-0053 東京都渋谷区代々木2-15-8 新宿Hobbyビル
ホビージャパン編集部 Ma.K.コンテストHJ係
または　〒101-0054 東京都千代田区神田錦町1-7
モデルグラフィックス編集部 Ma.K.コンテストMG係　まで
［個人情報の取り扱いについて］　コンテストでご応募いただいた個人情報につきましては、本誌および月刊モデルグラフィックス紙面記事にてお名前（またはペンネーム）、お住まいの都道府県名、年齢を掲載させていただきます。また応募作品についてお問い合わせ等のご連絡をさせていただくことがあります。お預かりした個人情報は、株式会社ホビージャパン、株式会社アートボックス、横山宏氏のみの利用とさせていただき、事前のお知らせなく第三者に利用を許可することはございません（法令等により開示を求められた場合を除く）。

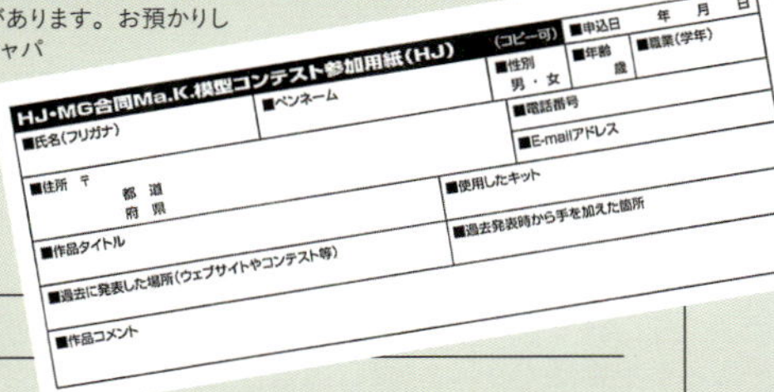

HJ・MG合同Ma.K.模型コンテスト参加用紙（HJ）　（コピー可）
■申込日　年　月　日
■氏名（フリガナ）
■ペンネーム
■性別　男・女
■年齢　歳
■職業（学年）
■電話番号
■E-mailアドレス
■住所　〒　都道府県
■使用したキット
■作品タイトル
■過去発表時から手を加えた箇所
■過去に発表した場所（ウェブサイトやコンテスト等）
■作品コメント

「SF3Dオリジナル【復刻版】」5月31日発売!!

1983年に発売された『SF3D』単行本「ホビージャパン別冊 SF3Dオリジナル」が、27年の時を越え『SF3Dオリジナル【復刻版】』として2010年5月31日に発売。

表紙には復刻版を示すロゴを追加。判型はそのままに、今回は紙質を一新、オリジナル版よりもやや厚い仕様となる。旧日東のプラキットのイメージで、一冊ごとにビニールでシュリンクされ、復刻版としてのスペシャル感も満点。基本的に各ページはオリジナルの初版本を高精細スキャンしたものだが、一部ページが今回の復刻版に合わせて新仕様となる。内容に関わる部分ではないが、ぜひどこが変わっているのか、本書を購入して確認してほしい。

SF3Dオリジナル【復刻版】
●発行元／ホビージャパン●1905円、2010年5月発売●B5判、総140ページ

SAFS VARIATION LATER PART

WAVE 120 SCALE PLASTIC KIT S.A.F.S. CONVERSION
MODELED BY MAX WATANABE

| Aug.2010 | No.006 |

SAFS Space type FIREBALL & SAFS R Space type PROWLER

前回のラクーンに続き、ウェーブ「S.A.F.S.」に旧日東パーツを組み合わせたSAFSバリエーションをお届けしよう。傭兵軍宇宙用スーツであるファイアボール、そしてプラウラーはともに高い人気を誇るアイテムながら、現在は入手できる状態にない。いずれアナウンスされるであろうウェーブ新生SAFSバリエーションに想いを馳せつつ、ストックをお持ちの方はぜひ今回の記事を参考にチャレンジしてもらいたい。

▲今月のご褒美〜♪ しかも3つも〜!! デヘヘェ

ウェーブ 1:20スケール プラスチックキット S.A.F.S.改造

宇宙用装甲戦闘服 ファイアボール
宇宙用指揮偵察型装甲戦闘服 プラウラー

製作・解説・文／MAX渡辺

■祝！『SF3D』別冊復刻!!

模型芸人MAX渡辺です。

『SF3D』別冊、ついに再販されましたねぇ〜、嬉しいですねぇ〜。HJでの連載再開に続く事件ですねぇ〜。次はHJ連載全掲載まとめ本ですね!! これをなんとしても成就させたいですね!! そんでもってMGの全掲載本もやってもらっちゃいマシーネン！ さらに『Ma.K.』シーンが盛り上がること間違いなしですっ!! まだ入手されてない方は書店にGO!!

■SAFSバリエパート2です!!

さて、そんなわけで今月はSAFSバリエーションパート2をお送りします。で、1ヵ月経ったらもろもろ忘れちゃったよ（汗）。と、作例を並べてしげしげと…カッコいい〜(笑)。やっぱりファイアボールとプラウラーは初期『Ma.K.』というか『SF3D』において格段にかっちょいい存在ですねぇ。活躍場所が宇宙だし、ガンダム好きの人たちにもきっとグッと来るはずですよ！ 来るでしょ!? この宇宙SAFS2種は、先に発売されたスネークアイのいわば旧型機にあたるわけですが、剥き出しの背部メカがSF映画チックでメカ好きには堪らないですね。『SF3D』当時はただ白かった塗装も『Ma.K.』時代に入ってからたくさんのカラーレシピが発表されて俄然面白くなっていますし、作りがいのある対象と言えるでしょう。

S.A.F.S.
●発売元／ウェーブ●2400円、2010年1月発売●1:20、全高約10cm●プラキット

グールスケルトン機

現在までの『Ma.K.』シーンでナンバーワンにカッコいいと勝手に思っているカラーリングがスカルマークをハッチにドカンと描き込んだコレ!! だと思うんですね。ホント勝手な思い込みなんですけど、きっとコレを読んで頷いている人が全世界に5万人くらいはいるんじゃないかと思いますよ！（笑）このスキームはルナダイバーに随伴していたファイアボールSGのをいただいてきています。あぁ〜カッコいい〜!! このカラーはファイアボール、ブラウラーはもちろんのこと、SGが出た時も絶対やろうと決めています。スネークアイにも似合うかなぁ？ ハッチがモッコリしているのでどうでしょうか？ 近日試したいと思います♪

この作例でのポイントはグリーンの色味ではないかと。下地の白は3種のカラースキームで共通なのですが、かなり明度は高いのですね。今までに発表された宇宙SAFS作例の中でもかなり明るいかと。ですのでグリーンが濃過ぎるとコントラストが強くなり過ぎてかっちょわるいことになると思ったので、気をつけました。ツートンカラーの濃い方を薄く仕上げるのって難しいんですよね。なぜか濃くなってしまう。何か心理的にあるのかもしれませんね。

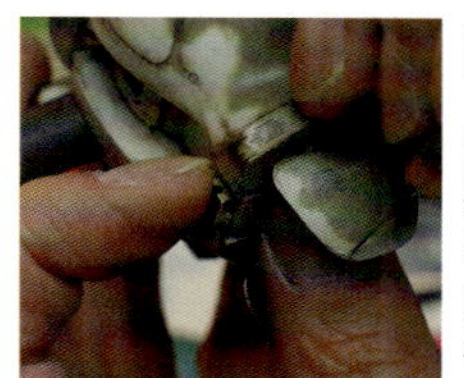
◀全機とも「秘伝のタレ3」施術後は刃物を使ってリアルチッピング(引っ掻き)。たくさんブツがあると、たくさん色んなことが試せるので楽し過ぎです。良い意味で失敗も恐れず大胆にトライ&エラーが出来ますからね

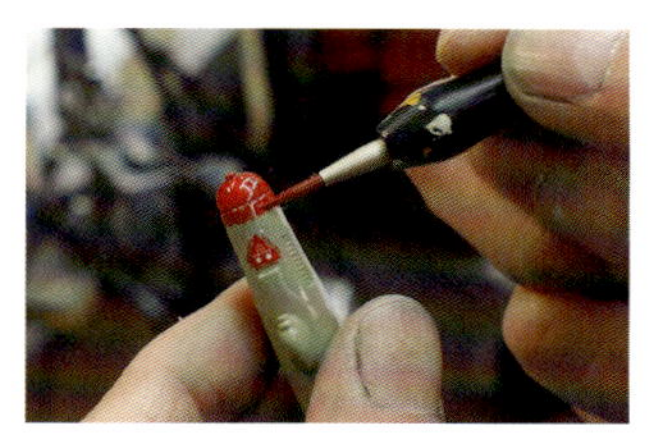
▲両機の両腕、そしてブラウラーの鼻ッ面に挿した赤もいい感じでしょ♪

▲ボディの塗り分けは下地白にクリアーコート後、グリーンをエアブラシしてコンパウンドで境目をぼかす手法です

▲ハッチのスカルは作例写真を参考にしながら鉛筆で下描きしエアブラシで塗り分け。フチをコンパウンドで調整しつつ筆塗りも加えて馴染ませています。2体を比べても同じになっていないのがご愛嬌ですが、良い雰囲気で仕上がったかなぁと

ファイアボール&プラウラー 製作ポイント

スキャニング、3D出力など「社長モデリング」

前回も触れましたが、左腕のエクサイマーレーザーは弊社1:16スネークアイの開発時に『Ma.K.』育ての母、脊戸真樹さんが作ってくれた原型が元になってるんです。原型パーツを3Dスキャンし、縮尺を変えて樹脂に出力、コレを仕上げてシリコーン複製してレジンパーツ化しているんですねぇ。何気に凄く手間隙とお金がかかってるのですよ（笑）。ありがたいパーツなので誌面を他のところより数秒長く、よぉ〜く見つめてあげてくださいませネ♪

動力パイプ

間違い…ってわけじゃないのだろうけれど、前回12体を納品した折り。横山さんから「宇宙用のSAFSは腰と脚を繋ぐパイプは太い方が良いのよ〜宇宙なんで色々巻いてあるのよ〜でも直さんでいいからねぇ」と。そりゃ直しますって（笑）。スネークアイ用の太いのがバッチリなので交換しました。うん、確かにこっちの方が似合いますよね♪

フィギュアヘッドについて

今回の宇宙SAFS6機のヘッドはブリックワークスのお姉さん（正式名称は「傭兵軍 女性宇宙パイロット（A）インナースーツ着用」）が持っているヘルメットをスネークアイに付属している頭部と組み合わせて作りました。

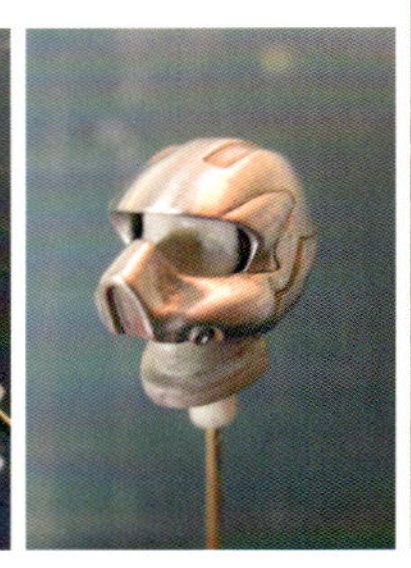

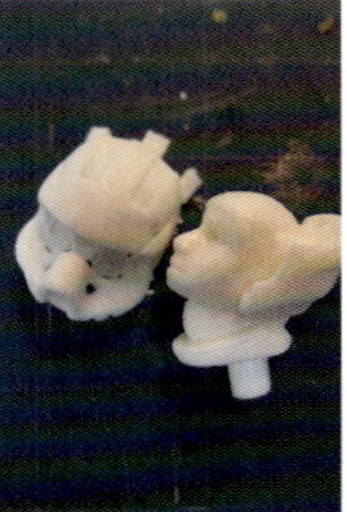

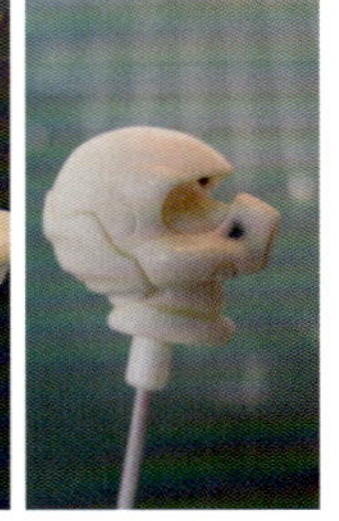

たくさん必要なのでパーツ化してシリコーンで複製、レジン樹脂パーツに置き換えて使っています。これも社長モデリングですね。時は金なり!! こういう複製って個人が楽しむ分には何ら問題ないと思うんだけど、売ったりしちゃダメですからね。ルールというかモラルとして、ね。

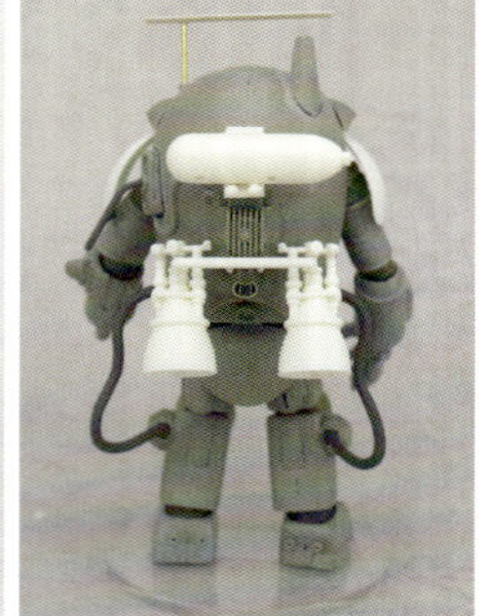

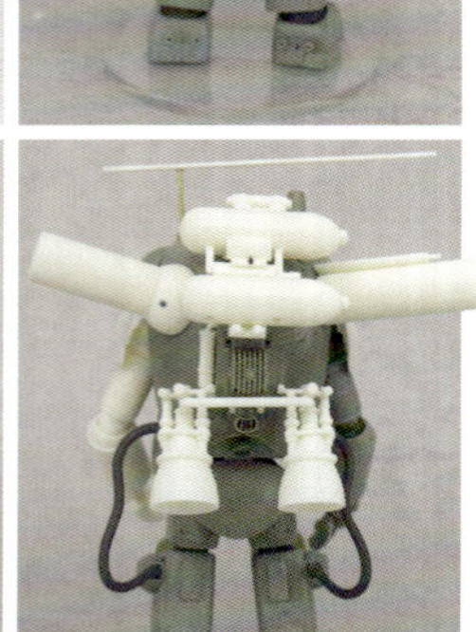

工作

ウェーブのキット部分はまるっきりそのまま素組みです。ハッチ上面に付くセンサーも宇宙SAFSにはないしアンテナも違いますしね。今までのSAFS作例と変えたところは…足首のパイプの裾側部分、ただ這わせるんじゃなくスネに穴をあけて差し込んだくらいです。わざわざ書くこともないような些細なことですね。

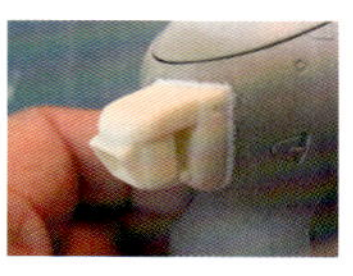

ファイアボールとプラウラーは共用部分が多く、プラウラー＝豪華なファイアボールって感じですよね。旧キットから持って来るパーツは本作例もラクーンと同様シリコーンゴムで型取りし、レジン樹脂で複製したものを使いました。形状はまったく変えておらず、本体と接合する部分のフィット工作と複製の都合で空洞を無くすなどが主な作業となります。空洞があると、シリコーン複製時パーツが壊れてしまう可能性があるため、全部ムクにするんですね。

カラースキーム

まずは全機下地にMAX渡辺流マシーネンモデルのルーティンワークを施します。サーフェイサー→銀→クリアー→ベースグレー。定番ですね。銀の上にクリアーを吹くのは、塗膜の弱いシルバーを保護することで刃物によるチッピングの際、銀の露出する確率を上げるのが狙いです。

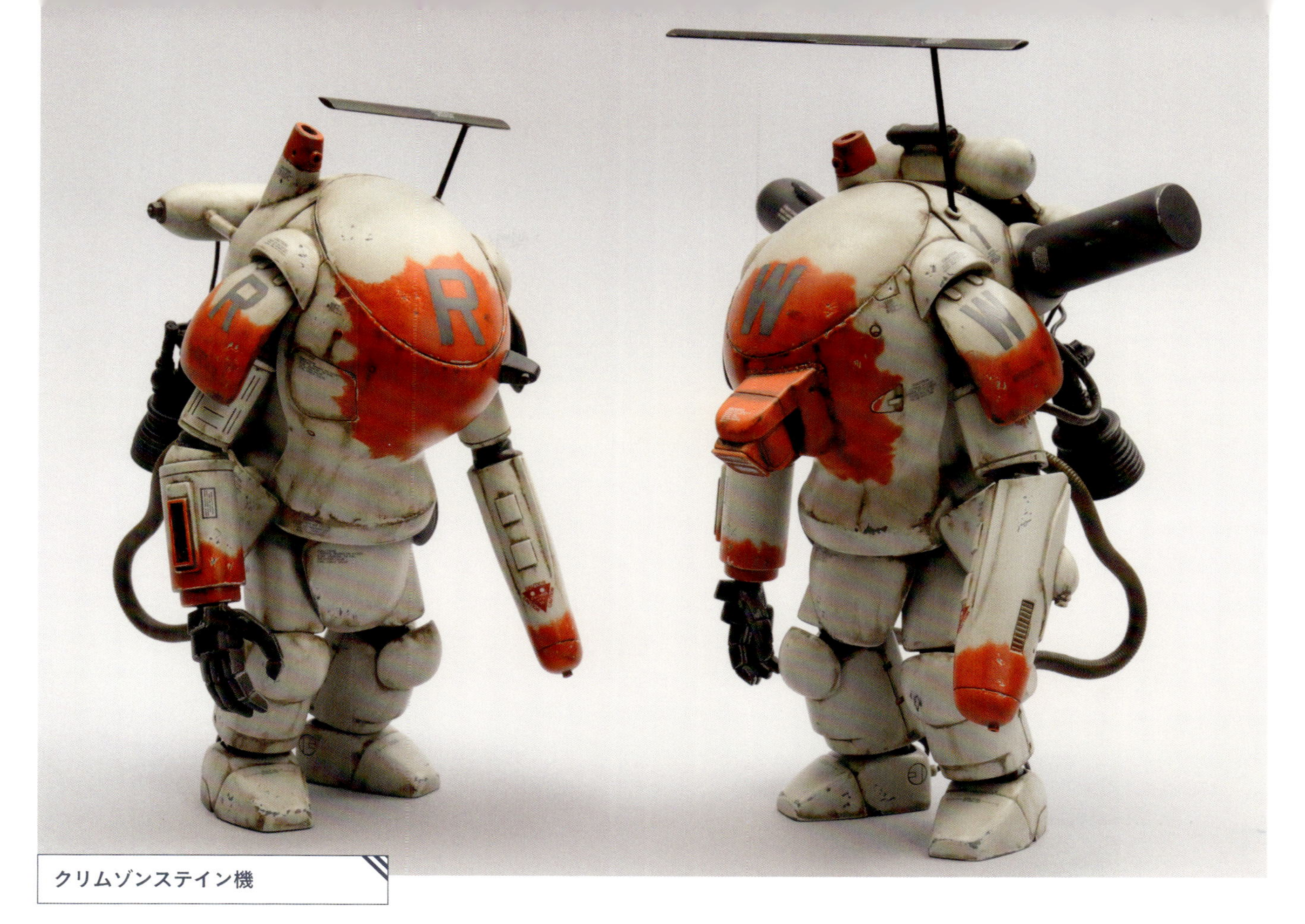

クリムゾンステイン機

赤いペンキをぶちまけたかのような乱暴さがたまらなくカッコいいカラーリングですね。BD（バンドデシネ）の扉で見て以来、これはいつか塗らねば！　と心に誓っていたのですが、ようやく実現出来て大変嬉しいです。赤の色味がなかなかに微妙です。オレンジとも言えるし、明るい茶色とも言えるようなそんな赤、ですよね。本作例は自画自賛ですが，狙いどおりの色が出たので嬉しさ倍増！　皆さんも自分で自分を褒めてあげると幸せになれますよ♪

今回の宇宙SAFSたちはつや消しクリアーの代わりにセミフラットクリアーを吹いております。ツヤをあまり殺さなかったのは陸戦系よりスッキリめに仕上げたかったのと、宇宙モノはツヤがあったほうがカッコいいのでは!?　という思い込みからです。実際エナメル塗料“秘伝のタレ3”を塗布して綿棒で落とした際の塗料の残り方も若干少なめになります。ツヤ加減って言葉にしにくいのですが、明確に変えている部分ですし、今回の作例では最後にクリアーでコートしてだめ押ししているので、ページからも伝わってくれるのではないかと思います。

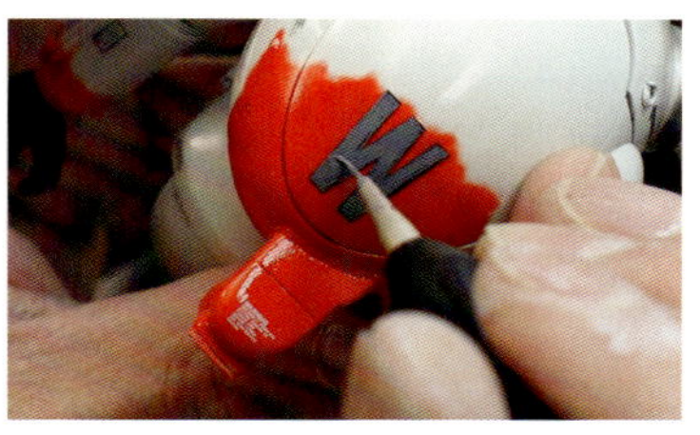

▲本体の赤も大事なんだけれど、実は同じくらい重要なのがナンバーの色だと思うんですね。本作例ではプリンターで刷った黒文字のデカールを貼付け後クリアーでコーティングしてから調合したグレーを筆塗りしています。フチの黒味をほんのちょっと残しているのもポイント、締まりが出るし横山さんのイラストっぽいムードも出せますし♪

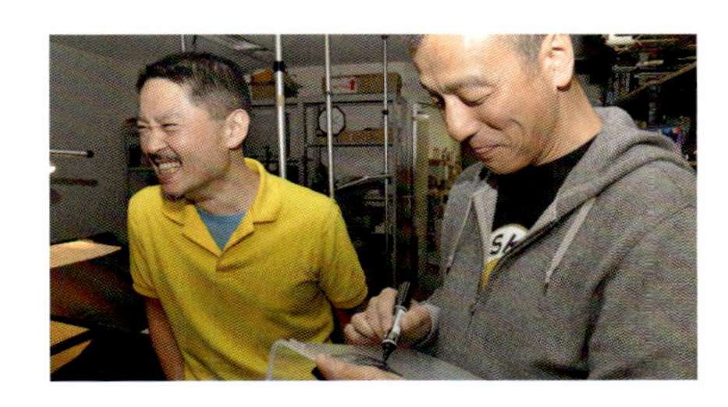

横山：今回はツヤのあるやつがずば抜けて良いですね。

MAX：いいですよね？　このぐらいのありですよね？

横山：これが良い！　これが一番。これぐらいのツヤが良い。

MAX：前作までのはツヤがね、ちょっと死にすぎてて僕が求めてた発色になってない作例がいくつかあったんで。フラットにしすぎると色死ぬんですよねぇ。

横山：そうなのよ。コピック入れやすいんですけどね。だから砂の上を走ってるとことかその部分だけツヤ消しで入れたりとかしてね。場所によってツヤを変えなきゃもったいないですよ。それをねぇ、よくみんな最後にコートしちゃって均等にしちゃうんですよ。あれ凄いもったいないですよ。

MAX：僕はでもおもちゃとして結構触って遊びたいんで。で、エナメルの塗料をベタベタ付けて一発コーティングした上でまたやったりとかしてっていう。それをね、場所によって変えられると面白いですよね。

横山：そうそうそう。このガンのとこだってそうだけど、エナメルのクリアーを塗ったんだ、わし。スモークの。そうそうそう、この結構明るい色塗ってて、そこのスモーク塗ると、わー凄い、ここだけツヤありでいいなぁって。スモークってものすごいグロスでしょ？　オイルみたいに。

MAX：なるほど、部分的にツヤをガンッと変えるの、今度試してみますね。

横山：「モデルグラフィックス」でも書いたけど、ツヤ消しとは何かみたいな図解してて、つや消しっていうのは表面にツブツブの入った粉ができて、ザラザラになって乱反射してツヤが消えてる。その乱反射分だけ明度が高くなるというようなことも書いてあるのね。それ踏まえた上で話すけど（笑）、ツヤ消しは当然ながら明度は上がるけど、彩度が下がる。だからその、明るくなるけどパンチに欠けるみたいな。ツヤが今度逆に出てくると明度は下がるけどドスが効いてくるみたいな。

MAX：ゴン！　っと強くなるんですよね。なので、ちょっとボケーっとしちゃってたんで、ツヤをガッと出してみたら面白くなりましたよ（笑）。

横山：脂ぎったオヤジみたいな。テラテラみたいな（笑）。

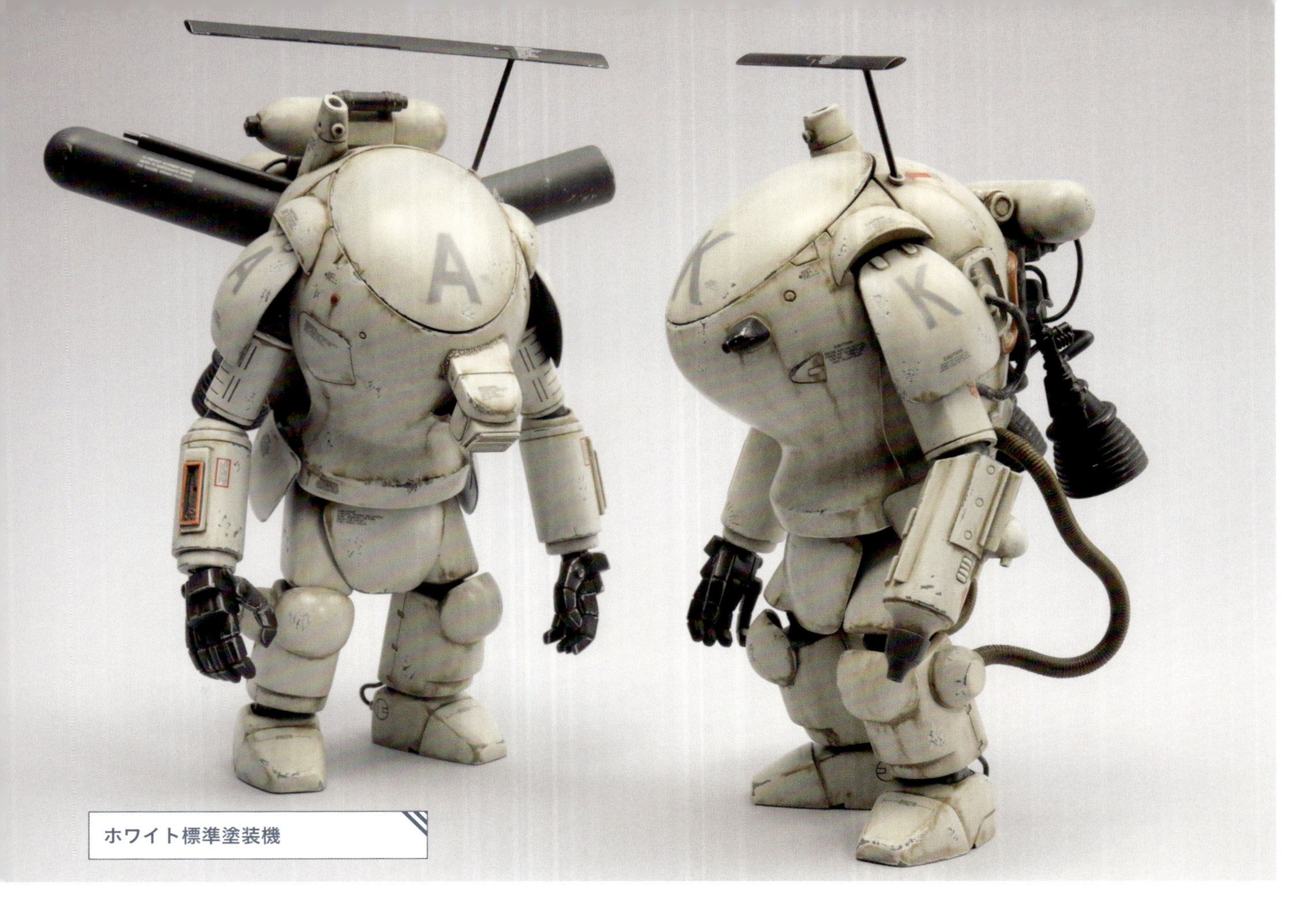

◀今回掲載分の6体とカッコいいハゲとイマイチなハゲが随所にあります。気に入った剥げ方があったなら、ぜひ真似してやってみてくださいませ

▶フィニッシャーズのルナティックフラッシュに大量の白を加えた、いや違う。ホワイトに少量のルナティックフラッシュを加えた宇宙SAFSホワイト(笑)をベースグレー地に全面塗布。デカールを貼ってクリアーをコートし、スポンジペーパーによる"なんちゃって研ぎ出し"を行なってます♪

魅力的な迷彩カラーが数多くある『Ma.K.』シーンですが、やはり各機体の基本たるプレーンな標準塗装は押さえておきたいもの。宇宙用SAFSといえばやはり"白"でしょう。宇宙服は白！　スペースシャトルもロケットも基本が白!!　なので宇宙な模型はまず白！　ですよね(笑)。

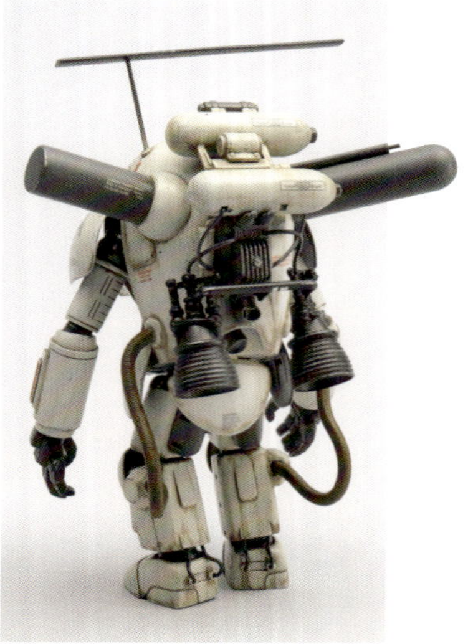

エクサイマーレーザーガンの話

この機体で面白い(？)エピソードが一つ。ほぼ塗り上がり明日は最終仕上げかなぁ、とか考えていた夜中の寝床。枕元には『Ma.K.』関連本はすべてそろっているのでパラパラとめくっておりました。「クロニクル＆エンサイクロペディアⅠ」(大日本絵画刊)のSAFSバリエのページをぼんやり眺めていたところ「ン？アレ？」と。陸戦のSAFSと宇宙SAFS(ファイアボール)の左腕エクサイマーレーザーのマズル部分が違う!?　そんな〜まさかね。「い、いや！　微妙だけど決定的に違う!!(滝汗)」

そんなわけで翌日早速切り飛ばして旧キットから移植しましたとさ。気付いて良かった〜っていうかそんなことも知らなかったのかMAX渡辺!!　はい、全然知りませんでした〜〜。間違ったまま掲載しても面白かったかもしれませんねぇ(笑)。

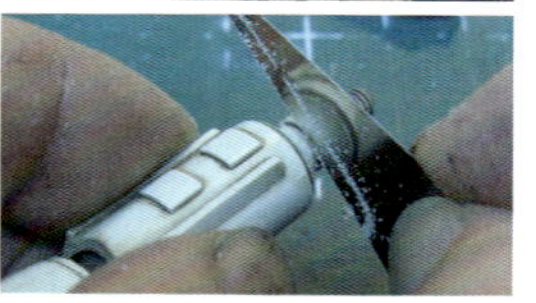

おまけのクレーテ

ムチャクチャイカすグレーのツートンに可愛らしいカエルのエンブレムが嬉しい3Qモデル最新作PKGイラストのモデルを超速攻で塗り倒してみました!! 本作では平筆を多用、今までとは違う作風にチャレンジしています。なんか巧くなったっぽいぞ俺!!? と独り言をつぶやいてしまうほどかっこいいんですけど（笑）。詳しくは次号にて〜〜。ってことで次回はクレーテを塗り倒しますぜ!!

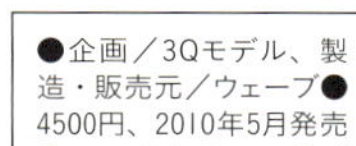
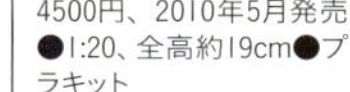

●企画／3Qモデル、製造・販売元／ウェーブ●4500円、2010年5月発売●1:20、全高約19cm●プラキット

おまけのラクーン

前回時間が足りずに涙を呑んで見送った3体のうちの1機、ラクーンが塗り上がったのでちょろっと見てもらいましょう〜。スキームはクリムゾンステインのバリエーションですから、先月のナイトストーカーとも兄弟みたいなもんですね。違うか？ 冬季迷彩、ですね。今月発売のイリサワ限定スノウマンSAFSと並べたくてこんなカラーにしてみました。ちょっぴり派手目で隠密行動には向いてないっぽいですが、カッコよければ勝ちなのが『Ma.K.』です♪ カッコいい…ですよね（汗）。

▲ロゴの色は悩みに悩んで何度か塗り直しました。赤系も良いと思うのですが、このダークなブルーも捨て難いかと。いかがでしょうか？

Ma.K. in SF3D EXPLANATIONS

傭兵軍 宇宙用装甲戦闘服
ファイアボール
傭兵軍 宇宙用指揮偵察型装甲戦闘服
プラウラー

文／KATOOO（レインボウエッグ）

『SF3D』連載当時、初めて宇宙を舞台にしたストーリーで登場した傭兵軍の装甲スーツがファイアボールです。初出はHJ1983年5月号。連載1周年を記念して月面での戦闘が描かれ、スーパーAFS宇宙タイプ3機が月面に降下し"地獄の番犬"ケルベロスと交戦しました。フォトストーリー中、この宇宙タイプの別称は"ファイアーボール"でしたが、同年7月に発売された別冊『SF3D』では「スーパーAFS宇宙タイプ」としか呼ばれず、その後、"ファイアボール"という表記が主流になったので、ここでもファイアボールで統一させていただきます。

設定上、それまでの宇宙空間での戦闘は宇宙戦闘機や戦闘ポッドが主力兵器でしたが、人間大の装甲スーツであるファイアボールの戦線投入により戦況は変化。大型な宇宙戦闘機に対し、小型で敏捷なファイアボールは標的にされにくく小回りが利くことで、大きな戦果を上げていきます。

むき出しのバーニアノズルを装着し、急場しのぎの感があるファイアボールですが、模型的にはそのあたりも大きな見せ場となっています。日東からはシリーズのNo.7として1:20プラキットが発売。No.6が大型でパーツ数の多いホルニッセだったからか、No.6が出る前にNo.7 のファイアボールが先に発売され、ちょっと驚いたのを覚えています。パッケージも宇宙空間でのファイアボールのバックショットが掲載され、斬新でした。

プラウラーはファイアボールの指揮偵察型で、横山先生による日東キットの改造バリエーションとしてHJ1984年10月号に登場。ファイアボールとラクーンのキットを組み合わせた両手マニピュレータ型のプラウラーは増設L.O.G.タンク、大型レーダーに加え、本体左右にレドームをセット。ラクーンと同じI.R.シーカーも本体前面に装着しています。これらの追加装備はひと目で偵察用ユニットと認識でき、デザイン的にも非常に重要な部位です。シンプルなファイアボールに対し、装備過多ぎみというか、てんこ盛り感のあるところがプラウラーの魅力だと思います。プラウラーはファイアボール5機に対し1機の割合で配備され、偵察指揮のほか敵機誘導や隠密索敵なども行ない、ストーリーに深みを与える存在と言えます。

スネークアイやファイアボールSGなど『Ma.K.』と名称を変えてから発展型の宇宙用スーツが発表されていますが、ファイアボール、プラウラーはそれらとはまた別の魅力を備えた、『SF3D』連載時の空気を色濃く出しているデザインだと思います。

PLAY BACK NEW ITEM Aug.issue 2010

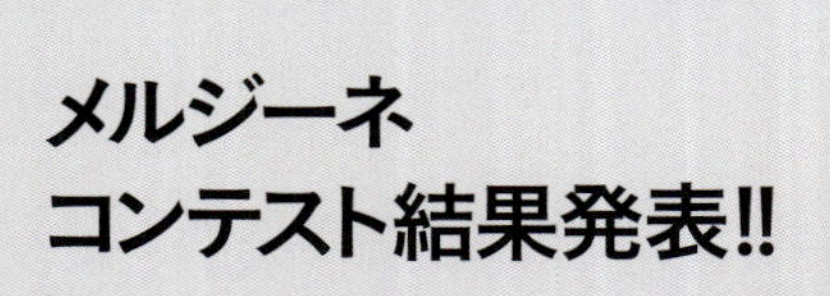

模型店イエローサブマリン秋葉原スケールショップにて開催された「メルジーネ限定プラモデルコンテスト」の受賞作品を公開！各受賞作品をご覧いただき今後の作品作りに活かしていただきたい。また横山宏賞の作品には横山宏氏本人よりコメントが届いているので受賞者は要チェックだ！

■参加総作品数：26点
■募集期間：2010年5月15日(土)〜2010年5月23日(日)
協力：ウェーブ、ホビージャパン

横山宏賞
「Ohne Titel」スケキヨ

▲スモークディスチャージャーを追加工作したメルジーネ。背後のエンジンカバーもひとひねりしてあり、それをシンプルな塗装で上手くまとめてますね。2機編隊で合格です（横山宏）

「メルジーネ 重装型」hanio
横山宏賞

▲この迷彩は○迷彩をつなげてみた、いわば発展型リング迷彩ですね。8の字がより気持ち悪くていいのです。合格（横山宏）

「dinner」橋本英俊
ホビージャパン賞

Wave賞
「メルジーネ」tana

「師走。」KenZ
YS（イエローサブマリン）賞

「SF3Dオリジナル【復刻版】」残部僅少!!

本誌に連載された『SF3Dオリジナル』の初期15回分を再編集した単行本で1983年刊行の「ホビージャパン別冊 SF3Dオリジナル」。そのフルスキャニングによる復刻版が現在絶賛発売中（当時）。最新スキャン技術と上質な紙により、オリジナルに全く遜色のないクオリティーに仕上がっている。また一部広告を除き当時の誌面を完全復刻しているので、27年前のホビーシーンを実感させるものとなっている。

なお本書は限定数生産であり、好評につき残部が少なくなっているので、まだ買ってないという方は急いでご購入を。

SF3Dオリジナル【復刻版】
●発行元／ホビージャパン●1905円、2010年5月発売●B5判、総140ページ

横山宏氏デザインのTシャツが手に入るオンラインショップ

さまざまなアーティストがデザインしたTシャツをオンデマンド方式で販売するオンラインショップ「TEE PARTY」に横山宏氏の作品が登場。『Ma.K.』のパッケージイラストなどがプリントされたTシャツが販売された。

ホビージャパン・モデルグラフィックス合同マシーネンクリーガー模型コンテスト参加作品募集中!!

本誌と『Ma.K.』連載誌「月刊モデルグラフィックス」が合同開催する「『Ma.K.』模型コンテスト」の応募作品を募集中！写真による審査を行ない秋の全日本模型ホビーショー会場にて結果を発表の予定。締め切りは2010年9月25日。

KRÖTE FIRST PART

WAVE 1:20 SCALE PLASTIC KIT
MODELED BY MAX WATANABE
| Sep.2010 | No.007 |

Panzer Aufklärungs T.W.47

クレーテ
●企画／3Qモデル、製造・販売元／ウェーブ●4500円、2010年5月発売●1:20、全高約19cm●プラキット

シュトラール軍無人二足歩行戦車「クレーテ」＝ドイツ語で“カエル”。どことなく愛らしいユニークなスタイルで人気の高いアイテムだ。
今回は怒濤のMAX渡辺作例のみならず、東京在住のオーストラリアマシーネラーLin.K.氏のディオラマ、
そして原作者・横山宏の新作作例が掲載される。
さらに!! なんと27年前に作られたオリジナルモデルが公開されるのだ。ファン垂涎のクレーテ編前編開幕！

ウェーブ 1:20スケール プラスチックキット
無人強襲偵察用二足歩行戦車 クレーテ

製作・解説・文／MAX渡辺

■夢は叶う！

「ホビージャパンの連載全ページ編集本、出たらいいなぁ〜夢だなぁ〜」とかずっと編集部でつぶやいていたら、ホントに叶っちゃいそうだよ!!（笑）

あ、模型芸人のMAX渡辺です。

この連載企画の目的の半分くらいはもう果たしたといっても過言じゃない快挙だ。横山さんのたっての希望（わがまま）で判型もデカクなるかも!?　そのおかげかちょっと高くなるかも？（汗）　しかぁ〜し、そんなことは実に些細なことだ!!　コレは歴史的快挙！　みんな喜び勇んで予約するように!!　イヤ、ホント嬉しいよね♪

■クレーテ、クローテ？

クレーテ、可愛い。実になんというか愛らしい。兵器なんだけど。

2010年5月末に3Qモデルから発売された同キット、元々の日東キットにガンス発売時に開発されたランナーがプラスされて脚が太くでき、胸（？）とヒザ（？）に増加装甲が取り付けられるようになったとってもお得で嬉しいモノなのです。新規カラーリングも提案され、旧来ファンのみならず、なんか気になる？　と今急増中の新規マシーネンファンの目にも止まること請け合いです。今月もまた、アレも作りたい、これも塗りたいと総計7機を完成させ持ち込みましたが（笑）、Lin.K.氏のカッチョイイディオラマや横山さんの新作も持ち込まれてメチャ充実してしまったので、SAFSバリエ同様、今回も前後編に分けてお届けすることになりましたよ。なんか凄いねこの熱量!!

第401装甲猟兵大隊 第8実験部隊機

ハイ、大好物の冬季迷彩ですねぇ〜♪　白は一番楽しいですねぇ〜。何せ模型は絵でいうところのキャンバスみたいなものですから、白いってことは何でも出来るってことで♪　色の振り幅も大きく取れるし挿し色もたくさん使えてしかも効果が目立ちやすい!! 良いコト尽くめですねぇ。

クレーテの工作

スナップフィットしか作ったことないっす〜(汗)って人でなければ取り立てて問題のない構成と精度を誇るクレーテ。とても25年も経過したキットとは思えません。日東って頑張ってたんだなぁと感慨。とはいえ、上部砲塔は仮組みして調子を見ながら組んだ方がズレが出なくて良いです。ぜひとも。

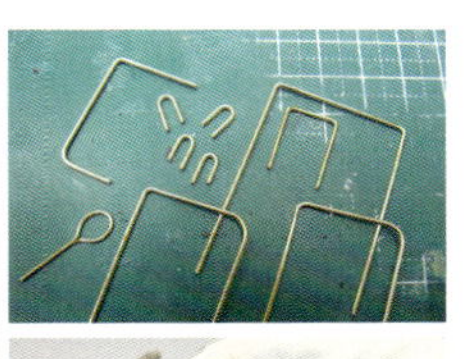

説明書にキッチリ図説されています各部のフック類、キットパーツを使って作れないことはないのですが、いかんせん、脆い!!　僕なんかウッカリ者なので、すぐ力をかけて折っちゃう。なので後々のことを考えてもぜひシンチュウ線に置き換えることをお勧めします。ちゃんとガイドが組み立て説明書に記載されているので、これを頼りに作れば意外にも簡単かつ、実は楽しい工作だったりします♪

そしてもう1つ。ガニマタにできるよう新設された脚部基部ですが、ポリキャップがちょいと堅過ぎることも相まってか、取り付け基部を折りやすいのです。ハイ、実際7機中4本分折りました(汗)。ですので、これは転ばぬ先の杖ならぬ、折らぬ先の補強、軸に1mmのシンチュウ線を差し込んでガッチリ固めてしまいましょう。これでよほど乱暴に扱わない限り大丈夫です♪　オススメです！

以上のことに注意すれば驚くほど短い時間でサクッと組めちゃうクレーテ、皆さんもぜひ複数組んでガンガン塗るよろし！　面が大きいので塗り甲斐があってとても楽しいモチーフです♪(次ページの冬季迷彩機塗装編に続く)

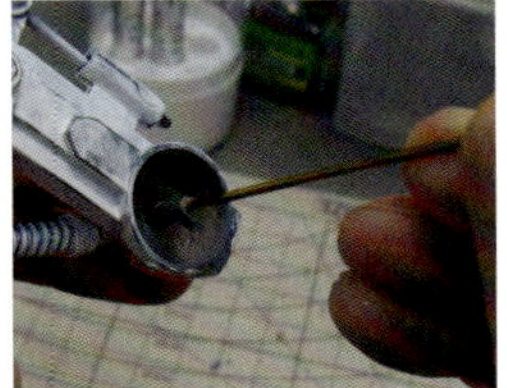

クレーテの冬季迷彩機塗装編

冬季迷彩機はまずはミディアムなグレーを全面エアブラシし、クリアーコーティング。そして白です！　エアブラシなんかで塗ったらすぐ終わっちゃってもったいないので、平筆でペタペタと。粉歯磨きを大量混入した白ですね。バッチリツヤ消しになり、しかも乾きも早いし、厚塗りでボリュームも出せるし良いんです。ガッツリ塗り込んだら、乾燥後スポンジペーパーで適当に各部をサンディング、下地のグレーやその下のベースグレーやそのまた下のシルバーなどが所々に顔を覗かせるように本当に適当にガシガシっと。なんて楽しいんでしょう♪

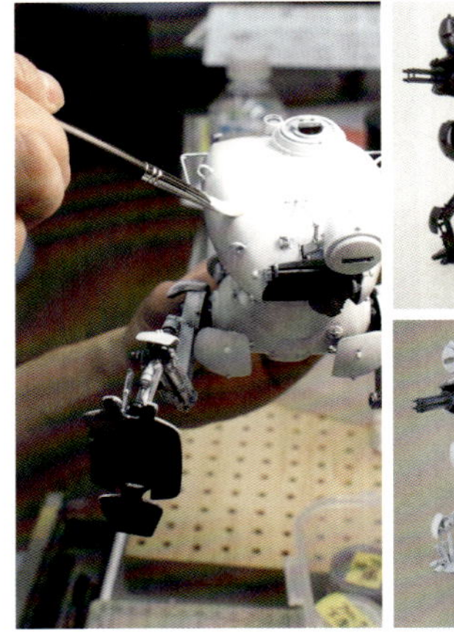

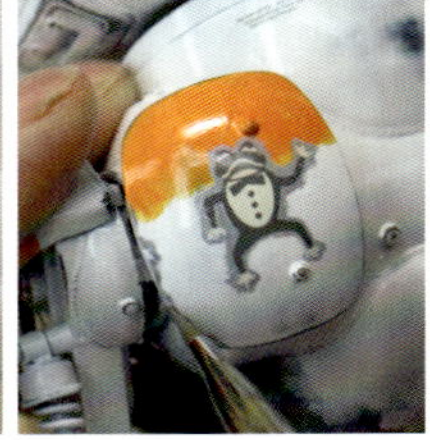

オレンジをベトッと筆塗りし、デカールを貼り、デカールのフチのシャープ過ぎるところを軽く下地塗料で丸めたりしつつ、ミディアムグレーを適当に各部に散らしたら、秘伝のタレ3です。

この後、タミヤのウェザリングスティック。泥濘地で稼働した機体っぽく足周りは様々な茶系でぐっちょり汚れてる感じを出しつつ、フィニッシュです。やはり冬季迷彩はサイコーですね♪

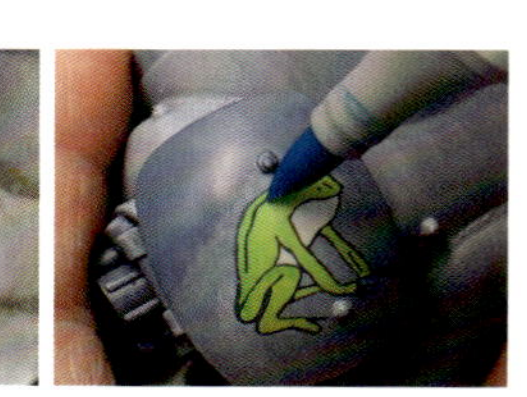

◀デカールのカエル君はそのままだとちょっと味気ないので、研ぎ出し後コピックの薄い青を重ねてみました。素敵♪

第503重戦車大隊 威力偵察中隊機

先月でもチラリとお見せしたカラーリングですね。これはカッコいいですよねぇ～。

基本色（濃い方）をエアブラシで吹いた後、コレにライトグレーを混ぜて筆で塗り分けし、続いてこの色を少量混ぜた濃い基本色をエアブラシ面に筆塗り。これを数度繰り返して全体を馴染ませながら調整してみました。今までやったことのないやり方でしたが、面が馴染みつつも多様性が生まれ、観ていて飽きない感じになっていきました。筆って奥が深いなぁと改めて思います。はまりそうです♪

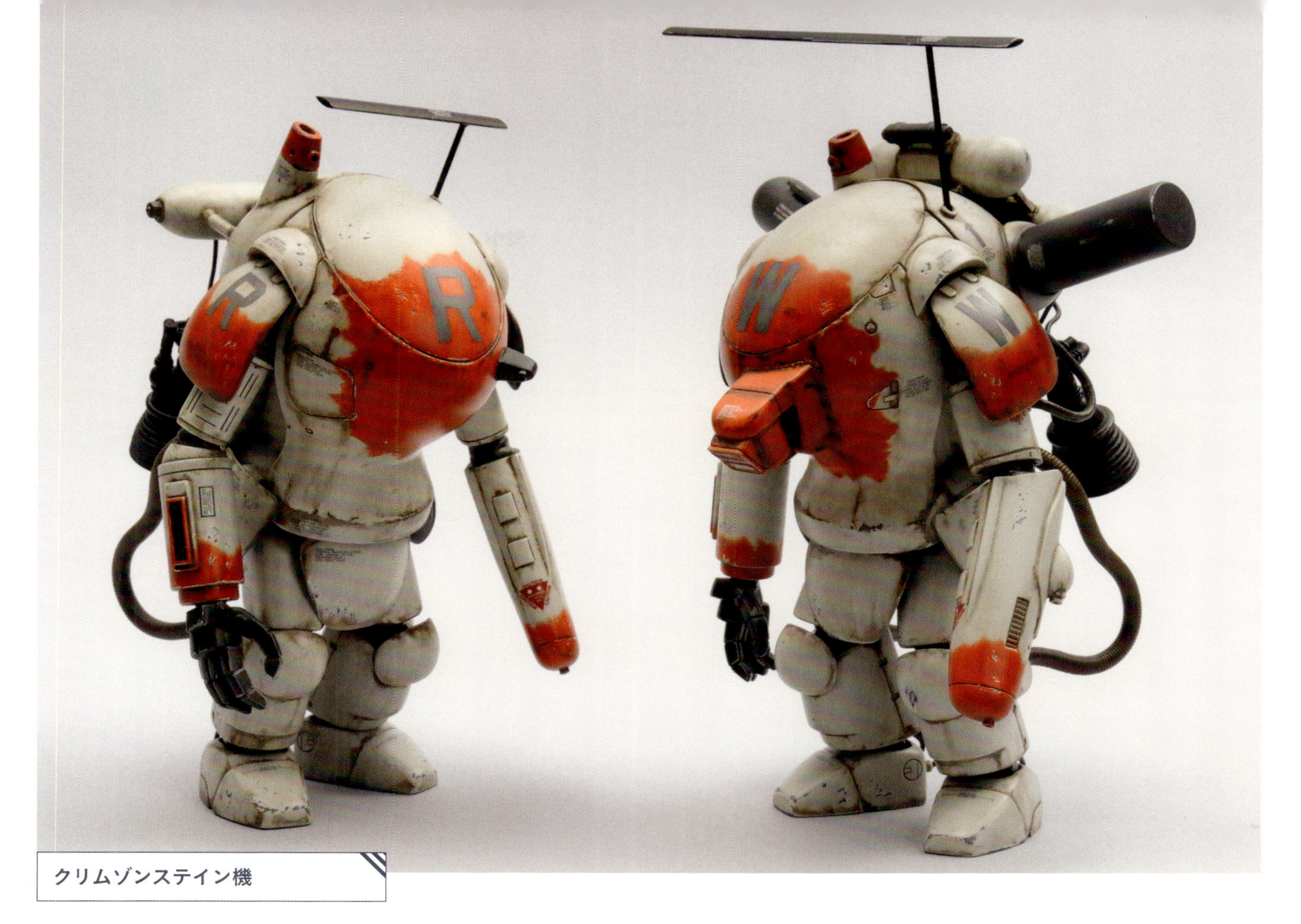

クリムゾンステイン機

赤いペンキをぶちまけたかのような乱暴さがたまらなくカッコいいカラーリングですね。BD（バンドデシネ）の扉で見て以来、これはいつか塗らねば！　と心に誓っていたのですが、ようやく実現出来て大変嬉しいです。赤の色味がなかなかに微妙です。オレンジとも言えるし、明るい茶色とも言えるようなそんな赤、ですよね。本作例は自画自賛ですが，狙いどおりの色が出たので嬉しさ倍増！　皆さんも自分で自分を褒めてあげると幸せになれますよ♪

今回の宇宙SAFSたちはつや消しクリアーの代わりにセミフラットクリアーを吹いております。ツヤをあまり殺さなかったのは陸戦系よりスッキリめに仕上げたかったのと、宇宙モノはツヤがあったほうがカッコいいのでは!?　という思い込みからです。実際エナメル塗料“秘伝のタレ3”を塗布して綿棒で落とした際の塗料の残り方も若干少なめになります。ツヤ加減って言葉にしにくいのですが、明確に変えている部分ですし、今回の作例では最後にクリアーでコートしてだめ押ししているので、ページからも伝わってくれるのではないかと思います。

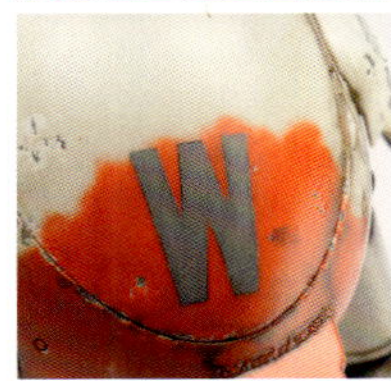

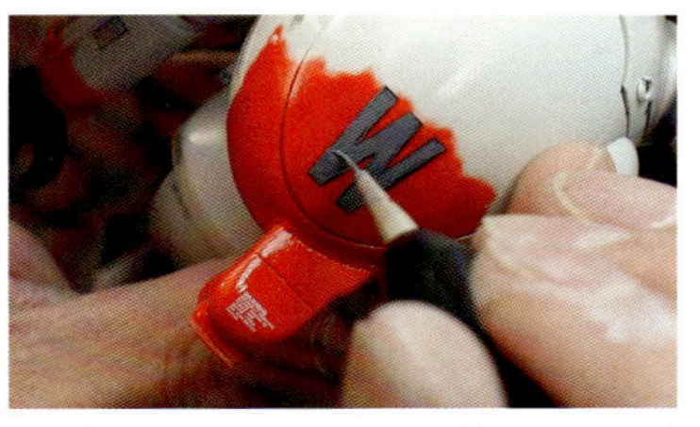

▲本体の赤も大事なんだけれど、実は同じくらい重要なのがナンバーの色だと思うんですね。本作例ではプリンターで刷った黒文字のデカールを貼付け後クリアーでコーティングしてから調合したグレーを筆塗りしています。フチの黒味をほんのちょっと残しているのもポイント、締まりが出るし横山さんのイラストっぽいムードも出せますし♪

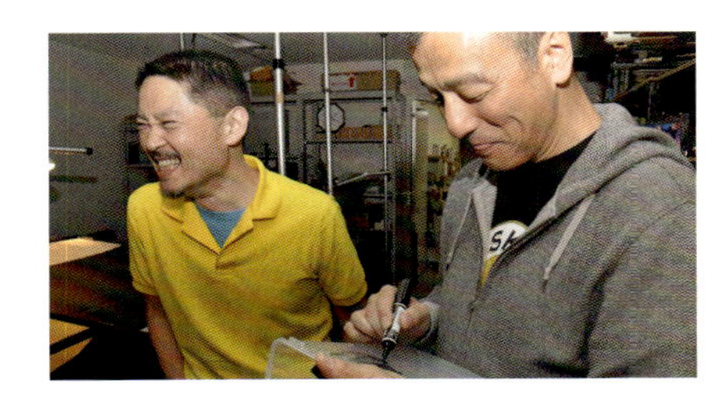

横山：今回はツヤのあるやつがずば抜けて良いですね。
MAX：いいですよね？　このぐらいのありですよね？
横山：これが良い！　これが一番。これぐらいのツヤが良い。
MAX：前作までのはツヤがね、ちょっと死にすぎてて僕が求めてた発色になってない作例がいくつかあったんで。フラットにしすぎると色死ぬんですよねぇ。
横山：そうなのよ。コピック入れやすいんですけどね。だから砂の上を走ってるとことかその部分だけツヤ消しで入れたりとかしてね。場所によってツヤを変えなきゃもったいないですよ。それをねぇ、よくみんな最後にコートしちゃって均等にしちゃうんですよ。あれ凄いもったいないですよ。
MAX：僕はでもおもちゃとして結構触って遊びたいんで。で、エナメルの塗料をベタベタ付けて一発コーティングした上でまたやったりとかしてっていう。それをね、場所によって変えられると面白いですよね。
横山：そうそうそう。このガンのとこだってそうだけど、エナメルのクリアーを塗ったんだ、わし。スモークの。そうそうそう、この結構明るい色塗ってて、そこのスモーク塗ると、わー凄い、ここだけツヤありでいいなぁって。スモークってものすごいグロスでしょ？　オイルみたいに。
MAX：なるほど、部分的にツヤをガンッと変えるの、今度試してみますね。
横山：「モデルグラフィックス」でも書いたけど、ツヤ消しとは何かみたいな図解してて、つや消しっていうのは表面にツブツブの入った粉ができて、ザラザラになって乱反射してツヤが消えてる。その乱反射分だけ明度が高くなるというようなことも書いてあるのね。それ踏まえた上で話すけど（笑）、ツヤ消しは当然ながら明度は上がるけど、彩度が下がる。だからその、明るくなるけどパンチに欠けるみたいな。ツヤが今度逆に出てくると明度は下がるけどドスが効いてくるみたいな。
MAX：ゴン！　っと強くなるんですよね。なので、ちょっとボケーっとしちゃってたんで、ツヤをガッと出してみたら面白くなりましたよ（笑）。
横山：脂ぎったオヤジみたいな。テラテラみたいな（笑）。

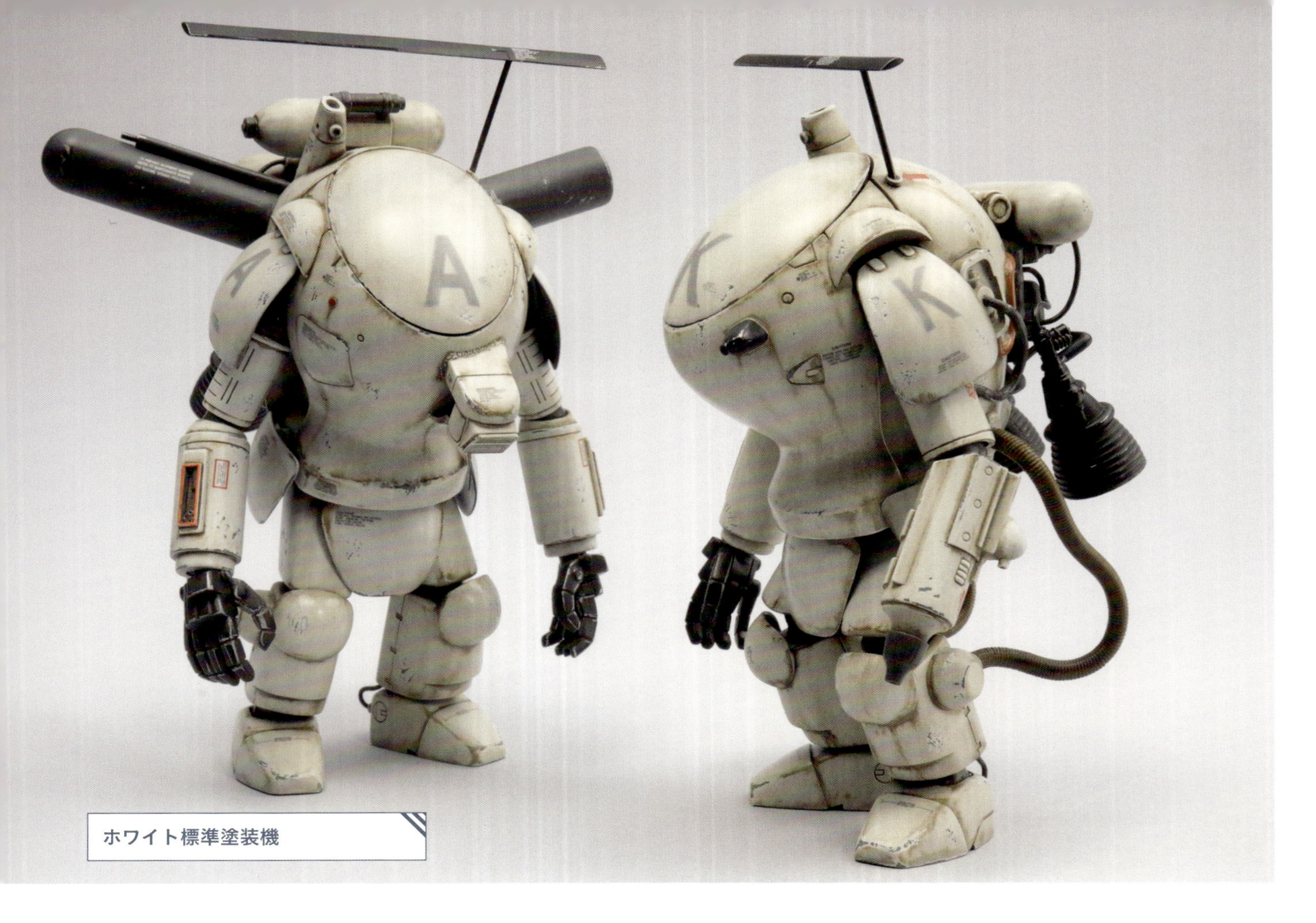

ホワイト標準塗装機

▶フィニッシャーズのルナティックフラッシュに大量の白を加えた、いや違う。ホワイトに少量のルナティックフラッシュを加えた宇宙SAFSホワイト（笑）をベースグレー地に全面塗布。デカールを貼ってクリアーをコートし、スポンジペーパーによる“なんちゃって研ぎ出し”を行なってます♪

◀今回掲載分の6体とカッコいいハゲとイマイチなハゲが随所にあります。気に入った剥げ方があったなら、ぜひ真似してやってみてくださいませ

魅力的な迷彩カラーが数多くある『Ma.K.』シーンですが、やはり各機体の基本たるプレーンな標準塗装は押さえておきたいもの。宇宙用SAFSといえばやはり“白”でしょう。宇宙服は白！　スペースシャトルもロケットも基本が白!!　なので宇宙な模型はまず白！　ですよね（笑）。

エクサイマーレーザーガンの話

この機体で面白い（？）エピソードが一つ。ほぼ塗り上がり明日は最終仕上げかなぁ、とか考えていた夜中の寝床。枕元には『Ma.K.』関連本はすべてそろっているのでパラパラとめくっておりました。「クロニクル＆エンサイクロペディア Ｉ」（大日本絵画刊）のSAFSバリエのページをぼんやり眺めていたところ「ン？アレ？」と。陸戦のSAFSと宇宙SAFS（ファイアボール）の左腕エクサイマーレーザーのマズル部分が違う!?　そんな〜まさかね。「い、いや！　微妙だけど決定的に違う!!（滝汗）」

そんなわけで翌日早速切り飛ばして旧キットから移植しましたとさ。気付いて良かった〜ていうかそんなことも知らなかったのかMAX渡辺!!　はい、全然知りませんでした〜〜。間違ったまま掲載しても面白かったかもしれませんねぇ（笑）。

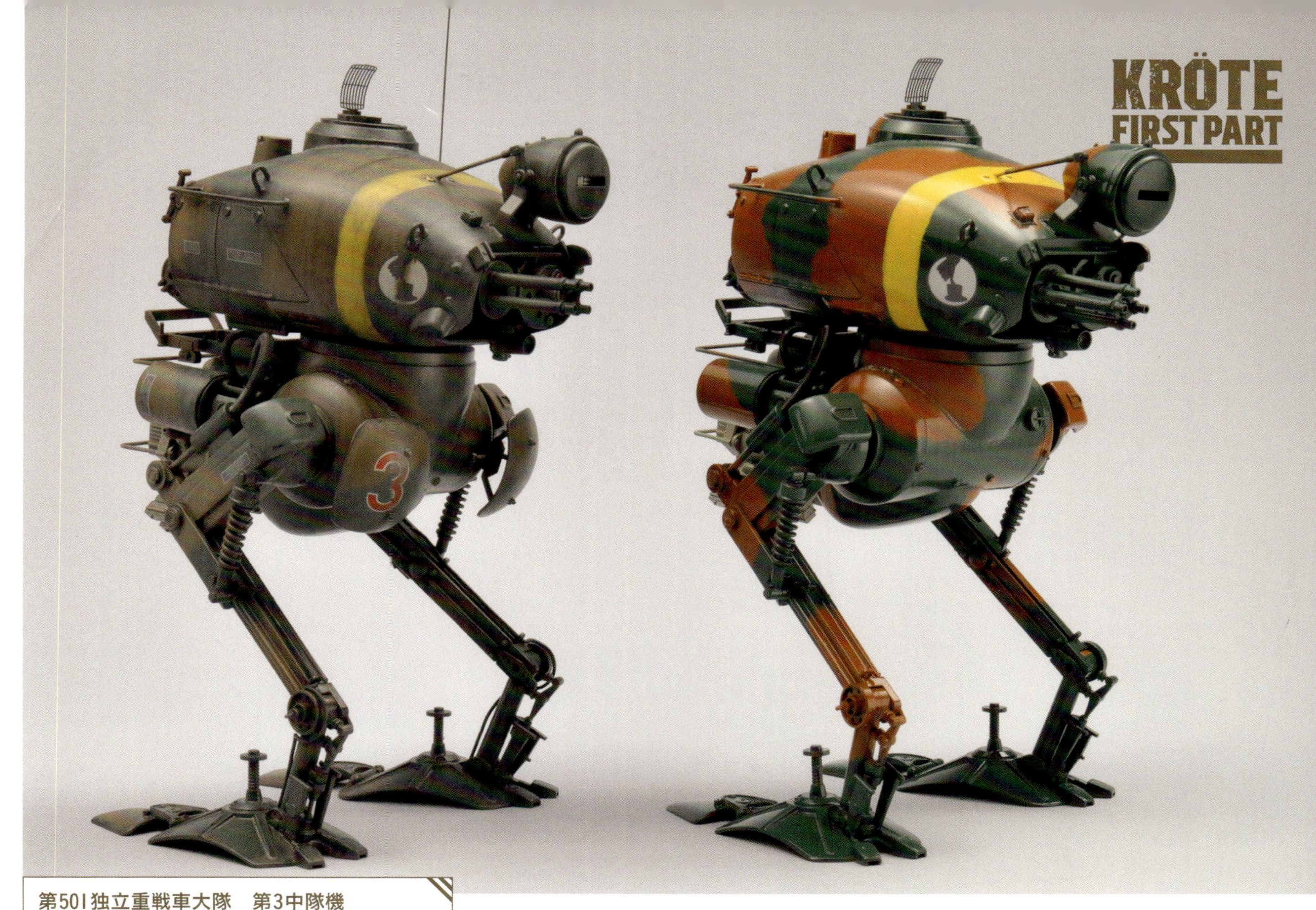

KRÖTE FIRST PART

第501独立重戦車大隊　第3中隊機

茶×緑×黄帯のカラーリングはAFVの知識に悲しいくらい乏しい僕にとっては即「旧日本陸軍!!」と映ったのでした。もしくは初期自衛隊車両!?　どちらも的外れかもしれませんが（笑）。

その第一印象と、カラーガイドに記されたエピソードの一節「～現在はフレンスブルグ軍事技術博物館に収蔵されている」の一文にピピッと来たんです♪　そうだ、いかにも博物館の所蔵品然とした感じに塗ってみようと。そして思い起こすに、なぜああいう展示物の色って実物であるにもかかわらず、ノペッと平坦で、時にケバケバしかったり、とにかく魅力に欠けるのだろうかと。皆さんもそういう想いありませんか？

なんか“らしくない”というか、そそられないというか。収蔵品に色を塗る人がそもそも無頓着なのか？　実はそうではなく、ちゃんとした考証に基づいて再現された「正しい色」、だったりするのか？　いずれにしても実物を観に行くと、その大きさや実物への憧憬からくる感動とは裏腹に「変な色だなぁ」と思ってしまうんですね。こんなことからも模型に実物と“おんなじ色”を塗ってもいい感じにはならないんじゃないかなぁとMAX渡辺は思うのでした。

▲そんな思いも込めて、“もしも博物館Ver”には「オイオイ‥‥」っていう感じの生っぽい色をベタ～っと塗ってみました。う～む、かっこ悪い（笑）
◀対して、このカラーリングを模型的な“らしさ”を込めて塗るとこんな感じ!!　というのがもう一機です。ちょっと面白い実験ができ、色々とまた考えることが出来ました。皆さんもちょっとこの辺りについて思いを馳せていただけたらと、思います

特別掲載「Sie kommen！」 製作／Lin.K.

◀Lin.K氏は編集部で撮影を見学

◀臨場感の高さを感じるディオラマ。独自のセンスが光るデザインの機体にも注目してほしい
▼深みのある塗装が際立っているクレーテ。旧キットを使用している

今月は、撮影時に飛び入り参加した東京在住のオーストラリア人モデラーの力作もお届け。『Ma.K.』のテイストを活かしつつオリジナリティ溢れるディオラマに仕上がっている。

連載開始の時点で『SF3D』の舞台はオーストラリアがいいと考えた。その本当の理由はよく思い出せないが、カンガルーやコアラ、カモノハシなど、生態系に興味があったのは確か。そういうことで、連載中からオーストラリアのファンがたくさんいました。

そして今回は東京在住のオーストラリア人モデラーのリンクことLincoln Wright 氏にクレーテのディオラマを持ってきてもらった。

編集部の近くに都合良く住んでいるオーストラリアのマシーネンモデラーがいるのも、なんだかありがたい事ですねえ。（横山談）

Ma.K.in SF3D EXPLANATIONS

シュトラール軍
無人強襲偵察用二足歩行戦車
クレーテ

文／KATOOO（レインボウエッグ）

クレーテは、HJ1983年7月号に掲載されたシュトラール軍の無人兵器で、記念すべき『SF3D』初の無人二足歩行兵器です。それ以前に登場した無人兵器の移動手段は、ナッツロッカーのホバー走行やノイスポッターの反重力浮遊といったSF的要素の濃いものでしたが、より現実味を増したクレーテの二足歩行機構は非常にインパクトがありました。最近復刻された「別冊SF3Dオリジナル」には、連載15回目までの機体が掲載されていますが、連載15回目のクレーテはすべり込みで別冊に間に合った機体。『SF3D』連載時から2000年代になるまで、複数機体がまとめて掲載された書籍は「別冊SF3Dー」しかなく、この別冊に掲載されたメカは「SF3D第一期生」のような風格・印象があります。なかでもクレーテは、冒頭のフォトストーリー「OPERATION SUPER HUMMER」でのAFSとの戦闘シーンがドラマ性を強く感じさせ、別冊の中でも印象に残るメカのひとつです。

クレーテはドイツ語で書くと「Kröte」で、意味はヒキガエル。'83年の発表時は横山先生も担当編集者の市村さんも「クレーテ」という発音がわからず、連載時や別冊には、「クレーテ」という単語がどこにも載っていません。誌面では執拗なまでに「Kröte」とドイツ語で押し通し、中学生だった私はウムラウトなど知るよしもなく、「オーの上に点々？　クロッテ!?」とモヤモヤしたものです（笑）。私は'84年にリアルタイムでクレーテのキットを買いましたが、思えば人生初の無人機プラモ。中学生ではすんなり買えない2300円というお値段で、工作が難しく、渋くて苦い大人の世界のようなプラモでした（笑）。

『スター・ウォーズ』のスカウトウォーカー（AT-ST）にインスパイアされたというクレーテは、特異なシルエットの砲塔やむき出しのメカ部分、絶妙なバランスで構成された二足歩行機構とのコントラストがすばらしい傑作デザイン。砲塔は1:100ゲルググのすそが芯という奇想天外な流用法で、記述がなかったら一生わからなかったでしょう。この砲塔、二足歩行ユニットに対して、かなり大きめなのがポイント。不安定な二足歩行機であることを考慮すると、砲塔はひらべったかったり、小さめに造ったりするのが無難ですが、そこをあえて大きくしているのが横山デザインのすごさ。ボリュームのある砲塔が実に愛らしいです。

そして、二足歩行ユニットの完成度の高さも特筆に値します。『Ma.K.』ではバリエーション機が数多く登場しますが、クレーテは武装換装型のパッククレーテやキュスターのみならず、月面ガンス、陸戦ガンスにも歩行ユニットが流用されています。SAFSのボディシェルやノイスポッター頭部など、別機体にも流用される部位は、兵器としての完成度の高さを物語っており、クレーテの歩行ユニットは無人二足歩行機のハイ・スタンダードといえます。

設定では、兵器開発局で開発が遅れていたナッツロッカーやノイスポッターの代替兵器として、シュトラール軍がボムフォル＆チオネル社製のクレーテを購入し、テストの結果、採用が決定。なかなか配備されなかった繊細で高性能な偵察機ノイスポッターに対し、クレーテは前線に多数配備された頑強で無骨な強襲偵察機。キットを製作する際もクレーテのキャラクターを考慮して塗装や改造を施すと、よりいっそう楽しめると思います。

3Qモデルからのクレーテ販売にあたり、レインボウエッグはデザインワークを担当させていただきました。横山先生が塗装パターンを考案・作成し、デカール製作＆機体解説をsimさんが担当されました。塗装パターンや解説は往年のファンも楽しめる内容になっていますが、最近ファンになった方のために、今回の作例群に対応したキット付属塗装カードの補足をしたいと思います。

クレーテの基本塗装色「サンドグラウ26」は、1984年の旧日東製PKAの塗装カードで「グラウ26」と書かれていたもので、シュトラール軍メカの初期基本色です。「グラウ」はドイツ語で「グレー」。横山先生が「イエロー系なのにグレーっていうのもねえ（笑）。サンドグラウ26にしよう」と言うので、26年越しに名称が変更。旧日東製品のパッケージには、松本州平さんによるサンドグラウ26で塗られたクレーテ完成見本写真が載っています。

063ページの茶×緑のクレーテは塗装カード「1」の機体。これは日東キット付属の塗装カード「1」と同一機体で、識別帯を追加され現在博物館に収蔵されている設定です。余談ですが、シュトラール軍で多用される黄色の識別帯は、意外なことに日東『SF3D』名義のキットの塗装カードにはひとつもありません。「別冊SF3Dー」の105ページに黄帯が入ったナッツロッカーが掲載されていますが、当時は黄帯＝第3中隊と記載されています。

062ページ掲載のブルーのクレーテは塗装カードの「2」に該当。大型無人指揮機のケーニヒスクレーテを警護する機体で『Ma.K.』の世界がさらに広がる秀逸な設定。基本色は、横山先生がスクラッチしたオリジナル・クレーテのブルーグレーと同じ色。さらに濃いブルーグレーを塗り重ねた2色スプリッター迷彩です。基本色は以前は「G（グスタフ）グラウ」という呼称のブルーグレーでしたが、「グラウ44」と名前が変わり、濃いほうのブルーグレーは「グラウ67」という呼称が与えられました。番号は横山先生が直感（！）で付けたそうです。機体番号の「27」はパッケージにもなっていることから、深読みして「クレーテ初登場の'83年から27年後だから？」と推理しましたが、先生いわく「まったくの偶然」とのこと。直感や偶然はあなどれませんね。

065ページのクレーテは塗装カード「3」で、カーロフ少尉の溺愛したクレーテのうち“ヒュッテ”（＝山小屋）と名づけられた機体。物語要素の強い設定に加え、ランダムな迷彩＆少々とぼけた感じのシャークマウスがとても味わいのある機体です。連載時のフォトストーリーでは、エディ・アムゼルくんが故障したクレーテに目と口を落書きしましたが、それを彷彿させるマーキングとなっています。

061ページの冬季迷彩でよく見られる白×オレンジのパターンは塗装カード「4」です。歩行戦車で雪原といえば『スター・ウォーズ』のAT-ATが有名ですが、クレーテの冬季迷彩も実によく似合います。同部隊では雪泥対策として脚部の装甲を外すことが多いという記述のとおり、現地改修要素を取り込めるのも『Ma.K.』のおもしろさですね。

クレーテちょっといい話

KATOOOさんの記事を読んで、アレレ？ と。クレーテのオリジナルモデルには1:100ゲルググのスネが使われている!?　ゲルググ？　これはもう確かめようのない話なのですが、もしかすると流用パーツのゲルググのスネ、出所は僕かもしれません（笑）。だとしたらかなり間接的ではありますが、クレーテ誕生に僕は関わっていたのかも？　そっちのほうがドラマティックなのでそういうことにしましょう、横山さん♪（MAX渡辺）

SAFS“スノウマン”

スノウマン発売記念！　ってことで大急ぎで組んでみました。せっかくの白い成型色を活かして仕上げてみたいと思い立ち、スカイブルーとグレーとオレンジだけ筆塗りしてデカール貼ってクリアーでコートしてかる～くスポンジペーパーで研ぎ出し。あんまり透けないから適度な高級感で、凄く可愛らしい仕上がりになったと思いませんか？
もう1機はBDのワンシーンが印象的な宇宙用スノウマン。いずれやってみたかったネタなのでこのチャンスにと。仕上げはコレからですが、こういうクルマみたいな仕上げもいいなぁって。

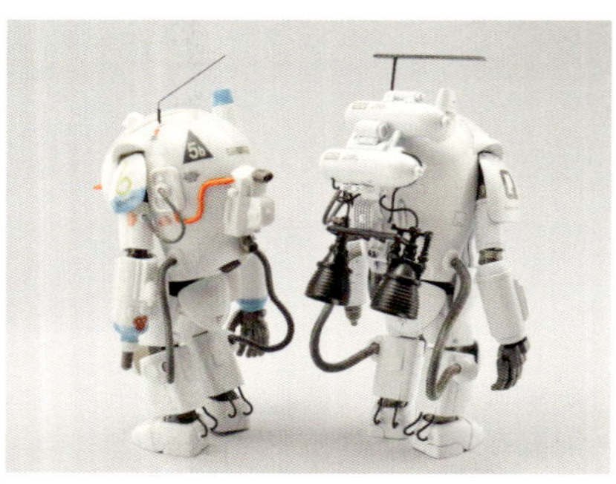

S.A.F.S.
スノウマン
●発売元／ウェーブ
●2400円、2010年6月発売●1:20、全高約10cm●プラキット
●イリサワ流通限定

今回は原作者・横山宏氏も参加！
3Qモデルのキットで作り上げられた渾身の最新作例にぜひ注目していただきたい。

ウェーブ 1:20スケール プラスチックキット

無人強襲偵察用二足歩行戦車 クレーテ

製作・文／横山宏

ホビージャパン誌にこの連載が始まってから初の作例ですね。

ちょうど『SF3D』の本誌連載記事を復刻してもらえることになったので、その記念の記事という意味もあります。まあキット自体も復刻なので丁度いいですね。SF3D時代のキットは現代の水準からしてもそのクオリティーやバリューは、高いものがあります。中でもこのクレーテのキットはシリーズの中でも傑作キットでした。長い事手に入らなくてわしも困っていました。3Qモデルでの再販はまず、わしがうれしかったリリースです。しかし、最近のキットしか知らない若い人には、苦戦する部分があるかもしれませんので、工作に役立ついくつかのヒントを書いておきます。かつての7つの誓いではないのですが、その先にある面白さに到達するための苦労は少ないほうがいいに決まっていますので、ぜひ読んでください。

日東時代や、初期のマシーネンのキットはパッケージデザインだけでなく、塗装カードやデカールも天才デザイナーの今井君にお任せしていたので、素晴らしくかっちょいいものになっています。しかし天才ゆえに中には「塗れるらんなら塗ってみそ」的な塗装パターンも存在していたのも事実です。

それを反省したわけではありませんが、最近のマシーネンのキットは実際に組み立てたキットに塗装やマーキングを施してから塗装カードやデカールを検討し作成してます。

スケールキットでは塗装やデカールが実機を再現するので当たり前ですね。とは言え多くのアニメキットではキットが出来上がってくる時点まではリアル立体での検証がデザイナーによってなされないので、もうひとつ塗装やデカール貼りに楽しさを見つけにくいのかもしれませんね。もちろんユーザーが好きなように塗装もデカールも貼ればいいとは言え、ある程度満足のいくようにセンス良く仕上げるには間違いなく技術を要します。その苦労がおもしろかったりするので、一概には言えないのですが、苦労である以上、多くのユーザーに課すのはよろしくないとやっと気がつきました。おっさんになって解る大事な事ってあるんですね。

組み立ては日東版にくらべて、プラの素材や、金型のメンテなどで、驚くほど組み立てやすい。プラキットでこれはおかしな話ですが、事実なのでしょうがない。金型やインジェクションの機械のことは、まだまだ、知らない事があるそうですね。

それでも、当時設計の段階でもっと検証しておけばよかったところが2個ほどあって、組み立てる時のネックになる事は変わっていません。

まず、砲塔を組むときに下部の後方の接合面を削っておくこと。これだけで砲塔部の組み立てがうんと楽になります。もうひとつはバルブのハンドルのようなパーツの方向をねじっておきましょう。くわしい画像がわしのホームページにあるので、それも参考になるよ。

塗装に関しては自分のやりたいように塗ってもらっていいのですが、筆による塗料厚塗りが、いろんな意味でおすすめです。エナメル塗料でウォッシングしてもプラが劣化しにくい。今回掲載した1983年製のオリジナルのクレーテも厚塗りのおかげで、スクラッチモデルのわりに30年近くも良いコンディションを保っています。

今回もそうですが、いつも渡辺君には鬼のような数をこさえてもらっているので、若いお客さんが増えてメーカーさんもわしも感謝してます。

お礼により楽しく量産できるように、これからも工作や塗装のヒントを伝授します。

もちろん読者の方にもね。

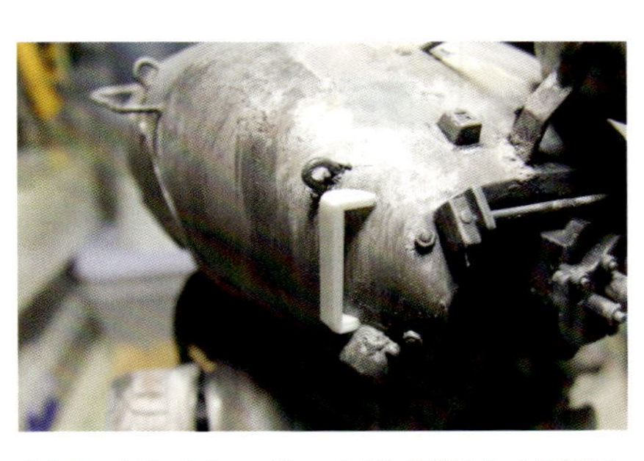

▲スモークディスチャージャーはガンス用がキットに付属しているから、コの字アームを自作すれば作例のような後期型にできます

第4大隊第2突撃部隊
カーロフ・ヒュッテ

■撮影現場にて

横山：渡辺君、これワシ作ったやつ。こっち(写真右)がオリジナル。
MAX：(まず左のクレーテを見て)お！　この色…この色塗られたんですね。
横山：そう。スモークディスチャージャーせっかく入ってるから付けた。
MAX：これだけは僕塗ってないんです！
横山：ホント!?
MAX：完璧です！
横山：パーフェクトだね。
MAX：パーフェクトです。
横山：で、渡辺君渡辺君、当時のオリジナル。
MAX：え〜！　ちょっと待ってください（笑）。
横山：いいでしょ？　せっかく復刻版があるんで復刻版の領域じゃないとこを今日は。せっかくだから知りたいでしょ？
MAX：へぇ〜〜〜。
横山：ホントは繋がってたの、電気が点くためコードが。
MAX：これちょっと触らせてもらっても…？
横山：全然怖くないよ。ただこれ差し込んで乗ってるだけだから撮影の時に首がコロンといくのが怖いかな。
MAX：はぁ〜、やっぱりキットとは大分違うとこがありますねぇ。
横山：そう？　やっぱこう、ほっぺたが細かったりするのかな？
MAX：お！　大分違います！
横山：あ、ホント？
MAX：たくさん塗ったから、大概手が覚えているんで（笑）。
横山：ここの取り回しも逆なのね。このコードが出てくるところも。
MAX：あ、ホントだ！
横山：ね。キットを知ってる目で作るとね。ワシも作ってみてから分かったんだけど、逆だったんだね。
MAX：ホントだ〜。
横山：まあよく出来てると言えばよく出来てるし、この新しいバージョンのこのワイドに立てるやつのほうがカッコイイねぇ。偉いでしょ？　先生（笑）。
MAX：20何年前？
横山：1983年？　うん、27年前のと昨日出来たのがあるから（笑）。
MAX：うわ〜、すげぇ（笑）。これ当時の塗装ですか？
横山：そうそうそう。壊れたところだけリタッチしてるけど、もうそのまま。
MAX：そのまんま？　当時から…上手かったんですね（笑）。
横山：上手いでしょ（笑）。
MAX：アハハハ。
横山：上手いのよ。っていうかあまり変わってないのよホントに。ベーシックな部分は。
MAX：至福のひと時なんですけど（笑）。
横山：あとさ、これがやっぱ今度の再販の分、フレームが弱くてすぐ曲がっちゃうんで、ダメですよね。
MAX：そうですよ。グニュグニュになっちゃうんですよ（笑）。
横山：そうそうそう。だからもう無くてもいいかなって気さえするんですよね（笑）。
MAX：いわゆる旧キットのやつは凄くしっかりしていて。で、1個目僕そっちを使ったのね。そしたら全然なんてことなかったのに。2個目グニャ！　ってなっちゃって（笑）。
横山：泣いちゃいますよね。
MAX：何事!?　って思って。

横山：本当そういう意味でも色々作ってみて分かることがいくつか。あとこのデカールの黒の部分がちょっとグレーに傾きすぎてて。
MAX：少しタッチを入れてるんですか？
横山：入れた入れた。そのデカールの上に。筆で描いたよ。でもさ、技術的なところはさ、あまり変わらないでしょ？　オリジナルの方は粘土細工みたいな塗装になってて。やっぱ今の方がツヤがグロスのコントロールがちょっとオジサンになって上手になったかな（笑）。

PLAY BACK NEW ITEM Sep.issue 2010

ハセガワ製 ナッツロッカー最新情報

今年2月の「ニュルンベルクトイフェア」会場で商品化が発表されたハセガワの1:35ナッツロッカー。ついに金型製作が開始された。今月お届けするのは、金型製作用原型。ファルケ、ルナダイバーと大型モデルを手がけてきたハセガワがどのように再現するのか。続報に期待したい。

MK04 1/35 ナッツロッカー P.K.H.103
●発売元／ハセガワ●7200円、2010年12月発売●1:35、全長約30cm●プラキット

1:1スケールSAFSに会える展覧会開催

青森県立美術館を皮切りに静岡県、島根県の3ヵ所で開催されるアニメからロボット工学まで様々なジャンルのロボットの展覧会「ロボットと美術」に1:1スケールのSAFSが展示される。なかなかお目にかかれない貴重な機会なので、お近くに住んでいる方はぜひ足を運んで欲しい。日時と場所は以下の通り。

ロボットと美術
機械×身体のビジュアルイメージ
青森県立美術館
日時:2010年7月10日(土)〜8月29日(日) 9:00〜18:00
静岡県立美術館
日時:2010年9月18日(土)〜11月7日(日) 10:00〜17:30
島根県立石見美術館
日時:2010年11月20日(土)〜2011年1月10日(月) 10:00〜18:30

ロペス貴子 フィギュアが一般販売

2010年2月のワンダーフェスティバル2010[冬]にて限定販売された、「Ma.K. プロファイル 1 ファルケ」のグラビアを飾ったロペス貴子さんのフィギュアが、一般販売される。初回生産品にはワンダーフェスティバル2010[冬]にて行なわれたサイン会の模様が描かれた封入紙『Lopez In Wonderland』と横山宏氏による本アイテムの製作過程を掲載した封入紙『Kow Yokoyama's Painting 横山宏の人の道【出張版】』が付属。

ロペス貴子 From Maschien Krieger Profile 1
●発売元／ブリックワークス●3500円、2010年7月発売●1:20、全高約8.3cm●レジンキット●原型製作／林浩己

本誌連載総集編「SF3Dクロニクルズ」発売記念 オリジナル「クレーテ」大公開！

『SF3D』ホビージャパン連載分の総集編「SF3Dクロニクルズ」発売を記念し、27年前に作られたオリジナルのクレーテを、普通では見ることの出来ない部分まで公開。3Qモデルのキットと比較し、オリジナルとの違いをぜひ体感してほしい。

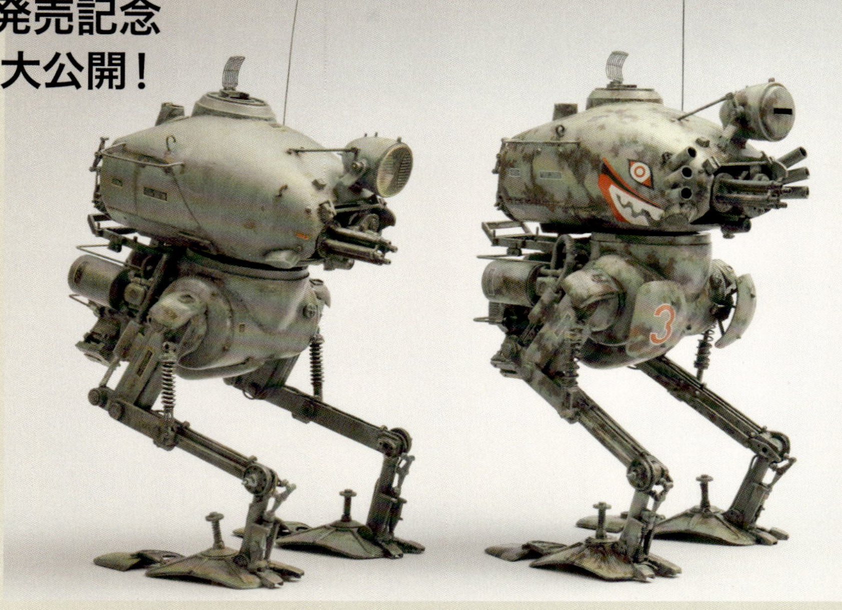

▲胴体との接続部分は現在は乗っかっているだけ。完成当時は配線が繋がっていてライトアップギミックが仕込まれていた

オリジナル アーティストモデルを見て…

今回、1人の『Ma.K.』ファンとして感激だったのはやはりクレーテのオリジナルモデルに触れる機会を得たことでしょう。あぁ〜連載してて良かったぁ〜と。役得です、スミマセン。なんというか27年とか経過しているとはとても思えないくらいちゃんとしてるんでビックリしました。キッチリ作られていたんだなぁと。もちろん欠損とかはずいぶんしていて伊原君らが補修はされているようなのですが、基本的な部分は全く損なわれてないんです。あーこうなってたんだぁ、いいなぁって思いました。プラモデルキットとは各部に差異を発見しましたが、僕はオリジナルに合わせてキットを改修、なんてことは一切しないでしょう。僕にとってクレーテはキットそのものが一番馴染み深いですし第一面倒臭いじゃないですか（笑）。アーティストモデルは、そうだなぁ……ご神体みたいなものでしょうかねぇ♪（MAX渡辺）

頭部

3Qモデルのキットに比べ少々シャープな印象。頭部前方に1:100スケールのゲルググのスネが使用されている。オリジナルを目指して流用するのも面白いかもしれない。

脚部

3Qモデルのキットには脚部をハの字に接続できるパーツが付属するが、オリジナルにはもちろん無く、より直線的なフォルムが見て取れる。

▶ライトアップギミックのための配線が足の裏まで通してある。外部から電気を供給する仕組みを取っていた

『SF3D』総集編「SF3Dクロニクルズ」

SF3Dクロニクルズ
●発行元／ホビージャパン●4571円、2010年8月発売●A4判●2冊組み・化粧箱入り

オリジナルのクレーテの記事は8月31日発売の『SF3Dクロニクルズ』でももちろん掲載。製作過程などの詳しい内容はそちらをぜひ参照してほしい。なお本書は約4年にも渡る長期連載のすべてを完全収録。さらにA4判にサイズアップし、2分冊箱入りという豪華な装丁となる。限定生産品なので、確実に手に入れていただきたい。

シュトラール軍無人二足歩行戦車「クレーテ」、その後編。今回は後期型たるキュスター、
バリエーション機通称"パックレーテ"、そしてMAX渡辺勝手にオリジナル"スーパークレーテ"をお送りしよう。
「SF3Dクロニクルズ」も発売直前で、絶好調の「Ma.K.in SF3D」今月もスタート!!

ウェーブ 1:20スケール プラスチックキット クレーテ改造
パックレーテ、キュスター、スーパークレーテ

製作・解説・文／MAX渡辺

■マジで夢、叶った！（号泣）

「SF3D」連載ページを余すことなく集めた「SF3Dクロニクルズ」、ホントに出るんだよ!!

凄いよねぇ～。Amazonランキングでもホビー、模型部門では長い間1位キープ！　本全体でも高位置をキープし続けているんだぜ！　みんなの注目がいかに高いかを知ってジーンと来ちゃったよ。A4サイズで凄く見やすいし、ケースもカバーもめっちゃカッコいい!!　そして…模型が好きな方なら絶対手に入れて損の無い内容。これ太鼓判!!

■クレーテ後編でございます～～

皆様、おはこんばんちわ。（懐かしっ!!）　模型芸人MAX渡辺です。

なんだか今年の夏は暑いんでないでしょうか？　それもかなり？　いや、とっても！　北海道とかどうなの？　って行ってみたのですが、記録的猛暑とからしいし（汗）。みんなこんな季節、日中は外出しないで部屋に籠って模型作るのが健康的よね♪　僕はかまわず自転車漕ぎまくりですけども（笑）。そんなわけでクレーテ後編です。今回の撮影の5日前にワンフェスというと～っても大変なイベントが開催されたもので、この時期作例は無理!!

ってことで、その前の月にメチャクチャ頑張って今回の掲載分も載分も作っておいたんです。なんてエラいんでしょうねMAX渡辺って。いや、まぁ、誰に頼まれたわけでもなく"好き"でやってるんですけども（笑）。

そんなわけで前回の扉写真の奥の方でチラリチラリと映ってたアイツら、です。

では行ってみましょう♪

Pakクレーテ

クレーテのバリエーションとして、忘れてはならない人気者が、パックレーテの愛称で呼ばれているコレ♪　「クレーテにおっきな戦車砲を取り付けたら!?」というとってもストレートでパワフルなバリエーションモデルです。シンプルで判りやすくて、だから取っつきやすいですよね。ちょっと弄るとなお楽しい『Ma.K.』モデリングにおける初心者でもやり易く効果が高い改造例の好例ではないでしょうか？

唯一の資料は「Ma.K.エンサイクロペディアⅠ」。デザインイラストと2点の写真だけを頼りに、ジャンクパーツやプラ板などで適当にでっち上げました（笑）。新規部分はレジンで複製してキットに組み込んでいます。

それなりになんとかなってる気がするんだけど、オリジナルモデルと比較したらどんなでしょうねぇ？　もし現存しているならぜひいずれかの機会にやりましょうね横山さん♪

Pakクレーテの砲身について

一所懸命オリジナルに近づける努力はしたんです。でもですね、あの砲身はどうなのと？　あんまりにドイツ戦車（詳しくはまるで判らず）そのまんまってのは…。マズルブレーキっていうんですよね？　先っちょの。アレが気になってですねぇ。作例ではＭＩエイブラムスが手元にあったのでそれを付けたんです。MAX個人的にはこっちの方がSFっぽくていいかなぁって思っていたんですが…『SF3D』時代から『Ma.K.』が大好きな友人たちにこのことを話したところ皆が口をそろえて「あのそのまんま第二次世界大戦のドイツ戦車然とした砲身が付いてるのがいいんです!!　いや、むしろアレじゃないとダメなんです!!」と力説されてしまいましたよ（苦笑）。

物言いに反抗心なんかも芽生えたりしたのですが、皆がそういうんで心が揺らぎ（笑）、試しに“まんまドイツ戦車っぽい砲身取り付けタイプ”ってのも作ってみましたとも。もっとも時間が取れずに塗装はまだですけども。

比べて眺めているとですね、あぁ〜なるほどと。こっちの方が風情が在っていいかもぉ〜と思うようになりました。塗ったヤツももちろん嫌いなわけは無いんですけどね。そういう郷愁っていうかノスタルジーっていうか、懐古趣味っていうか。そういうのって邪険にしちゃいけないなぁと思いました。その時の空気や熱って時間を経て、古びたりはしてもやはり大切な何かを持っているよなぁと。そんなことを考えさせてくれたパックレーテでした。

パックレーテの◎◎迷彩

2ヶ月ほど前の撮影日に「次はクレーテで〜」と打ち合わせ中に、横山さんが「渡辺君、クレーテ塗るなら一機あのメルジーネの◎◎迷彩のヤツ、あれやってよ〜」という話になり、二つ返事で決まったカラーリングなんです。068ページにメルジを再登場させて不気味なシュトラール機動部隊を再現しました!! う〜ん楽しい♪

今回の塗装ではメルジの時とは異なり、デカール等は使いませんでした。ひたすら筆塗り！

グリーンをエアブラシで適当に（ホント適当に）塗ってからルナティックフラッシュを筆でベタベタと塗って行きます。

塗り分けのラインはその場の雰囲気で。◎も筆塗り。大きさとかカタチもバラッバラになって面に合わせて施していきます。自由気ままも良いところですがそれが楽しいし、かといって何でもやって良いってわけでもなく。既出のメルジと並べて"おんなじ部隊感"が出るように心がけました。以前に仕上げた物と同じカラーを塗ってこうやって再共演出来ちゃったりするのも『Ma.K.』の楽しさですよね。

クレーテ夜戦型 キュスター

センサー類をアップデートされ、グッと賢く、目と鼻が利くようになったクレーテ、ですよね!?

詳しいことは良く知らないのですけども、少し小顔化して年齢が上がり、大人びたクレーテ、って感じだと思います。比べて見ると従来のクレーテは子供らしく愛らしい印象に見えるでしょ？　その分冗談は聞いてくれなさそうね、キュスターって。

センサー以外にも脚部が太くなったり、アーマーが付いたりと、やっぱり大人♪これだけの改修でずいぶんと印象って変わるんですよねぇ。先月のページと見比べていただけるとまた楽しいかと思います♪

塗装

今回はバンドデシネの裏表紙に掲載されているグレーツートーンの機体を塗ってみました。下地作りはいつも通りサーフェィサー→銀→クリアー→ベースグレーですが、そこからは濃い方のグレーをエアブラシした後、薄いグレーは筆塗りで塗り分け。その後濃い方も少し色に変化をつけた塗料で重ね塗り。塗り分けラインの境目は両方の色を適当に混ぜて塗ったりもして面白くしています。面白くってなんだよ？！って怒らないでね。表現が難しいのよ。

これまたいつも通りに"秘伝のタレ3"を軽く全体にエアブラシして変則ウォッシング。ちょっと色が沈み過ぎたと感じたので、その上に2色のグレー？（ラッカー系）そのままで筆入れして、トーンが落ち過ぎてしまった面をより鮮やかに立ち上げる、なんてこともやっています。こういった重ねの結果、なんだか今までになく深みと幅のある色合いが出せたように思います。なかなか渋い良い仕上がりでお気に入りです♪

KRÖTE

装甲強化型 スーパークレーテ

クレーテって左側面は機器類がマルッと剥き出しですね。こういう粗忽なトコもいかにも"ありそうなリアリティ"として魅力の一つです。しかし設定的にココは弱点の一つとして「左側面、後方は非常にもろく、交戦するさいは正面、もしくは右側面を敵側に向けるプログラムを施されたものもあった」みたいな記述を見つけると、これは美味しい突っ込みポイント!! ようするにココらを改善すれば、改修型、後期型としてカタチに説得力が生まれますものね。

追加装甲の工作

運用して行くうちに色々技術も進んでこの部分に詰まっている機器類も小型化、圧縮を想定し、上面、側面から見てあまり大きく出っ張らないラインで装甲してやることにしました。アンテナとかはむしろ残して、基部を露出させてやるとそれらしいかなぁと。何もかも良くなって出来上がっちゃうのはちょっと違うなぁと思い、"機器類を小型化して装甲内に収めることは出来たけれど、冷却問題は依然として残った"と。なので後方は開口してメッシュを張り、冷却ファンみたいなのをメッシュ越しに見えるようにしてみました。すなわち改良はされたけれど、クレーテの後方はコンピュータークーラーと相まって依然弱点として残っている、というオレ設定です。

何もかも強化! じゃないほうがリアルっぽいし『Ma.K.』らしいかなぁと思うのですね。それにこうしておけば更に強化したモノも作れる余地が残せるわけで、そのほうが楽しいんじゃないかと♪ ちょっと大人な楽しみ方かと思います。ガンダムのMSVとかもこういう遊びでしたよねぇ～。『Ma.K.』のほうがちょっとお兄さんな感じだったなぁと原稿を書きながら思い出しました

ブラウン系の迷彩塗装

なんとなくですが、1アイテムに少なくとも1個はオリジナルのカラースキームで塗りたいなぁと思っていまして、これがそれに当たります。サンド系、茶系のカラー設定が今のところないので、そんな配色で。サンドはだいぶ黄色を強く出して、ライトイエローって感じに。ギリギリのリアルっぽさを狙いたかったのでライトグレーのモットリングなんかも入れてみたりしました。ナンバーと帯の色は何度も何度も実際に塗っては違う色を重ねてここに落ち着きました。

イマイチ納得は行っていなかったのですけど、横山さんとLin.K.さんがクチをそろえて「コレいいよ♪」って言ってくれたので、嬉しくなって「コレでいいんだ」と今は思っています(笑)。人に褒められるとお世辞でも嬉しいモノです。あ～僕も努めて人にはそう接しようって改めて思いました♪

前回の博物館クレーテ君を塗り直しましたよぉ〜♪

9月号で発表した“博物館蔵”のクレーテ君を塗り直しましたよぉ〜♪

カラーリングはシャークマウスのコレ♪　この機体のエピソードからすると複数同じカラーで番号違いがいると、とってもいい絵が撮れるかなぁと。撮影日に見せてもらった横山さん作を目に焼き付けて帰り、その印象に近づけるようイメージして塗ってます。実物を並べて見せてもらったのですが、酷くかけ離れてはいなかったのでひと安心。ひたすら筆だけで仕上げたこの機体が今のところ一番のお気に入りです。やっぱりたくさん塗るってのは良いですねぇ〜♪

KRÖTE

▲表面に溶きパテを塗り、歯ブラシで叩いて適当に荒らし、おもむろに筆塗りです

■筆の話

今回使った筆は、横山さんに画材店の「世界堂」で勧められたモノ。昨今は獣毛のタッチに近い、ナイロン筆が色々出て来たとのことで「騙されたと思って使ってごらん」と言われたので、騙されたと思って使ってみました（笑）。適度なコシを持ち、シンナーへの耐久性が高い！　しかもリーズナブル!!　と良いところ尽くめ♪　絵画用の筆ってなんだか凄く長いので、テキトーな長さに切って使ってます。お勧めですよ～♪

横山：今、なんとかっていうその、本物の毛じゃない人工のものなんですけど、毛足のコシの強いやつが模型用に凄い最適なんですよ。
MAX：いわゆる本物の毛だと持ちが悪いんですか？
横山：持ちが悪いですねぇ。
MAX：繊細すぎるんだ。
横山：そうですね。あの、やっぱりその洗う時に凄いキツイ薄め液とかで洗ったりするじゃないですか？　それで洗うとホントに毛が痛むんで。それを考えたとき、前の人工のやつはそれだとなお痛むぐらいの勢いだったんですけど、最近ドンドンドンドン良くなってきてるんで。
MAX：耐久力が増してるわけですね。
横山：増してますねぇ。で、昔のやつはナイロンだから癖つきやすいんで、クルクルとカールしてたのが、最近いつまでも最後までなんか抜けないで先がすり減っていくって感じで。毛羽立ったりしなくなったのかな。
MAX：凄い使いやすかったですよ。
横山：油絵って本来凄く擦って乱暴な扱いするわけですから、その辺の耐久性が必要な技法なんだよね。その技法で確立されていったやつだから、油絵っぽく作りたいときってあるじゃないですか？
凄くタッチを生かした感じで模型作りたいってのが子供のころからあるんでこの塗り方してるんだけどね、そういう画面の接触時間が多い技法ではもうこれに限ります。先の長いのは油絵を描く時じゃないときは非常に邪魔なんだね。
MAX：なるほど。思い切りぶった切りましたけどね（笑）。
横山：ワシもそれで昔は割とよく切ってたんですけど、最近長いまま遠くまでやるのも楽しくなってきて（笑）。画面から距離を置いて届くように。
MAX：この間買ったやつ全部ぶった切っちゃったんですけど（笑）。
横山：また今度買ったときにそのまんま使ってみて、でもちょっと長いなっていうときはちょっと切るみたいな。あとね、先をもっとこう綺麗に丸めてサンディングして、木の丸いやつにしとくんですよ。そしたらツヤを上げたいとこだけ擦る、ツヤ出し棒になるんですよ。
MAX：はぁ～、なるほど。
横山：インレタ式形式のデカール貼るときもこれは最強の擦り棒になります。
MAX：確かに。
横山：で、つや消しの面を木で擦ってツヤを出すっていうのはやっぱ昔から自分はやってるんだけど、飛行機とかで、こうツヤが変わっていくとこを出したいときにそれをやると良いんですよ。
MAX：なんだろ、ずっと僕はエアブラシでやってきたじゃないですか？　で、マシーネンやるようになったらこう、情報量が足りないとか景色が足らないなぁって思って、最初のうちはエアブラシを多用してなんとか情報量を上げていく方法をずっと試してきたけど、やっぱり限界があったんですよ。これ以上はもう無理だなってなって。う～ん、じゃあどうしようかって。やっぱり結局筆に戻っていったら、これが楽しいのなんのって（笑）。
横山：またそれをさあ、エアブラシが今こんだけ渡辺君の中で道具として占めてるんだったら、それって混ぜたら最強ですよ。
MAX：だから適材適所がより進んだので最近なんか俺結構上手いじゃねぇか？　って（笑）。
横山：ホント筆塗りが入るとその技法の幅が広がるっていうかもう、全部入れて良いわけですからね、1つの作品にね。1つの色で仕上げちゃうとそこの解像度が凄く低い作品になるんで情報量が毎回減るんですけど、偶然出来たタッチっていうのは人間も必ずそこを捉えますから凄く情報量を多く見てくれるんです。まず自分がそうやって見ててこれカッコイイなぁって。無意識のうちにやってるタッチとかは、逆に言うと凄く自分に感動を与えるんですねぇ。

クレーテ、締めのようなモノ

そうそう、書く場所をなくしてしまったのでここで記しますが、バルカン砲、長砲身バージョンをいくつか作ってみました！
短いノーマルのが可愛いんですが、ちょっと長いのも悪くないでしょ？
あと、左側面の装甲強化型をスーパークレーテと称するなら、これのPak装備は"スーパーパッククレーテ"ってことですね。スーパーパッククレーテ……長いですね（笑）。こんな対戦車砲を積んで射撃したらきっとぶっ倒れちゃうんじゃないですかねぇ。無反動砲とかだとそういうことにはならないんでしょうか？　って、ビックリするくらい知識が無いですねぇ僕（苦笑）。今度金子達也さんに教えてもらおう～っと♪
でも砲を打ったら転倒しちゃう→だからもう一本脚を生やしてみた！　みたいな方が『Ma.K.』的で楽しいですよね。全然バランス変わるし面白いシルエットになるようなな？　いずれ作ってみようと思います～♪
では～!!

PLAY BACK NEW ITEM Oct.issue 2010

『Ma.K.』模型コンテスト締め切り迫る!!

本誌と「月刊モデルグラフィックス」が合同開催する「『Ma.K.』模型コンテスト」の締め切り日が間近に迫ってきた。写真審査を行ない秋の全日本模型ホビーショー会場にて結果を発表。締め切りは9月15日なので、エントリーを済ませていない方はお早めに。

メルジーネの再販が早くも決定！

3月に発売された「メルジーネ」の再販が早くも決定。パッケージイラストに合わせたグリーン系の成型色に変更されるとのこと。

メルジーネ
●企画／3Q MODEL、製造・販売元／ウェーブ●3200円、2010年9月発売●1:20、全高約10cm●プラキット

1:16ファイアボール完成品

千値練がファイアボールの完成品アクションフィギュアをリリース。各関節可動のほかにギミックの組み込みを構想中。本体と林浩己氏原型の付属フィギュアを紹介する。

1/16 Action Model Ma.K. FIRE BALL
●発売元／千値練●8500円、2011年6月発売●1:16、全高約14cm●彩色済みABS&PVCモデル

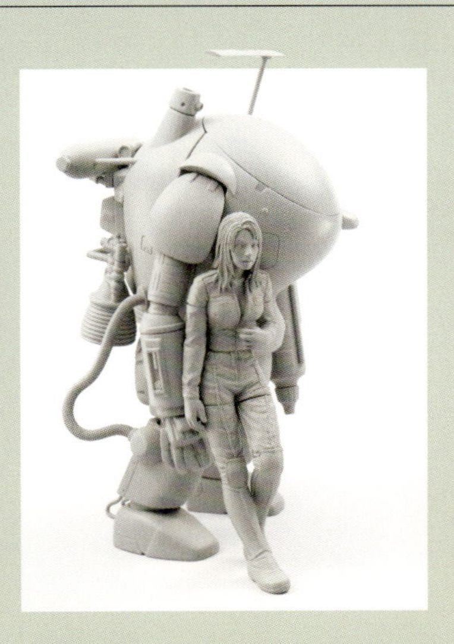

『SF3D』のすべてが詰まった「SF3Dクロニクルズ」がついに発売！

「月刊ホビージャパン」にて1982年5月号から1985年12月号までの約4年間の連載すべてを網羅した「SF3Dクロニクルズ」が発売となる。A4判にサイズアップし、より読みやすい仕様となった「天」「地」2分冊を箱入れにした豪華装丁。さらに旧日東のキット販売当時に各店舗に配布されていた販促用ポスターをモチーフにした栞を同封している。往年のファンはもちろん、新規のファンにもぜひ手に取っていただきたい。

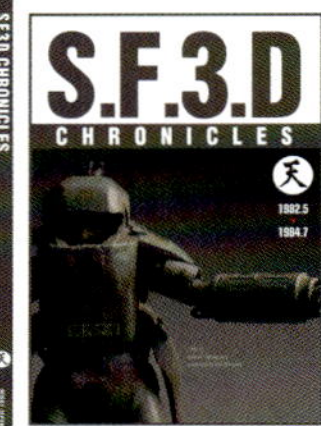

SF3Dクロニクルズ
●発行元／ホビージャパン●4571円、2010年8月発売●A4判●2冊組み・化粧箱入り

■現存するオリジナルモデルを新規撮影!!

「SF3Dクロニクルズ」の「天」「地」2冊の表紙は現存するAFS Mk.II、グラジエーターのオリジナルモデルを新規撮影している。いずれも30年近く前のものだが保存状態もよく、今回の撮影が実現した。ぜひ表紙を手にして、実物以上の大きさで撮られたオリジナルモデルの質感やディテールをじっくりとご覧になっていただきたい。

SF3Dクロニクルによせて

■原作者・横山宏

およそ30年前の「別冊SF3Dオリジナル」に収録できなかったSF3Dのすべてを今ここに網羅することが出来ました。「小さくまとまんなよっ」これは偉そうにしてる先輩が、後輩なんかによく言う台詞だね。まさにこの言葉、今回「SF3Dクロニクルズ」を作るときにわしが言った言葉。とにかくわし自身が大きな文字に大きな写真でまとめて欲しかったのです。

普通、復刻本や、作品集などは、アラが目立つとか、たくさん作品を掲載したいからなどの理由から、どうしても絵や写真が小さくなってしまう事が多い。当時のサイズを再現しようとしていたのを無茶言ってでっかくしてもらいました。当然写真やイラストなビジュアルは掲載時のサイズをB5からA4にアップされている。面積で言えば132％以上のアップだね。すべてのかっちょいいところや、面白いところも3割増しならば、はずかしい所や幼稚な所も3割増し。もちろん誤植もそのまま3割増し。

そしてなんと言ってもすごいのは、全ページフルカラー！！　そう、モノクロページもすべてフルカラーで刷られているのです。思い出はフルカラー。そのあまりの情報量に自分でも驚きました。もちろん若くてバカな分、上手く表現出来ない文章もたくさんあるが、ここに書かれているプラモデルの技法や楽しみ方は今でも使えるところがたくさんある。もちろん絶滅した技法やギャグも化石のように出てくる。今日キットにしてもらってる各アイテムが、その昔に誕生する瞬間を目の当たりに出来ます。

連載当時、生まれていなかった人も青春ど真ん中な人もぜひ手にとって80'sを3割アップで楽しんでください。

■プロモデラー・MAX渡辺

“原点回帰、成る！！”
「月刊ホビージャパン」に1982年から85年まで続いた大人気連載『SF3Dオリジナル』。この43回すべての連載ページを余すところなく完全復刻する。これは2010年、『Ma.K. in SF3D』と題してHJ誌で連載が再開される以前からの悲願でもありました。25年前に封印された原点が紐解かれ、止まっていた時間が動き出す。この感慨を多くの人と共有できるなんて、なんて幸せなのでしょう♪　『Ma.K.（マシーネンクリーガー）』に引き継がれ、脈々と息づいてきた横山ワールド。これを機に、新たに何かが始まる予感をヒシヒシと感じます。模型ファン必携の書、発刊です！！

Großer Hund. ALTAIR

rainbow egg 1:20 scale resin kit
modeled by MAX WATANABE

| Nov.2010 | No.009 |

グローサーフント アルタイル
●発売元／レインボウエッグ●16000円、2010年9月発売(再販分)●1:20、全高約15cm●レジンキット●原型製作／KATOOO
※キットは地上用グローサーフントと宇宙用アルタイルのコンパチ仕様

『SF3Dオリジナル』連載後半に登場したシュトラール軍の無人邀撃機「グローサーフント」。
ドイツ語で「大型犬」を意味するメカの、その奇怪な容貌に心奪われた方も多いのではないだろうか。
今回の『Ma.K in SF3D』はレジンキット祭り！ レインボウエッグ製レジンキット「グローサーフント アルタイル」を使用したMAX渡辺氏による作例の数々に加えて、同氏による「レジンキットってなんぞや？」というスタンスからの解説も掲載。
レジンキット初心者、未経験者はぜひ必読し、レジンキット製作への第一歩を踏み出していただきたいところだ。さらには本製品を手がけたレインボウエッグ・KATOOO氏による「グローサーフント」の解説やレジンキット開発秘話など、今回も内容盛り沢山でお届けしよう！

レインボウエッグ 1:20スケール レジンキット

グローサーフント アルタイル

製作・解説・文／MAX渡辺

■何度でも言う！ これは模型史的快挙だ!!

「月刊ホビージャパン」で1982年から、'85年まで続いた大人気連載『SF3Dオリジナル』。この43回すべての連載ページを、余すところなく、徹底的に集め、完全復刻した書が2010年8月31日、刊行されました。「SF3Dクロニクルズ」。まさに原点回帰の書。1冊にまとめられた意義は大きい。厳密には天と地で2冊だけども。もうバックナンバーをいちいち出してこなくていい…。新しい本、インクの匂いが心地よい♪ そう、バックナンバーみたいにカビ臭くないんだよね（笑）。だから安心して枕元に置けていつでも読める。コレ、実はとっても重要なポイント♪ 本が手元に届いてから、それこそ毎日ページをめくってるんだけど、読むごとに発見が盛りだくさん!! 横山さんはきっとめちゃ嬉しいはず♪ でも嬉しい気持ちだけじゃなく、きっと恥ずかしい気持ちも一杯だとも思う。でもですね、とにかく新鮮な驚きに満ちていてムッチャ面白い!! なるほど30年近く経っても生き延びてるコンテンツだなぁと。未だに大勢のファンがいて、そこここで展示会があったり、キットが復刻されたり、新キットが開発されたり…するだけのことはあるよなぁって再認識＆納得することしきり。あからさまな先取り感、つまり先鋭性。オーパーツ感が満載です。送り手サイドの汗の量、エンタメ精神がハンパじゃないのです。MAX渡辺が自信を持っておススメする、物凄く価値ある1冊！ 模型が好きな人ならもう“必読書”と断言してしまおう♪ 以上、宣伝とかじゃなく皆さんの幸せなモデリングライフの為に♪♪

■グローサーフント♪♪

ハイ、のっけから告白させていただきましょう。不肖模型芸人もといプラモ芸人MAX渡辺、グローサーフントが『SF3D』連載時に登場していたことを、クロニクルズを読んで初めて知りました（滝汗）。てっきりモデルグラフィックス誌以降の出自だとばかり思っておりましたよ…実にお恥ずかしい。グローサーフント、なんか異質なカンジがしてたんです…『SF3D』的には。流れが違うっていうか。でも連載終盤のゴタゴタ期に発表されていたのですねぇ。ホントビックリでしたよ。何せ、8月末、まだ作例製作中に本が届いて知ったという有様ですので。笑って赦してくださいませね…。

さて、グローサーフント。そのシルエット、フォルムはまさに“怪異”そのもの。あからさまな畏怖、異質感。理屈通じない度は謎メカが多いシュトラールをしてもアットー的、ダントツNo.1です。絶対会いたくないヤツ。敵役としては申し分無しの存在感ですねぇ。

今回、これを題材として選んだ背景にはクロニクルズ発刊でつまびらかになる『SF3D』における全デザインの中で、プラキット化されていないけれど、印象の強いキャラであること。しかもレジンキットとはいえ、しっかりした造形がなされ、入手方法が確立されていること、などが選考基準でした。となれば、どう考えても「祝クロニクルズ」アイテムはレインボウエッグ謹製「グローサーフント アルタイル」をおいてほかにはなかったのですね。

アルタイルって何!? とか、そもそもグローサーフントって？ などの疑問にはP.081にて記述されていますのでご参照されませぃ♪

入手については、もちろん現在でもフリーでOK!! と勝手に思っていたところ、なんとこの「グローサーフント アルタイル」は現状完売絶版とのことではないですかっ!!?（滝汗）

さすがに今入手できないキットを扱うのは連載の信義に反する！ とか思いチクチクしていたのですが、この記事に呼応して販売再開がなされるとのこと♪♪ 未入手の方にはまさに朗報と言えましょう♪ そしてすでにお持ちの方には、この記事が良い参考に、そして作り始めるキッカケになれば幸いです。組みやすいとてもスグレモノなキットですのでぜひチャレンジしてくださいませ♪

ちなみに今回の作例4機の「グローサーフント アルタイル」は、僕が連載のレの字もない頃、プライベートで通販購入していたもの。「1人で4個も買うなんてこの人怪しい、シロウトさんじゃない！」ってKATOOOサンは当時思ったそうです（笑）。

■レジンキットはプラモとは違う!! んですねぇ……

基本的な工作はあんまり変わらないのですが、やはりレジンキャストのキットと、プラモデルのそれとは「作法」が違うんです。まず大きな1つは、プラモデルでは組立説明書に従ってまじめに取り組めばほぼ100％組み上がるということ。特に昨今のガンプラや、『Ma.K.』的に言えば、ウェーブ製のリニューアルキットたち（AFS、SAFSなど）のように“スナップフィット”と称される接着剤不要のキットにいたっては、まさにパーツをランナーから切り離してゲートを処理して組み立てるだけで遊べちゃうのです。レジンキャストキットは残念ながらそうは問屋が卸しません。レジンキャストキットとは大枠の意味において「原型師が手で作った原型をそのままシリコーンゴムで複製し、レジン樹脂を注型したパーツがゴロンゴロンと入っている豪快なモノ」。もちろんプロフェッショナルな原型師の手によるしっかりした精度のパーツが丁寧に成型された良質のキットも存在します。今回の題材であるレインボウエッグ製「グローサーフント アルタイル」もその範疇、それも最上級の部類と申せましょう。

しかしそうは言っても、接着剤を使ったことがない人や、パテの類いに触れたことがない人にはそれなりの難関が待ち構えている、と、ちょいと脅しておきましょう。というのも最近は完成している状態で売られている商品が増え、世は作れなくたって凄い模型が手に入ってしまう桃源郷なんですね。スナップフィットのキットですら「エェ〜!? 自分で組み立てなきゃいけないんだぁ〜」とかおっしゃるお客様もリアルにいらっしゃる世の中なんです。ガレージキット全盛時の「レジンキット上等！ 自作パーツ当たり前！ フルスクラッチに挑戦だ！」なんて猛者は今や少数派、いわんや“絶滅危惧種”レッドデータアニマルなんです。

そんなわけで、レジンキットは「スナップフィット以外の、スチロール樹脂接着剤でパーツ同士を貼り合わせて組んだことがある方」「その接合線をサンドペーパーでヤスったことがある方」「スキマをパテで埋めたり、そこをさらになだらかにすべくヤスったことがある方」などにはどうということがない、つまりは挑戦しがいのある対象、ということが出来ると思います。

そんなわけでレジンキットにもプラモデルにもあるもの、つまりレジンでもプラモでもやった方がよい工作はやる。レジンキットにあってプラモデルにはないもの、つまりはプラモではやらなくてもよい、もしくは必要がない工作でもレジンキットではやった方がよいなぁという工作もやる。以上の心構えと根気がある方なら、レジンキットは難攻不落などでは決してありません。特殊な工作があり難易度が高い分、ある意味ではプラモデル以上の満足感、充足感を与えてくれる模型と言えるでしょう。

ではレジンキット特有の代表的工作をかいつまんで解説してまいりましょう。

■バリ、湯逃げなどの処理

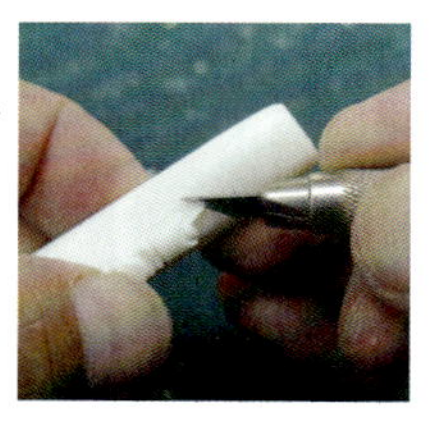

昨今のプラモデルでは見かけたことのない、バリなるものが多かれ少なかれレジンキットには存在します。これはシリコーンゴムという型の性質上どうしても無くなることはないデメリットと言えるでしょう。処理は出っ張っていればナイフやサンドペーパーで削り落としますし、表面のディテールや彫刻を損なっている場合は彫り直しが必要となります。凹んでいる部位については後述しますね。それから湯逃げというのもレジンキット特有。これはレジン樹脂の流れを良くしたり、気泡を噛むのを抑制する為に設ける樹脂の流れ道だったり、気泡逃がしだったりします。これらは厳密には違うものなのですが、ここでは初心者用のさわりの記事として同一視して進めます。これらはパーツの彫刻なのか不要部分なのかの見極めが必要となりますね。完成品写真や組立説明書をよぉ〜く睨んでこれは不要!! と判断したら決心して削り落としてください！ 判断ミスをしてしまったらその時はその時です（笑）。

■パーツの洗浄

これまたプラモにはない儀式、もとい工作工程ですね。プラモでも表面の油分を取り去る目的で中性洗剤などで洗うことがありますが、必須工程とは言えません。しかしながらレジンキットの場合のそれは、まさに必須！ と言えましょう。レジンパーツ表面に付着している離型剤は後の接着、工作、塗装に大きな影響を与えますので省略してはならないのです。やり方は単純。まずは専用の液体に商品指定、所定の時間浸けておくこと。ウェーブの「Mウォッシュ」が定評がありますね。

▲弊社グループでも「レジンクリンマグナム」なる商品が発売となりました。今回はこれを使っていますがバッチリ使えました♪

そしてこの後は、すすぎも兼ねて、中性洗剤やクレンザーなどの研磨剤入り洗剤で擦り洗いすること、です。歯ブラシが便利かと思います。この後、全パーツに軽くサンドペーパーをかけておくと、より安心ですが、これは必須工作とはしないでおきましょう。僕は最近お手軽で大好きなスポンジペーパーで軽く全パーツかけるのがマイブームですが、気分的に安心するからというような気がしなくもありません（笑）。

■気泡埋め（気泡処理）、段差消し

レジンキット特有現象その3＝気泡。真空注型、もしくは遠心注型のいわゆる専門業者さんによって生産されたキットであれば、最近はあまり多くは見られなくなりましたが、それでもゼロにはなりませんね。気泡はちょいと処理が面倒ではありますが、あると外観を損なうので処理した方がよいかと思います。見つけたらほじくって大きくしてやり、ここにパテを詰め込み、表面処理をする。簡単に書くとコレだけです（笑）。そのままでなく大きく拡げてやるのがポイント。パテ類を詰めやすくすることと、食い付きやすくするのが目的です。使用するパテは気泡の大きさによりますが、大きいものならエポキシパテかポリパテ、微細なモノならプラモデル専用パテです。

紙数に限りがあるので詳述は割愛しますが、興味のある方はぜひ歴史的名著「MAX渡辺のプラモ大好き！」をご参照ください（爆笑）…あ、絶版ですか!?　そうですか…今だと「ノモ研」がよろしいかと♪

■軸打ち固定

“軸打ち”なる言葉も見慣れない方が多いかと思います。軸打ち……まぁ意味はそのまんまで、軸を打つわけですが（苦笑）、瞬間接着剤やエポキシ接着剤による接着だけでは強度的に心許ない部位に補強、固定のために軸を施す工程イコール軸打ちです。これもプラモではあまりやらない工作ですね。レジンキットではこれをわりと頻繁に施します。でないと、自重と相俟って遠くない将来、作品は破損、崩壊を余儀なくされてしまうわけですねぇ。レジン樹脂はプラモデルの主材料たるスチロール樹脂と比べると弾力性に欠け、剛性が低い、すなわち折れやすく、脆いのです。そして往々にしてレジンキットは全重量がプラモと比べかなり重いことが多い。すなわち転倒した際の破損確率はプラモの数倍となってしまうわけですね。そこで転ばぬ先の杖、軸打ちですね。軸打ちをしたら壊れないわけではありませんが、間違いなく壊れにくくなり、また修理しやすくなります。

さて、その方法はといいますと、ピンバイスで穴を開けてやり、そこに金属線を入れてやる、まぁ至極簡単に言うとそういうことです。前置きが長い割には内容に乏しい原稿となりつつありますが、笑って赦してくださいませ。

問題になるのは位置決め、コレに尽きるでしょう。適切な位置、角度に繋げる両パーツに穴を開けてやるためには仮組みと仮の軸打ちが必須となります。やり方は様々ですが、途中工程の写真をたくさん撮りましたのでご参照ください。片側ずつ開口して軸を打つだけでなんとかなる部位は良いのですが、このキットの場合で言うなら、脚部の軸打ちはメインイベントでした。

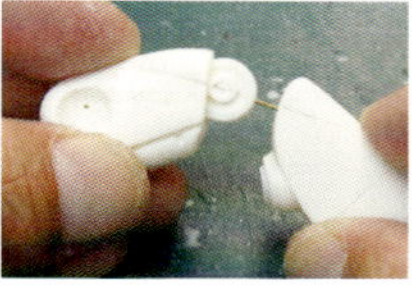

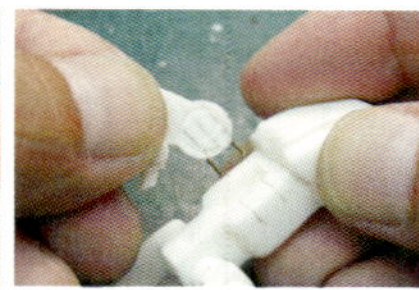

写真のように仮組み後、鉛筆でアタリを描き込み、両パーツを縫い付けるようにピンバイスを通す。軸を打ったらパーツ表面の穴をパテで埋める。といった工程が必要な箇所も出てきます。金属線はペンチで簡単に切断が可能なシンチュウ線かアルミ製の針金がおススメです。太さは強度が必要な部位には太め、そうではないところなら細めと場所によって変えてやるとよいでしょう。力がかからない部位ならプラ棒でもかまいませんが、折れた時は面倒、そして結構頻繁に起こります（苦笑）。固定には瞬間接着剤が良いかと思います。パーツ同士が多少軸可動で動いて欲しい箇所には1軸、カチッと固定したい部位では軸を2本打つ場合などもあります。レジンキャストキットの製作で、この軸打ちはメイン工作と言えますので、色々と考えて試してほしいと思います♪

■瞬間接着剤かエポキシ接着剤で接着！

ここまで書き進めておいて今更ですが、レジンキットのパーツ接着にプラモ用のスチロール樹脂接着剤は使えません。もっとも無難かつスピーディに仕事ができるのは瞬間接着剤でしょう。施す部位に応じて、粘度の違うモノを数種用意しておくと便利です。流し込ませる使い方なら低粘度のサラサラタイプ。無難にどこでも使える中粘度タイプ、そしてガッチリと接合したい部位、力がかかる部位や軸にはゼリー状高粘度タイプ、といった具合です。エポキシ接着剤は5分硬化くらいの扱いやすいタイプをおススメします。特に強度が欲しい部位にはとても心強い接着剤と言えるでしょう。

■サーフェイサーかプライマーの塗布

プラモデルにおいてはサーフェイサーの塗布は必須工程とは言えません。強いて言うなら、やっておいた方が色々と良いことがあるので、おススメではあります、といった位置付けでしょう。ただし、とても繊細な彫刻が表面に施されているパーツですと、サーフェイサーの厚吹きでディテールが埋まってしまうこともありますので、必ずやりましょう!!　とは言えないプラモ芸人でありました。しかし!!　レジンキットの場合、サーフェイサー塗布は必須工程と呼んで差し支えないでしょう。コレをやらないと塗装は乗りますが、ほぼ100%剥がれが起きてしまいます。レジン樹脂は模型用の有機溶剤系シンナーで溶けないので、塗料は食い付かず乗っているだけなのです。従ってパーツ表面に食い付き、食い下がってなんとか保ってくれる性質があるサーフェイサーを塗る必要があるわけですね。

レジンパーツの透明感を活用した仕上げをしたい場合や透明レジンのパーツで成型された透明パーツの場合はプライマー（メタルプライマー）を使うとサーフェイサーと同等の効果が得られます。　サーフェイサーはソフト99などのクルマ用やレジンキット専用と称される商品がおススメです。プライマーはビン入りのモノをエアブラシで吹き付けます。

■軽量化、金属への置き換えなど

レジンキットはプラモデルのそれのように、薄く成型されたパーツを貼り合わせて中空状態で組み上げて行くのではなく、一体のムク状態のパーツが多いですね。従ってそのままですといきおい重量がかさんでヘヴィな模型となってしまいます。

ある意味これは宿命的ではあるのですが、もしモーターツールなどをお持ちであるならばちょっとした手間でモデルを軽量化することができる部位もあります。今回はボディの一部に無加工で裏側を削れる箇所がありましたので、モーターツールのビットでゴリゴリっと削ってやりました。貫通するギリギリまで攻めてはいませんが、それでも結構軽くすることに成功♪　意外にも気分が良いモノです。これは後々の破損率に響いてくるかと思いますのでやってみたい方はぜひどうぞ♪

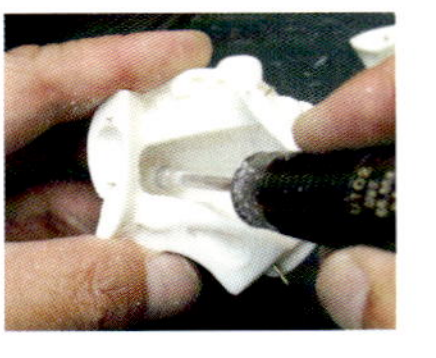

それから細く尖って、かつ比較的単純な形状の箇所は金属線に置き換えてやることをおススメします。格段に強度が増して壊れにくくなりますし、何より「俺、今模型作ってる!」感がグンと増しますから(笑)。

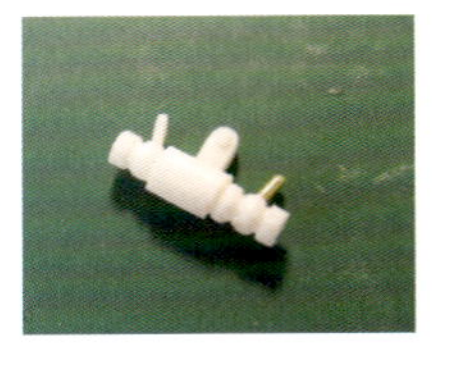

ココまでの工程をキッチリ踏んで来たなら、あとはもう毎度御馴染みの「MAX渡辺流Ma.K.定番下地塗装」です。すなわち、シルバー→クリアー→ベースグレー。ここからは楽しいばかりの桃源郷、塗装が待っています♪

◀エアブラシによる全面吹き付けで全体をまんべんなく真っ白にできたら、かなり時間の節約が出来るわけですねぇ

◀黄色い識別帯は筆塗りで♪

▼ペーパーがけし過ぎて下地のクロや銀が出て来るのだって、もちろん歓迎すべきことですから♪　やり過ぎて失敗だなぁと感じた時は白を塗り重ねればまた違う味わいが出てまいります

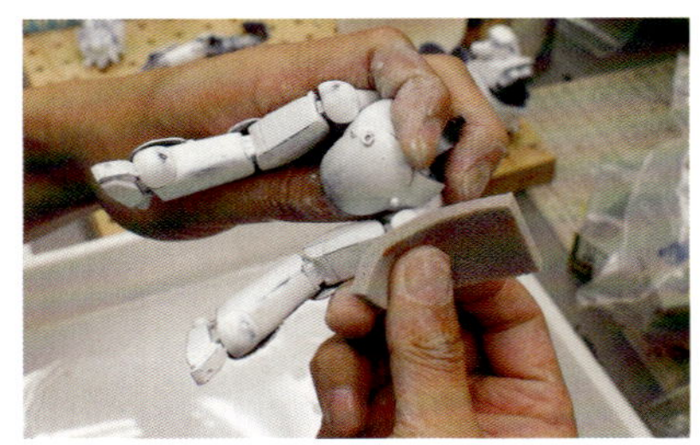

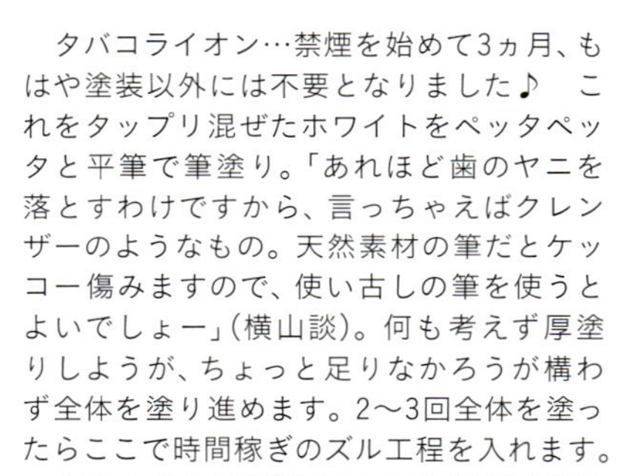

地上用グローサーフント 冬季仕様機

タバコライオン…禁煙を始めて3ヵ月、もはや塗装以外には不要となりました♪　これをタップリ混ぜたホワイトをペッタペッタと平筆で筆塗り。「あれほど歯のヤニを落とすわけですから、言っちゃえばクレンザーのようなもの。天然素材の筆だとケッコー傷みますので、使い古しの筆を使うとよいでしょー」(横山談)。何も考えず厚塗りしようが、ちょっと足りなかろうが構わず全体を塗り進めます。2〜3回全体を塗ったらここで時間稼ぎのズル工程を入れます。

すなわちエアブラシによる全面吹き付け!たくさん完成させたい、しかし時間がない。でも筆塗りの味は捨てたくないといった人(＝MAX渡辺)にはうってつけです。乾燥後、スポンジペーパーで全面をサンディングするのですが、筆塗りでのムラはちゃんと活きているので、絶妙かつ微妙でイレギュラーなムラが現出してまいります。この味は筆入れ無しエアブラシのみでサンディングした場合はやはり単調な削れ方となります。タバコライオン混入の効果は強烈なつや消しだけではなく、その厚塗り感、もとい厚盛りにありますので、この凸凹はサンディングに活きて来るわけですね。

ペーパーがけ(＝サンディング)に関しても、努めて面白い模様が出て来るように調子を変えながら進めて行くとよいでしょう。識別帯を塗ったらデカールを貼り、クリアーでコーティング。

秘伝のタレ3をエアブラシし、エナメルシンナーで拭き取って、ナイフで表面を荒らしてチッピング、最後はタミヤのウェザリングスティックで仕上げは全機共通の定番仕上げです♪

Großer Hund, ALTAIR

地上用グローサーフント ブラウン＆グリーン迷彩機

当初はキット同梱のカラーガイドにすべて則って仕上げる予定だったのですが、横山サンの手によるDCU塗装の完成品が撮影に持ち込まれるとの情報を得て同じじゃつまんない!! と急遽クレーテ作例でもやった、このカラーリングレシピに変更しました。結果、並んだ13機の異様な写真にも彩りを添えることができましたし、なかなか渋くてカッチョイイと思っております♪

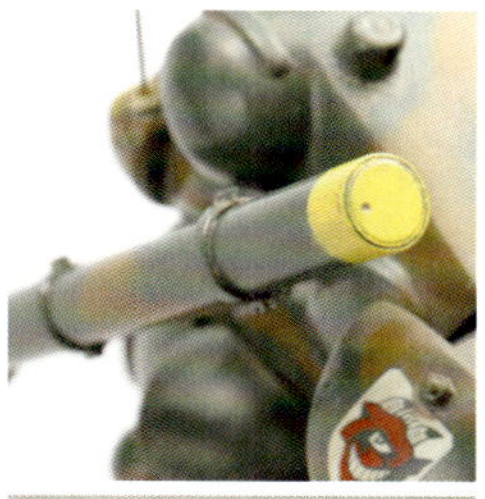

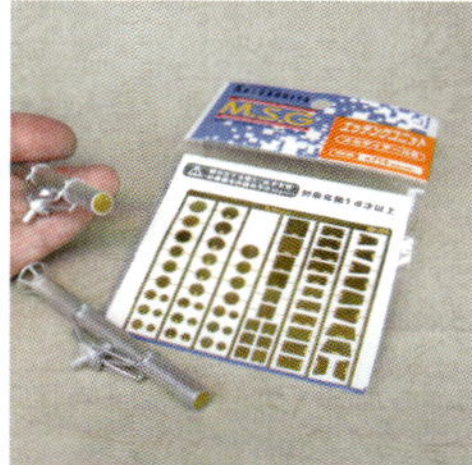

▲パンツァーシュレック（ボディ両サイドに取り付けられている筒状の武器、みたいなの）は未発射状態にすべく、モデリングブックに倣いコトブキヤのエッチングを貼ってみました♪

◀黄色い識別帯は筆塗りで♪

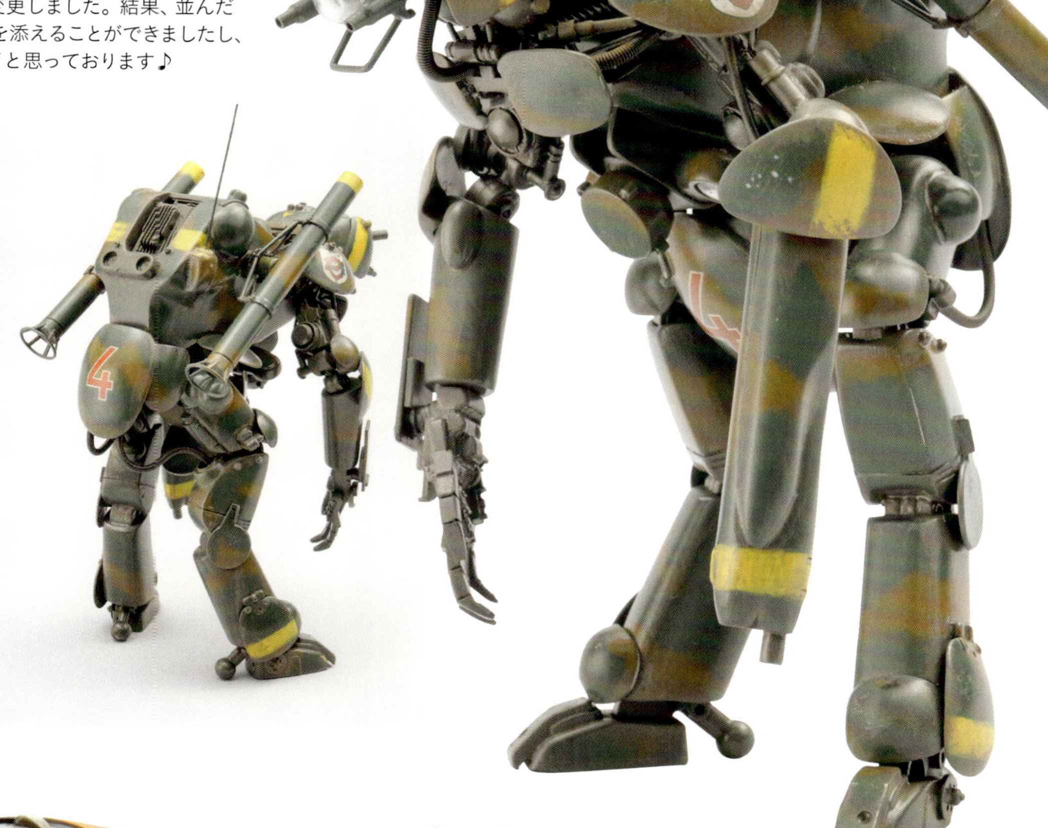

宇宙用グローサーフント アルタイル ホワイト機

キットパッケージを飾るカラーイラストの塗装パターン。これは初出がスネークアイのプロファイル本の冒頭部、バンドデシネですね。ぜひこのポーズで再現したいと思い可動を考えたのですが、重さと時間の無さにあっさり断念（笑）。飛行状態ポーズに固定モデルとしました。この辺りの切り替えの早さには自信があります♪　さて、同様のカラーリングを施した完成品の存在をキット同梱の参考用写真に察知!!　これはランデブー飛行シーンが撮りたい!!　というわけでナンバーは「2」に♪　今回の特撮カットはそんないきさつなわけですが、これはもう、僕のニュータイプばりの洞察力のおかげですよね（笑）。

宇宙用 グローサーフント アルタイル 迷彩機

これはキット付属のカラーガイドのパターンに準じて仕上げました。とはいっても、色味はアレンジを加えています。結果、横山サンには「なんかエヴァっぽいねぇ、エヴァ♪　初号機ってヤツ？　ウンウン、いいねぇ？　コイツは初号って呼びましょう」と。毎度ながらそのダイレクトなネーミングありがとうございます♪（笑）。

そんなこんなでグローサーフント×4機、完成でっす♪

▶濃い青の部分は赤味を増して紫っぽく、ライトグリーン部はより発色良く黄色味を増して。黄色の識別帯はこれらとの相性を鑑みて、少しオレンジ味を加えています

共通工作

ちなみに4機共通工作としてトピックすべきポイントにクリアーパーツの接着があります。これには「Ma.K.モデリングブック」に記されていた木工ボンドによる接着を試みました。仕上がり美しくバッチグー♪　このパーツ貼り込みはシルバー塗布後に済ませてしまい、クリアー部分にはマスキングゾルを塗って保護しておきました。全塗装終了後ドキドキしながら剥がすことになります（笑）。

グローサーフント再販情報

グローサーフントのガレージキットは7月に完売となってしまったが「横山先生やMAXさんの作例もたくさん掲載されている状況で販売されていないのも良くない」というKATOOO氏のご好意により、急遽再販が決定した。宇宙型と地上型のコンパチ仕様となっており、デカールと塗装カードが付属。成型色がダークグレーに変更されている。レインボウエッグのサイトで予約を受け付けているので要チェックだ！

※左記の再販情報は連載当時のもので、現在、同キットは絶版となっています。

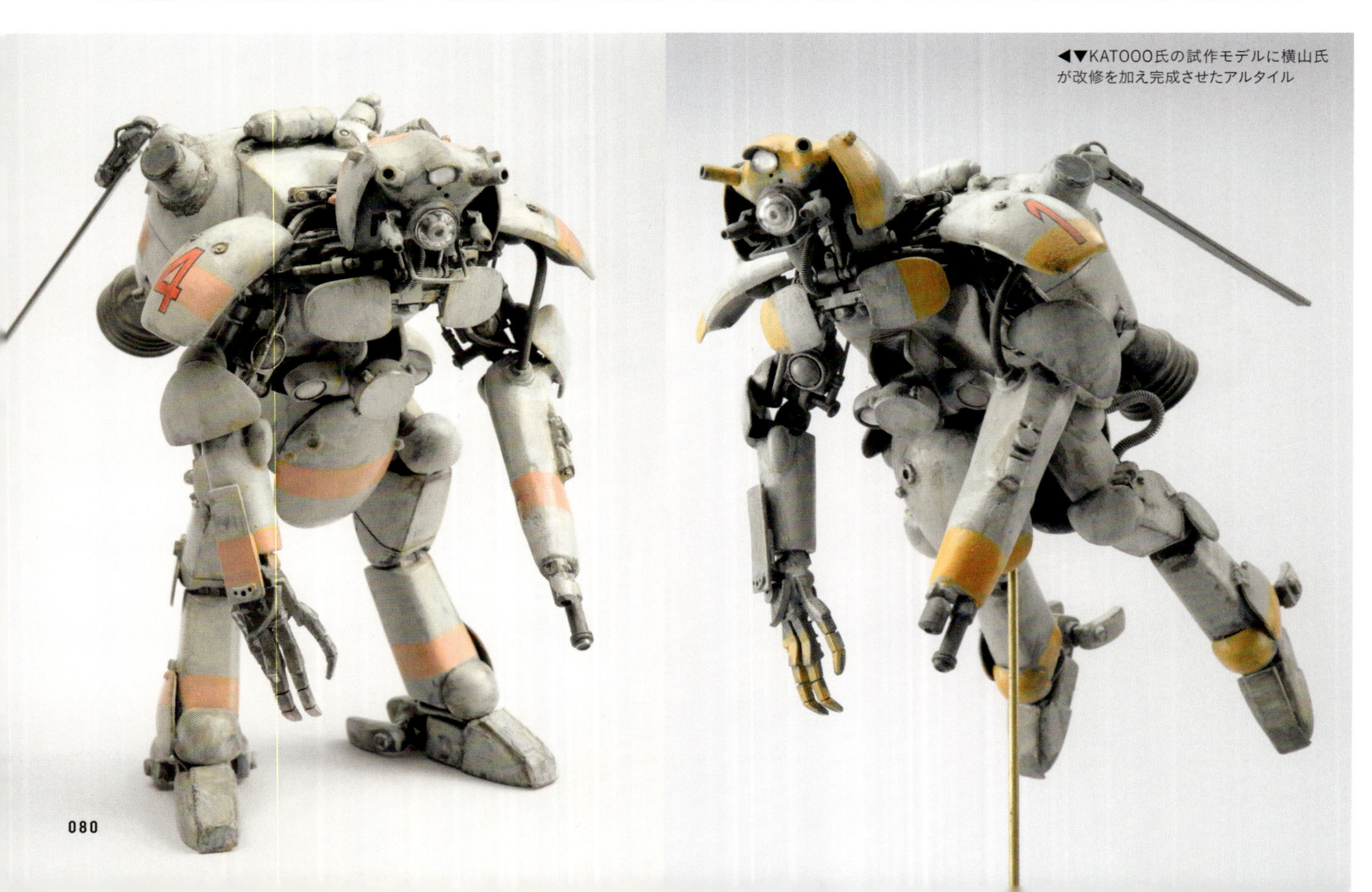

◀▼KATOOO氏の試作モデルに横山氏が改修を加え完成させたアルタイル

シュトラール軍
ヒューマノイド型無人邀撃機
グローサーフント

文／KATOOO（レインボウエッグ）

ホビージャパン1985年7月号に初掲載されたグローサーフントは、『SF3D』連載における初めてのヒューマノイド型無人兵器です。

それまで『SF3D』で発表された人型（頭部と胴体が一体化したものを含む）兵器はAFS、PKA、SAFSといった装甲戦闘スーツしかなく、初の装甲戦闘スーツであるAFSが戦局を大きく変えてから傭兵軍、シュトラール軍ともに武装、出力、装甲の上回る新型主力装甲スーツを段階的に開発してきました。グローサーフント初出時にはメルジーネやラプターは発表されていませんが、兵器の無人化を強力に推し進めるシュトラール軍が、改良され進化する傭兵軍装甲スーツの対抗兵器として、全く新しい観点から開発した兵器がグローサーフントだと考えられます。

横山先生は人型の戦闘マシンを前々から着想していて、連載時には完成度の高いプロトデザインを4種類も発表しており、そのコンセプトやデザインからグローサーフント（＝大きな犬）はとりわけ「恐怖」を与える無人兵器として設定されているのがうかがえます。2006年刊行の「Ma.K.モデリングブック」（大日本絵画刊）に「ヒューマノイド型無人邀撃機」との記述がありますが、邀撃（＝迎撃）に特化した無人兵器は無人偵察機とは明らかに性格が異なり、戦場で最も遭遇したくないメカに違いありません。一番恐怖を与えるリアルなサイズを想定して全高が決定されているので、2m強のSAFS型スーツに対し、グローサーフントは全高約3m。カメラやセンサーが集中した頭部、コード類が露出した長い腕、関節がひとつ多い鳥脚（ここが重要なポイント）に、強化された武装も加わり、容姿は無気味で凶悪です。横山先生は近年、グローサーフントのライバル機として地上型はラプター、宇宙型ではスネークアイを挙げており、「傭兵軍最強スーツの敵」といった位置付けをされています。

映画『ターミネーター』が引き金となったとのことですが、映画の日本公開は1985年5月25日からで、掲載号の発売日は同年6月25日。締切日を逆算すると驚異的なスピードです。「3日ぐらいで作ったよ」と笑っていましたが、グスタフやAFSなど日東製キットのパーツを巧みに組み合わせ、異質なシルエットを作り出しています。

締め切りギリギリだったからか、グローサーフントは重要なメカであるにもかかわらず、連載時のフォトストーリーには全く登場しないのが残念でなりません。説明のないカラーページの写真が唐突な印象を与え、掲載号にはシュトラール軍という記述もなく（レーザーやシュレックなどの武装やドイツ語の機体名から推測可能）、同号の「FALKE II」が表紙になったことも、グローサーフントの印象の薄さにつながってしまっているようです。

連載時私は中学3年生で、なんとなく模型から遠ざかっていて、グローサーフントの記事をきちんと認識して読んだのは'91年になってからでした。中学生で「Kröte」が読めませんでしたが、今度は20歳過ぎで「Großer Hund」が読めません（笑）。ギリシャ語のβ（ベータ）と混同し「グロベーター・フンド」と誤読。言いづらくてカッコ悪いなぁと思ったものです（笑）。ドイツ語の「ß」は"エスツェット"といい（「ß」が使えない英語圏では「ss」で代用します）、「ス」という発音になります。もとはs（エス）とz（ツェット）なのですが、szと続くとzは発音しないので、ssと代わりに記述するそうです。

以降は立体物の説明をしたいと思います。まず'85年に横山先生が製作したオリジナルモデルは2004年、先生のご自宅で頭部や脚、アーマー類がバラバラの状態で発見されました。残念ながら胴体やレーザー部以外の腕は発見されていません。

所在不明のパーツの流用元を調査すべく、発掘されたパーツを私が預かりましたが、バラバラ状態では各部のつながりが把握しづらかったので、発掘パーツをお手本に、同じものを作ってつなげ合わせることにしました。そうしたら、思いのほか勢いが止まらず、あれよあれよという間にワンオフものが1体完成（笑）。それが比較用の整備士といっしょに写っているグローサーフントです。検証用に作ったため、大味な部分も多々あるのですが、伊原源蔵さんに塗装していただいたこともあり、お気に入りの1体です。現在も正確な胴体の形状はわからないのですが、ワンオフモデル製作直後に試行錯誤してガレージキットの原型を別途に製作し、2005年のワンダーフェスティバルで販売しました（上の3体並んでいる写真です）。

組み上げたガレージキットを横山先生に差し上げたところ、頭部形状を新設定として改造していただき、DCU迷彩で塗装していただいたのがこの上写真の一番左側に載っているグローサーフントです。自分のキットを初めて先生に塗ってもらい、すごく感動したのを覚えています。

宇宙型は、自分のガレージキットを改造して関東展示会に出したのが始まりです。横山先生に気に入っていただき、「宇宙用もガレージキットにするといいよ。スネークアイと戦わせたい。2機あるとなおいいよね。ガレージキットじゃなくてもいいから、ワシにくれ！」とニコニコしながら言われたので「わかりました！　まず2機作ってお持ちします!!」と即答（笑）。展示会用のワンオフモデルを解体し、粗い部分や修正が必要な箇所を数週間ほどいじり、自宅で2個複製。その時点では世界で2個しかない超希少な（笑）宇宙型改修版を飛行ポーズと着陸ポーズに組み上げ、差し上げました。

その2体のパーツの位置を変えたり形状を変更したり手を加えていただいたものが、80のページに載っているオレンジの「1」の機体と、ピンクの「4」の機体です。今度は横山先生からその2体をお借りして、別原型を製作し、ガレージキットになったというわけです。「ALTAIR」という名称は、横山先生に「アルティア」という単語を候補に挙げてもらいました。いわゆる七夕の「彦星」で、英語だと「アルティア」、ドイツ語では「アルタイル」。アラビア語の「飛翔する鷲」が語源となっていてカッコいいので、宇宙用グローサーフントは「アルタイル」に決定したのです。

「Ma.K. in SF3D」のグローサーフント特集でレインボウエッグのガレージキットを取り上げていただき、たいへん感激しております。横山先生、村瀬編集長、そして短期間で地上/宇宙と計4体ものグローサーフントを製作していただいたMAX渡辺さん、どうもありがとうございました！

「ラプター」がプラキット化へ

2003年に発売され現在絶版となっている「ラプター」は日東の「S.A.F.S.」にウェーブ製のパーツを同梱したものであったが、このたび「スネークアイ」「S.A.F.S.」と同様に新金型による"完全ウェーブ製"となってプラキット化されることとなった。横山氏による彩色見本が到着したのでご覧いただきたい。

S.A.F.S.ラプター
●発売元／ウェーブ●2400円、2010年11月発売●1:20、約10cm●プラキット

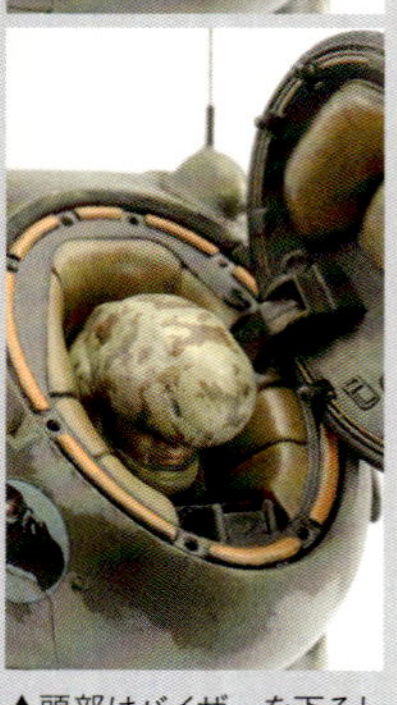

▲頭部はバイザーを下ろした状態と素顔の2種を再現可能

さらなるニューアイテムの発表も？

ラプターに続く注目アイテムをウェーブが開発中との情報を入手！　早ければ10月16日（土）、17日（日）の2日間にわたって幕張メッセで開催される「第50回 全日本模型ホビーショー」にて会場発表も？　全貌は次回以降お届けしよう！

ハセガワ製ナッツロッカー順調進行中

前回お届けした原型を基に3DCADデータを作成。金型製作も順調に製作されているとのこと。同梱される1:35スケールのグスタフ、メルジーネにノイパンツァーファウスト、パンツァーシュレックが付属することが判明。弾頭と後端が別パーツとなっているので、差し替えて両腕で構えた状態と武装単体状態を再現できる。

1/35 P.K.H.103 ナッツロッカー
●発売元／ハセガワ●7200円、2010年12月発売●1:35、約30cm●プラキット

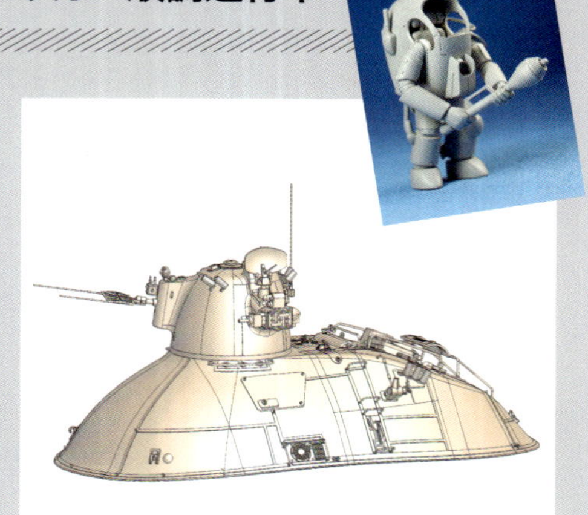

3Qモデル次回の再販アイテムは「ホルニッセ」に

旧日東製キットの再販を続ける3Qモデルからシリーズ最大のボリュームを誇る「ホルニッセ」が登場！

ホルニッセ
●企画／3Qモデル、製造・販売元／ウェーブ●5500円、2011年1月発売●1:20、約20cm●プラキット

「SF3Dクロニクルズ」発売記念サイン会レポート

8月31日についに発売となった「SF3Dクロニクルズ」。その発売を記念し、原作者である横山宏氏によるサイン会が9月4日（土）東京新宿の模型店「模型ファクトリー」にて開催された。多くのファンとともにこの本に携わった関係者も集まり、大盛況のイベントとなった。

▶店内はサイン会の開始を待ちわびているファンで埋め尽くされた

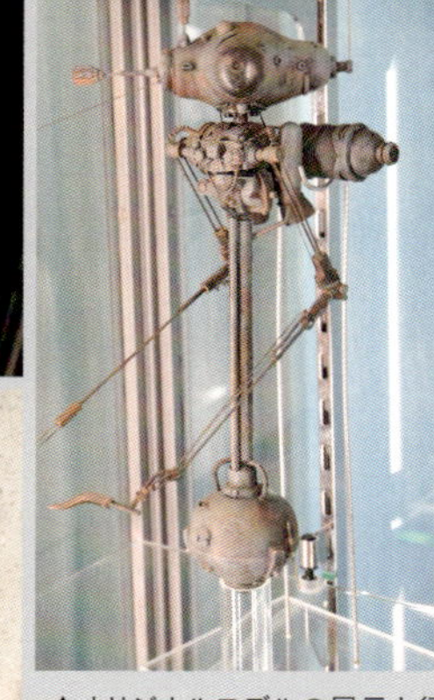

▲オリジナルモデルの展示も行なわれていた。普段なかなか見られない作品の数々に足を止める人が続出

▲イベントが始まり笑顔でサインに応じる横山氏。サインに加えて要望に合わせたイラストを描くというファンには嬉しい内容であった

▲参加者の中には『SF3Dオリジナル』連載時に作例を務めていたあげたゆきを氏も。しっかりサインをいただき仲良くピースサイン

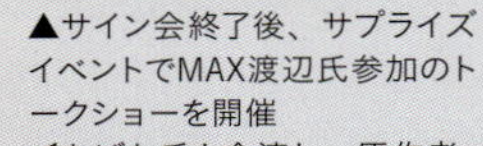

▲サイン会終了後、サプライズイベントでMAX渡辺氏参加のトークショーを開催
◀あげた氏も合流し、原作者、新・旧製作者の豪華共演が実現。観客は会場の外まで溢れるほど盛況であった

「SF3Dクロニクルズ」絶賛発売中!!

「月刊ホビージャパン」で連載されていた『SF3Dオリジナル』のすべてが詰まった「SF3Dクロニクルズ」は現在絶賛発売中。A4判にサイズアップされて復刻された誌面は、一部を除いて広告までもが当時のままという再現度で、シリーズの始まりから終わりまでを雰囲気そのままに体感出来る一冊となっている。

「天」「地」2冊を箱入りにし、さらには旧日東のキット発売当時に店舗に配布されていた販促用ポスターをモチーフにした栞2種が同封されているという豪華仕様。限定数生産なので、買い逃しの無いように。

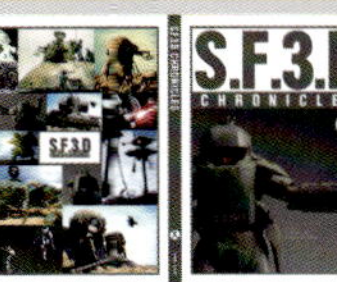

SF3Dクロニクルズ
●発行元／ホビージャパン●4517円、2010年8月発売●A4判●2冊組・化粧箱入り

AFS

Armored Fighting Suit

WAVE 1:20 SCALE PLASTIC KIT
MODELED BY MAX WATANABE

| Dec.2010 | No.010 |

1982年5月、約4年にわたることになる『SF3Dオリジナル』の連載がスタートした。記念すべき第1回はAFS(アーマード ファイティング スーツ)。ミクロマン強化スーツを使い、オリジナルの"装甲戦闘服"を作ったこの製作記事は、その圧倒的な存在感と完成度の高さから、急遽連載企画へと抜擢、昇華する。前回は横山氏の手による『SF3D』連載終盤の作品となったグローサーフントをお送りした。今回はまさに原点たるAFSをフィーチャーし、MAX渡辺のウェーブ製インジェクションキット作例9体に、横山氏の作品も多数加え、盛りだくさんの内容でお送りしよう。

ウェーブ 1:20スケール プラスチックキット

AFS

製作・解説・文／MAX渡辺

■ SF3Dの原点、AFS!!

ようやく順番が回ってきましたねぇ、AFS♪　リリースされてから少し時間が経過していましたし、旬なアイテムが目白押しだったので、なかなか機会が巡ってきませんでした。実はこの連載、組み立てだけはヒマを見つけては進めているので、AFSさん御一行はちょっと前に塗るのを待つだけの状態になっていたのでした。HJ本誌における『SF3D』の記念すべき連載第1回のネタがこのAFSですし、まさにここからすべてが始まったファーストアイテム。そんなわけで今回はグローサーフントに続く「SF3Dクロニクルズ」発刊記念第2弾とも言えましょう♪

さて、AFS。数ある横山デザインワークスの中でも、一番"近い未来に実用化されそう感"が強いデザインではないかと思います。言い替えると「既にどっかのクニでは開発始まってるんじゃね？」感とでも申しましょうか。おんなじですか、そうですね、スミマセン(笑)。そんなわけで、現用兵器の隣に居ても違和感がまるでなく馴染んでしまうほどですから、ちょいと大人しいというか地味にも映りますが、そういう渋い存在なのもAFS好きにはたまらんのではないでしょうか？　事実、今回の合同コンテストでは多数のAFS作品を見ることができました。

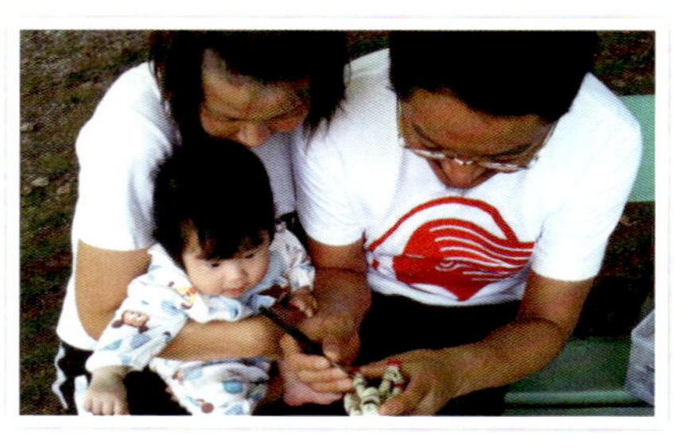

▲アウトドアチッピング！　姪っ子琉愛は生後6ヵ月でHJデビューだ！(笑)

▼下地はMAXMa.K.定番のサーフェイサー↓シルバー↓クリアー↓ベースグレーなので、秘伝のタレ3のウォッシング後はナイフでコリコリと剥がしていく“ホントに剥がしちゃうチッピング”を。

ルナポーン

ウェーブによる完全新金型リニューアルキットの第1弾はこの「ルナポーン」から始まりました。3次曲面で構成されたバイザーと丸みを増したヘルメット。カバーされボリュームを増した背部や後頭部に繋がるレーダー部、そしてぶっといレーザーアームなど、繋がり感、一体感がより増して“完成度”が高まった後期型AFSですね。とても好きなカタチです。

キットはなんら問題がないので、もちろん素組み。一切改造は加えていません。“改造しちゃイカン！”とか思ってませんし、言いませんけど、たくさん塗りたい僕としてはキットの素性がいいなら素組みです♪

1機はシンプルなPKGカラーに。もう1機は昨今の『Ma.K.』カラーリングパターンにならってグレーのツートーン迷彩をした上で、ビビッドカラーで識別帯を入れるパターンをやってみました。全部筆塗りですよ♪ デカールを入れる前に一度クリアーをコートして軽くスポンジペーパーで“なんちゃって研ぎ出し”をし、デカール後も段差消しでクリアーコート＆研ぎ出しをしています。

G-ポーン

ルナポーンを地上用に戻したバージョン、という設定のこのG-ポーン。地上の様々な場所、用途に応じて幅広いカラーリングが楽しめるっていう意味でも、やはり地上用ってのはいいですよねぇ。

今回の作例は色々と考えましたが、とっちらかるといけないので、無難気味に茶色と緑のツートーンとし、合わせる識別帯カラーが黄色になるとコレまでの作例（クレーテ、グローサーフントら）と被るので、コレを避けてライトブルーを塗ってみました。

狙い通り無難にまとまりましたねぇ（苦笑）。AFSはフィギュアのヘッドがちらりと見えてソコも楽しめるので今後も折りを見て作りたいですね。

ポーラーベア

もっこりした背部パック、ぶっとい左腕レーザーバレル、そしてギュッと小顔なヘルメットフェイス。僕が今、一番好きなAFSモディファイなのがこのポーラーベアです。しかも大好物の冬季迷彩!! こりゃたまらん♪ とばかり、行軍シーンが撮りたくて2体塗ってしまいました。全く同じだと飽きるので（苦笑）、2体はちょっとカラーリングに変化をつけています。

白い部分は（時間の関係もあって）エアブラシで済ませてしまいましたが、ほかはすべて筆塗り。"N"や"L"も筆で入れてみました。端に点をあしらったこのロゴ、横山サン、KATOOOサンに「かっちょいい、パクる！」と言ってもらえて大変嬉しいのですが、実は長さや太さ、バランスが違っても目立たなくなるように誤魔化そうとして思いついたってのはここだけの秘密です（笑）。失敗やマイナス面をどうにかしようと足掻くことで何かが生まれるってのはよくありますよねぇ〜。そんな経緯もあり、ギトギトに汚しまくれたのでお気に入りの一品となりました♪

AFS

ナイトストーカー

現在のところ、ウェーブのAFSバリエーションのラストとなっているのが、このナイトストーカーです。このキットの発売によって、両腕にマニピュレータがついたAFSが作れるようになりました♪ ナイト＝夜間→黒っていうストレートな連想でPKGカラーに倣いつつ、すこしだけアレンジを加えて仕上げてみました。ラクーンの回で作った黒赤とも並べて撮影したかったので、色味はだいたい合わせています。かなりビビッドな赤が素敵でしょ♪

このカラーリング、チッピングするとシルバーがいい感じに目立ってとても嬉しくなります。なので調子に乗って2体やってしまいましたが、今思えばもう1体は違うカラーにしても良かったような…。ナイトストーカーだからといって、黒じゃなきゃイカンなんてことは、もちろんのことないですし、事実コンテスト出品作で凄くカッコいいナイトストーカーがあったりして凄い刺激受けました♪ 『Ma.K.』のコンテストは凄いですねぇ〜。楽しみ過ぎて知恵熱が出たのか、当日の夜は興奮して眠れませんでしたよ（笑）。

◀メットとパイロットのゴーグルで光ってるのはHIQパーツの「オーロラアイズ」。とても手軽でしかも良いアクセントになるのでオススメアイテムです

Mk. Ⅰ & Mk. Ⅱ

『SF3D』第1回の元ネタ＝ミクロマン強化スーツ。今回KATOOOサンが持って来てくれて初めて現物を目の当たりにしました!! もうビックリ!!

これがそれだったのですね!? みたいな。素材となった元のカタチがキットパーツにもしっかりと残されているのがこの2種ですね。その今の目で見るとちょっと鈍臭い重そうなイメージもとってもキュートですねぇ。

Mk. Ⅱはモノトーンでシンプルに仕上げてみたくなったので、軽めのグリーンをエアブラシで吹いて青いロゴをあしらいました。ブラシだとタッチが出ないので、ウォッシング後に元に塗ったグリーンに白や黄色を足した塗料を適当に筆で塗り散らし、デカールもクリアーでコートしてからトーンを変えた青でなぞって馴染ませたりしています。地味な仕上げだけど、悪くないじゃん!? とか思いますがいかがでしょうか？

Mk. Ⅰは組立説明図のカラーリングを踏襲しつつ所々にアレンジを加えてまとめたもの。あ、そうそうMk. Ⅱの足首ですが、松本州平さんのパロディでもなんでもなく、素で間違ってまして、KATOOOサンに指摘されるまで気がつきませんでした（爆笑）。時代は繰り返されるのかっ!?

◀目のマークはHIQパーツの「Ma.K.デカール」を使ってます。作例では採用しませんでしたが、胸から腹にかけてのトカゲマークとか秀逸で、また作ってみたいですねぇ…

Ma.K. in SF3D EXPLANATIONS

傭兵軍装甲戦闘服
AFS (Armored Fighting Suit)

文／KATOOO（レインボウエッグ）

単発企画用の一作例であるAFSが、その完成度の高さから急遽別タイトルを冠せられ、連載がスタート。異例の大抜擢で幕を開けた『SF3D』ですが、ホビージャパン1982年5月号に颯爽と登場した2体のAFSは、ガンダムなど同時代のキャラクターメカとは異なる人間大の装甲戦闘服でした。近未来に実在するかのようなフォルムが強い説得力を生み、どこかで見たような懐かしさと今まで見たことのない独特な雰囲気が共存する不思議な魅力にあふれています。このAFSがすべての始まり＆基準となって、敵側の装甲戦闘服や大型支援兵器、無人兵器など様々なメカが毎号発表され、壮大な世界が構築されていったことを考えると、連載になるとは考えもせずに作った等身大の装甲戦闘服が、連載第1回のメカになったのは、必然的な偶然だったのではないかと感慨深くなってしまうのです。

製作時のコンセプトは、タカラ製「ミクロマン強化スーツ」を利用してオリジナルの装甲戦闘服を作るということ。素材となった「強化スーツ」は、約9cmの可動人形を従来のようにロボットやマシンに乗り込ませるのではなく、武装を“着せ替えさせる”という新たな試みがなされた意欲的な商品でした。ミクロマンが大好きだった私は10歳のとき、「強化スーツ」を買ってもらったのですが、AFS発表前でしたし、将来の自分にとって重要な玩具とは知るよしもありません（笑）。連載初回時はまだ11歳で「ホビージャパン」は未読だったため、中学生になって「別冊SF3D」でAFSの存在を意識するのですが、強化スーツは捨てられていて、大人になってから泣く泣くプレミア価格で購入したのでした（笑）。

強化スーツは画期的な商品でしたが、やはり低年齢層向けの玩具。そのコンセプトとヘルメット形状が踏襲されてはいますが、横山先生のモデリング＆塗装が加わったことで、非常にリアルな装甲戦闘服として生まれ変わっているのです。強化スーツのヘルメットはなかなか洗練されたデザインで、強化スーツ2をMk. Ⅰ、強化スーツ3をMk. Ⅱに使用（使われなかった強化スーツ1はちょっと異質でした）。ヘルメットの外形をヤスリで削って面構成を微調整したり、のぞき穴部分の角度を丸めたりと絶妙な修正を施すことで、玩具っぽさはさらに影を潜めています。余談ですが「強化スーツ2」に付属する武器「ミクロバズーガー」（“バズーカ”じゃないのがいかにも'80年代）が加工流用され、PKAの上腕＆前腕になっています。AFSの工作で文字どおり骨子となっているのは、関節が可動するミクロマンを中に入れて工作を進めたこと。タミヤ製1:20フィギュアを使用した頭部以外はミクロマンなので、無理のない自然なポーズを確認しながらの作業が可能になり、2体のAFSは確実に中に人が入っているシルエットかつ実に味わい深いポーズになっているのです。もしミクロマンを使わず、ヘルメットだけ使用して製作していたら、等身大の装甲服にならなかった可能性もあったわけで、『SF3D』の歴史は変わっていたかもしれません。

ヘルメット以外の部分は強化スーツをそのまま活用せず、プラ板やパテ、Xウイングなどの流用パーツやピンポン球など豊富なマテリアルを適材適所に使って、シルエット＆ディテールを全く違うものに再構築しています。派手すぎず、かといって物足りないわけではないAFSの“自然なリアルさ”を出すには、非凡なデザイン力とモデリング技術が必要不可欠。「SAFS」という大傑作デザインがのちに生み出されたことで、AFSの影がちょっぴり薄くなった印象もありますが、AFS自体、非常に優れたデザインの装甲戦闘服であることは間違いありません。大友克洋氏の「武器よさらば」のパワードスーツにインスパイアされたというAFSですが、着想から完成まで様々な要素が絡み合って、それまでのアニメや模型にはない、独自の魅力を持ったものが完成しているのです。「SF3Dクロニクルズ」（天）の表紙には、実物の数倍引き伸ばされたAFS Mk.IIが掲載されています。拡大されても曇ることのない、存在感のあるデザインを生み出すのは本当にすごいことだと思います。横山先生ご本人がAFSを表紙に使うことを提案されたのですが、連載も第1回、日東科学からの模型化も第1弾、「SF3Dクロニクルズ」でも表紙を飾りましたから、AFS Mk.IIはSF3D〜Ma.K.における一番打者的な存在といえるでしょう。「Mk. Ⅰ」「Mk. Ⅱ」という呼称は「別冊SF3D」で付けられたもので、初出時は「前期型」「後期型」と書かれており、今読み返すと実にシブいのですが、定着しなかったようです。日東製キットの第3弾が「AFS Mk.I」という商品名で1984年に出てから、混同を避けるため「Mk. Ⅰ」「Mk. Ⅱ」という呼称を意識するようになった方が多いのではないでしょうか。「SF3D」時代から、装甲スーツをはじめとする登場兵器には幾多の派生型バリエーションが生まれ、そのことが世界観を広げていく重要な推進力でもあるのですが、連載1回目にしてすでに形状が微妙に異なるタイプが2体出ていたことが実に興味深いです。そう考えると、残念なのはオリジナルモデルのAFS Mk. Ⅰが所在不明なこと。対照的に、「別冊SF3D」を読むと、掲載されているAFSのオリジナルモデルはMk. Ⅰだけで、Mk. Ⅱのオリジナルは掲載されていません。別冊発売直後の「トルネイド」の回のフォトストーリーで使うために、Mk. Ⅱは別冊の撮影には借り出されなかったと推理していますが、ファイアフライの回以降は離れ離れで、因縁めいたものを感じてしまうのは大げさでしょうか。いつかまた、オリジナルのMk. ⅠとMk. Ⅱをいっしょに見たいと思っているのは、私だけではないはずです。

◀左から強化スーツ1、2、3となる

AFS

製作・文・解説／横山宏

AFSは日東のキットができてからおよそ30年。今では、ミスターウェーブの新キットが簡単に組み立てられる。組み立てが楽ちんな事はすでに10数個こさえたわしが言うんだから間違いない。よってこんなに新しいバージョンができたのだね。ちょっと違った同じようなものってモノマネ見るのと同じ部分の脳が反応してるんだよね。

ここからは原作者・横山宏氏によるAFSの作例をご紹介。オーソドックスなものからシチュエーションを交えたモデルまでバラエティに富んだ作品の数々が集まった。それぞれのモデルに添えられた横山氏のコメントともにご覧あれ!!

Mk.Ⅱ

ボディシェルオープンのモデルは、動力部がカッチョイイでしょ。動力部サイドの部分は日東のパーツを使っています。わしも同じものが欲しいので、ぜひインジェクションキットにしてもらえるとうれしいです。もちろん中のお姉様フィギュアも欲しいです。

アーケロン

アーケロンは、モデルカステンのキットをこさえたもの。レジンのボディだと重たいので、これもプラのインジェクションでキット化してもらおうね。

ニューラリーポーン

「ニューラリーポーン」って名前は自分で決めておいてなんですが、ふざけすぎ。というよりキットにしてくれたら、かっこいい名前を考えなおします。だから早く出してください。

G-ポーン＆ナイトストーカー

G-ポーンとナイトストーカーはキットになったので、うれしいです。店頭在庫のみとなってますので、発見したらお早めにお求めください。

ポーラーベア

ポーラーベアは渡辺君の塗ったホワイトとわしの塗ったホワイトは、実物で見ると色相も明度もまったく違う。しかし写真を通して見ると並んでいても違和感がない。この違うホワイトを1つのキットに塗ると完成品に深みが出るってことですなあ。今度何人かで色を作ってシェアする技法を実験してみようっと。

1:76 ナッツロッカー

小さなナッツロッカーは遠景用に持ってきました。まもなくハセガワ様の1:35キットが出来上がりますので、お楽しみに。

ウェーブPKAシリーズ第1弾はケッツァー!!

ウェーブによる『Ma.K.』新金型キットについにシュトラール軍の装甲戦闘服「PKA」シリーズが登場！　第1弾はコンラートの夜戦型ケッツァー。「第50回 全日本模型ホビーショー」会場にて展示されていた横山宏氏による彩色見本を紹介しよう。

▶上面に大きな膨らみを持つ特徴的なキャノピーはこのキットが初公開となる。原型を務めたのは脊戸真樹氏
▲内部フィギュアの原型を公開。表情豊かに造形されているのが見て取れる。フィギュアの原型はサイトウヒール氏が担当

ケッツァー
●発売元／ウェーブ●2800円、2011年9月発売●1:20、約10cm●プラキット

▼旧日東キットでネックになっていた脚とスキッドの接合部の脆さを改善したパーツが追加されるとのこと。写真は横山宏氏によるキットの改造。これを基に金型を起こしパーツ化される

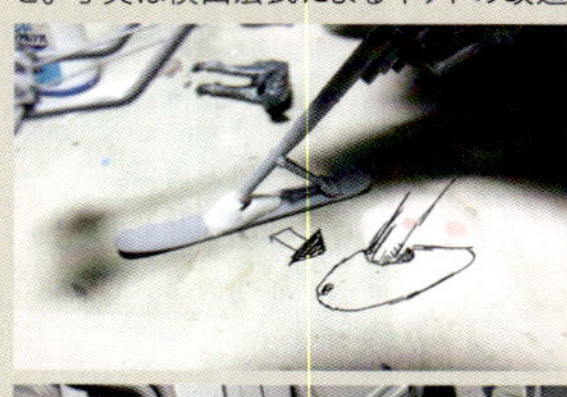

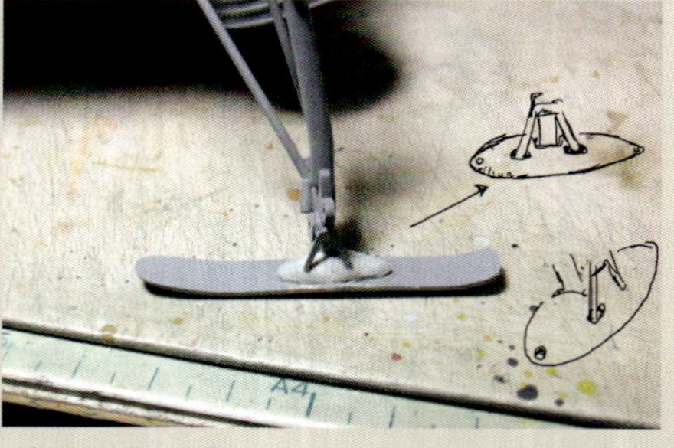

◀両翼下面に設置するハードポイントパーツも新規で追加される。このパーツによってホルニッセにノイパンツァーファウストを搭載できる

3Qモデル「ホルニッセ」最新情報！

3Qモデルで展開されるホルニッセも横山宏氏による彩色見本がホビーショー会場で展示されていた。ここではさらに付属する新規パーツの情報も公開。

ホルニッセ
●企画／3Qモデル、製造・販売元／ウェーブ●5500円、2011年1月発売●1:20、約20cm●プラキット

横山宏氏による『Ma.K.』の複製原画が手に入る！

静岡県立美術館で開催のアニメからロボット工学まで幅広いジャンルのロボットの展覧会「ロボットと美術」のミュージアムショップで横山宏氏の『Ma.K.』複製原画を会場限定で販売。完全受注生産で限定50品。4色から選べる額縁入りにシリアルナンバー、横山氏の直筆サイン入りと豪華だ。島根県で開催されるときにも展開された。

静岡県立美術館
日時:2010年9月18日(土)～11月7日(日) 10:00～17:30
島根県立石見美術館
日時:2010年11月20日(土)～2011年1月10日(月) 10:00～18:30

「ホビージャパン・モデルグラフィックス合同マシーネンクリーガー模型コンテスト」の審査模様を公開！！

2010年10月14日（木）～17日（日）の4日間にわたって開催された「第50回 全日本模型ホビーショー」会場にて結果発表された「ホビージャパン・モデルグラフィックス合同マシーネンクリーガー模型コンテスト」。本誌への応募数113作品と多数のご応募いただき誠にありがとうございました！　審査はコンテスト同様に「月刊モデルグラフィックス」と合同で執り行なわれました。今月はその模様をチラッとご紹介。

▼大きな机に広げても乗り切らないほどの応募作品の数々。机の周りを移動しながらじっくり審査

▲ファイリングされたり、オリジナルの写真集のような形にしてあったりと凝った応募作品も多く、審査員の2人も思わずニンマリ

「SF3Dクロニクルズ」残りわずか！！

1982年5月号から1985年12月号までの約4年間にわたって「月刊ホビージャパン」で連載された横山宏氏によるオリジナルSFシリーズ『SF3Dオリジナル』を網羅した「SF3Dクロニクルズ」の市場在庫もごく僅かとなった。

当時の連載ページを高精細スキャンし、A4判にサイズアップした「天」「地」2冊＋旧日東製キット発売当時に各店舗へ配布されていた、販促用ポスターをモチーフにした栞2種のセット販売となる本商品は、限定数生産なので、店頭で見かけた方は迷わず購入することをオススメしよう。

SF3Dクロニクルズ
●発行元／ホビージャパン●4571円、2010年8月発売●A4判●2冊組・化粧箱

スネークアイ、SAFSに続く、ウェーブ製新生SAFSシリーズの第3弾、
陸戦用装甲服「ラプター」が2010年11月、いよいよ発売される。キット仕様はもちろん接着剤無しで組み立て可能な
スナップフィットで、全身各所にポリキャップを施したフル可動モデルだ。MAX渡辺はこの最新ブランニューモデルを8機激作!!
今回はキットレビューとして4機を駆け足で紹介、都合2ヵ月に分けてお送りすることにしよう。

SAFS Mk.III RAPTOR FIRST PART

| Jan.2011 | No.011 | WAVE 1:20 SCALE PLASTIC KIT MODELED BY MAX WATANABE

ウェーブ 1:20スケール プラスチックキット
次期主力装甲戦闘服 ラプター

製作・解説・文／MAX渡辺

■ラプター登場!!

いよいよファン待望のラプターが発売されます♪　現在までの『Ma.K.』ワールドでは最強の傭兵軍陸戦スーツ!!　あぁ～最強ってのは甘美な響きですねぇ♪

ところで、ラプターの正式キットはこれで3度目のリリースとなりますでしょうか。まずは日東製SAFSにレジンパーツを組み合わせたモデルカステン製キットがありました。2001年だったでしょうか。続いて2003年、ウェーブより同じく日東製SAFSに今度はレジンではなく、インジェクションパーツを組み合わせたキットが発売されていました。これら2種のキットは、ともに現在では絶版ですし、何より今回の新キットは圧倒的に組みやすくなり、完成後の保持力も段違いに良くなった別物。ココ数年で『Ma.K.』にはまった人や当時惜しくも買い逃してしまった貴兄にとって、今回のリニューアルキット化は嬉しい限りでしょう♪

■ザックリキットレビュー♪

今月はMG誌との合同コンテストの大発表があり、紙数に限りがあるにもかかわらず、嬉しくって調子に乗り、8機も組んじゃいました（笑）。今月は素で組んだ4機を大急ぎでご紹介いたしましょう♪

工作に関してはこれまでのSAFSと同様、キットの素性を十全と活かした無改造組み立て。ディテールアップとしては、背中（肩？）のセンサーにピンバイスで穴あけしたのと、足首に動力パイプを配しただけです。何らストレス無く組み上がる好キットはすでに折り紙付きですので、皆さんも工作はさっさと終わらせてガシガシ塗っちゃえば絶対幸せになれますよ♪

■塗装

今回の作例はMAX渡辺的定番下地サーフェイサー→シルバー→クリアー→ベースグレーを施したあと、全機オール筆塗りで仕上げてみました。今まで色々と試行錯誤を繰り返してきましたが、ココに来てもしや塗装開眼!?

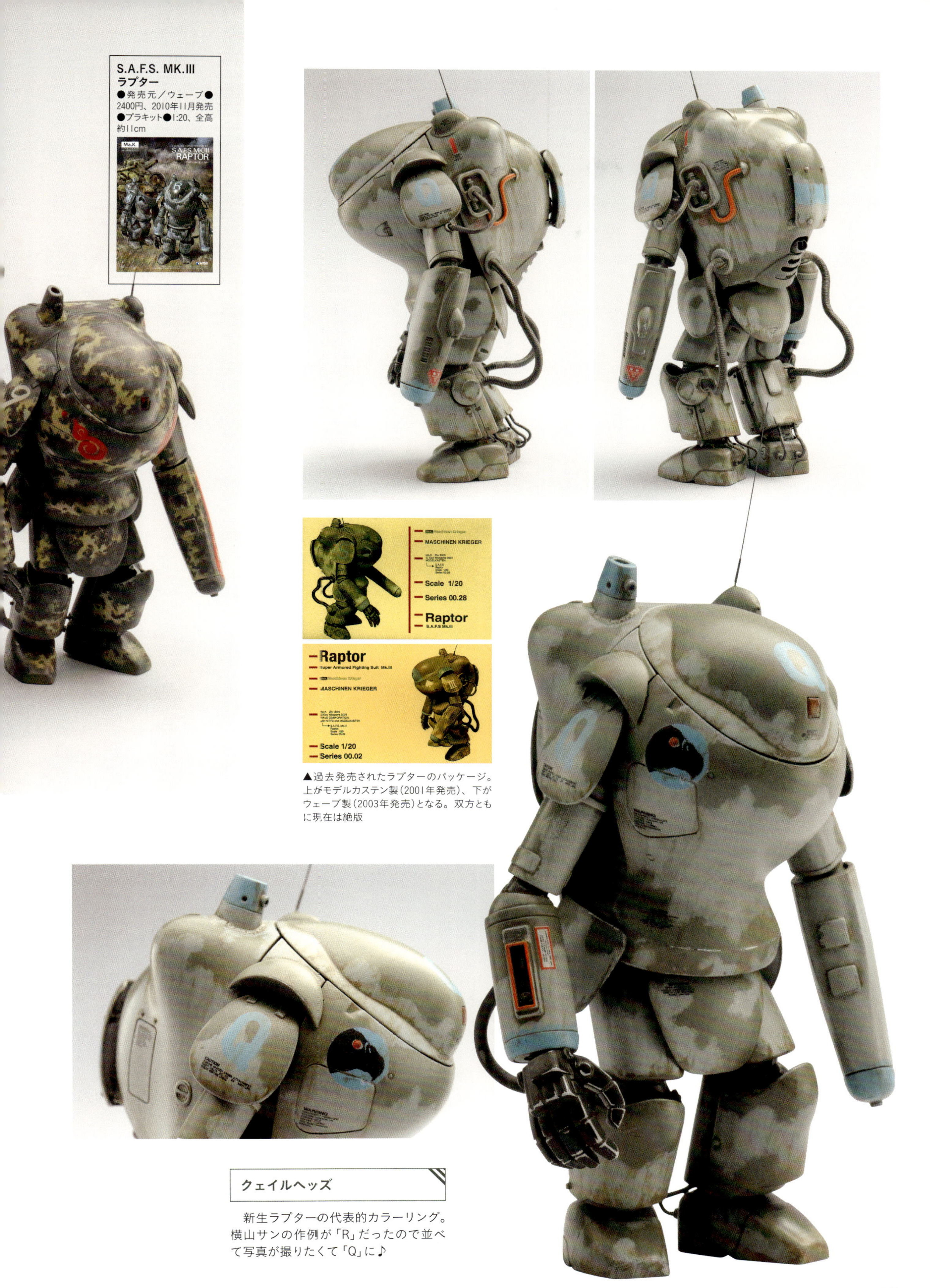

S.A.F.S. MK.III
ラプター
●発売元／ウェーブ●2400円、2010年11月発売●プラキット●1:20、全高約11cm

▲過去発売されたラプターのパッケージ。上がモデルカステン製（2001年発売）、下がウェーブ製（2003年発売）となる。双方ともに現在は絶版

クェイルヘッズ

新生ラプターの代表的カラーリング。横山サンの作例が「R」だったので並べて写真が撮りたくて「Q」に♪

ブラウンツートーン

やっぱりラプターというとこれは外せないかなぁと。いずれ作るであろうA8/R8とも並べたいですしね♪

人間無骨

な？ 人間？ 無骨？ カラーカードで一際目を引いたので思わず塗っちゃいましたよ（笑）。まんまと術中にハマったってことかな？

エーリッヒ・ハルトマン搭乗機（笑）

大好物の冬季迷彩。最強の機体ならやはりそれに相応しいエースを乗せたくなりました。なのでほぼヒネリなしでハルトマンのメッサーシュミットG-6のカラーリングをパクってみました（笑）。カッコいい〜♪

パイロットさん御一行

たくさん塗ると、ちょいと悩んじゃうのがパイロットさんたち。ひとつひとつ顔を作り替えられたら一番なんだけど、今回は時間なくて浅井君にも頼めないし（笑）。なので造形は同じ顔だけど塗りで別人に見せる!!　ってのをテーマに。2、3人なら肌の色と面相だけでけっこう別人感に出せること判明〜。なんちゃってもいいところだけど、ちょっと楽しいトライアル♪

ヘルメットバイザーもひと捻りすると個性が出せて楽しい♪　ハッチを開けたとき、皆おんなじだとちょい寂しいしね。

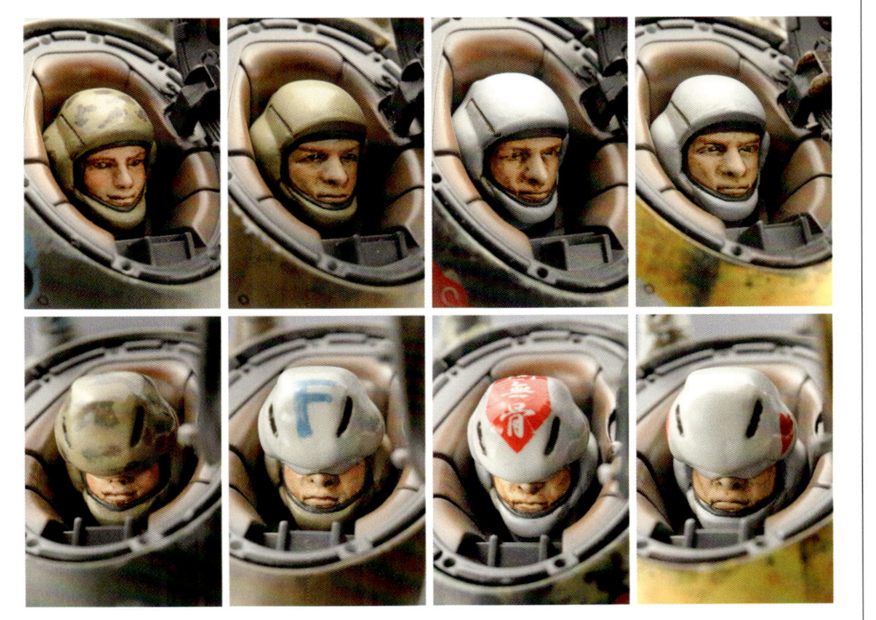

Ma.K. in SF3D EXPLANATIONS

傭兵軍次期主力装甲戦闘服 SAFS Mk.III ラプター

文／KATOOO（レインボウエッグ）

ラプターはAFS、SAFSに次ぐ傭兵軍の主力装甲戦闘スーツ。量産ラインに乗った傭兵軍地上スーツの中で最も完成度が高く、強力な兵器です。初出はオンラインゲーム誌「Play Online」2000年1月号のバンドデシネで、この時点で「ラプター」という名称はなく、すでに発表されていたスネークアイと形状が似ていることから、「地上用スネークアイ」と認識されていました。約半年後、「月刊モデルグラフィックス」2000年6月号にラプター（＝猛禽類：獲物を捕獲する鋭い爪とくちばしをもった鳥類）という名前で立体モデルが掲載。同号にはケーニヒス・クレーテ、ノイスピーネ、カングール、フンメル、A8/R8など『Ma.K.』以降の立体作品が大量に載り、興奮しながらページをめくったのを覚えています。

シンプルな卵形に近いSAFSに対し、ラプターはハッチや背面のふくらみが妙にエロティック。真横からのシルエットはなまめかしく、肩の後ろの突き出た部分と背面のカーブとのつながりが絶妙で、斜めから見ると実にマッシブ。その特異なシルエットには「この装甲スーツは強い」という説得力があり、「これが最新型のSAFSか…。すげぇ」と納得させられます。脱線しますが、25年前、中学の修学旅行先の京都で初めて350mlの缶ジュースを見て、「なんだこの太さ！　すげぇ。缶ジュースも新時代に突入か！」と驚きました（笑）。関西で先行販売していたんですが、それまで缶ジュースといえば250mlの細いヤツだったんです。ラプターを初めて見たとき、そんな太い缶ジュースの衝撃がよみがえりました。

ラプターは「SAFS Mk.III」という別称がありますが、「SAFS Mk.III ラプター」と「SAFS Mk.III」の違いについて説明を。新型SAFSの研究開発は宇宙用を優先し、先に「スネークアイ」が完成します。スネークアイは出力を増加した新機関部を備え、装甲＆武装を強化し、頭部ハッチに新型間接視認システムを搭載。この技術を地上用にフィードバックしたのが「ラプター」です。新間接視認システムを搭載せず、従来のSAFSに新機関部を搭載した機体は単に「SAFS MK.III」と呼ばれ、基本シルエットは旧SAFSに準じています。また、ラプターには右腕、腰のサイドアーマー、太ももがSAFS Mk.IIIと同型の極初期型があり、整備に手間がかかるため「ヌーサンス（＝厄介者）」と呼ばれた設定もあります。今回の新規金型によるウェーブ製ラプターは、不具合を改修後、量産された完全な「ラプター」になります。

新金型ラプターのパイロットのヘルメットは、2003年のウェーブ版と違い、スネークアイ型になりました（従来のヘルメットはブリックワークス製レジンキットが入手可）。横山先生に聞いたのですが、伝達時の行き違いで宇宙用が入ることになったそうです。ところが、「それはそれでおもしろい」と、宇宙用の高性能ヘルメットを使う地上部隊もあったという設定が加えられました。スネークアイからラプターが生まれたように、ヘルメットも宇宙用が地上用に転用されたことになり、実に興味深いです。

PLAY BACK NEW ITEM Jan.issue 2011

ナッツロッカー最新情報!!

サイズ、ネームバリューともに年末のビッグアイテムとして期待されているハセガワ製ナッツロッカー本体の完成見本が到着した。原型を手がけたのは『Ma.K.』キットの原型製作でお馴染みの脊戸真樹氏である。また今月は、同スケールで付属するグスタフ用のフィギュア原型も初公開！

▶本体右側のハッチが別パーツ化。内部から給油口が見える仕様だ

1/35 P.K.H.103 ナッツロッカー
●発売元／ハセガワ ●7200円、2010年12月発売●1:35、全長約30cm●プラキット

※パーツは試作品のため実際の製品とは一部異なります。
※カラーリング&マーキングは暫定版です。実際の製品とは異なる場合がございます

◀砲搭部。ライトにはクリアーパーツを使用。オプションでスモークディスチャージャーが付属する

▶付属するデカールは3〜4機分が用意されるとのことだ

◀底面のホバー部。横山宏氏監修による最新設定での立体化となっている

◀グスタフ搭乗用パイロットフィギュアは頭部が2種選択式となっている

第6回関東Ma.K.模型展示会開催！

毎年恒例となっている関東圏を中心としたマシーネンモデラーの模型展示会が今年も開催！
今回は参加数190作品と過去最大規模。多数の力作を基に次回の展示会に向けての作品作りの参考にしてみてはいかがだろうか。
詳細は以下の通り。

■日時：2010年11月27日（土）13:00〜18:30
■場所：大田区民プラザ
■交通:
東急多摩川線「下丸子」駅下車 徒歩1分
東急池上線「千鳥町」駅下車 徒歩7分

RAPTOR SAFS Mk.III LATER PART

WAVE 1:20
SCALE PLASTIC KIT
SNAKE-EYE,RAPTOR,
S.A.F.S.
CONVERSION
MODELED BY
MAX WATANABE

| Feb.2011 | No.012 |

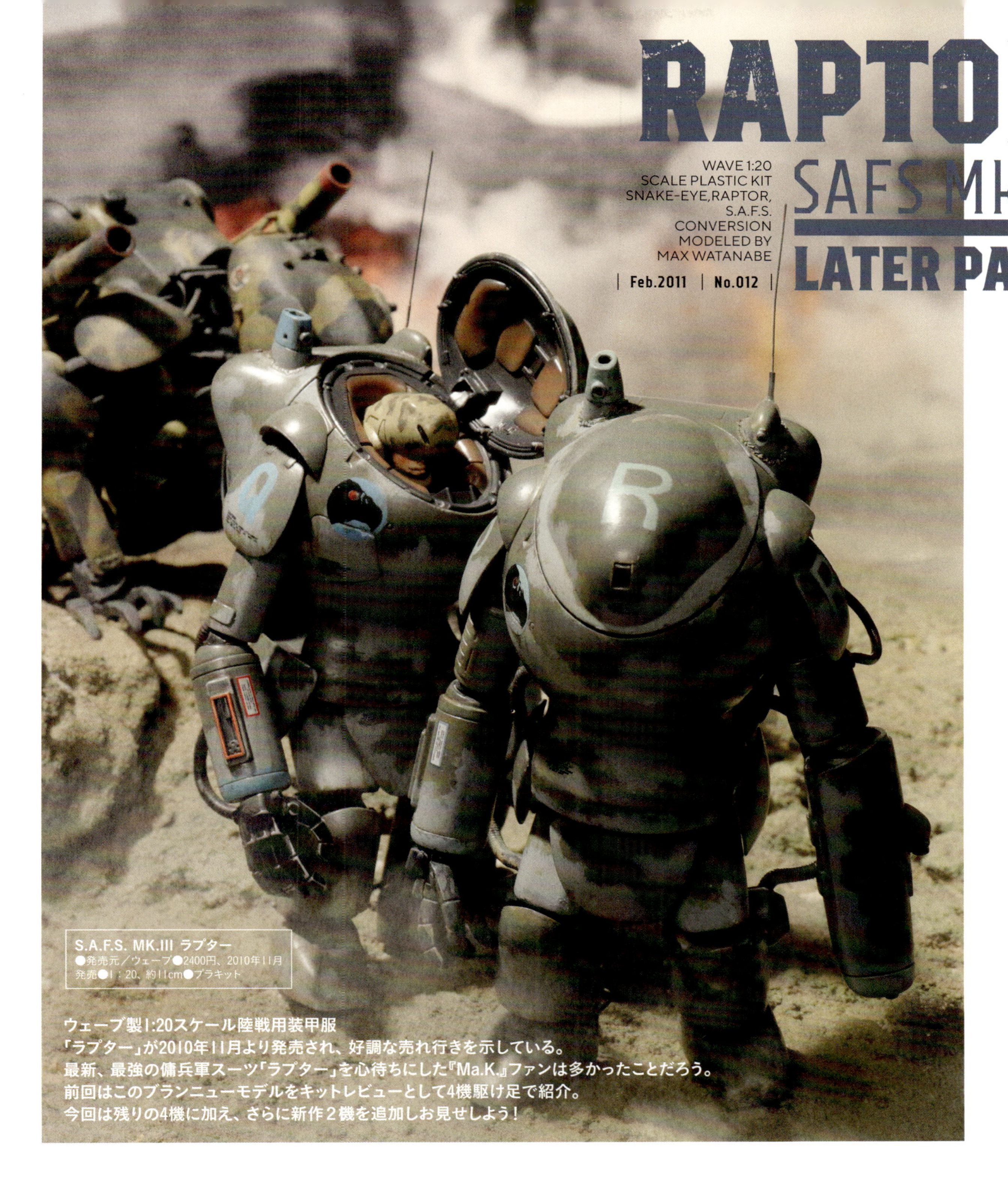

S.A.F.S. MK.III ラプター
●発売元／ウェーブ●2400円、2010年11月発売●1：20、約11cm●プラキット

**ウェーブ製1:20スケール陸戦用装甲服
「ラプター」が2010年11月より発売され、好調な売れ行きを示している。
最新、最強の傭兵軍スーツ「ラプター」を心待ちにした『Ma.K.』ファンは多かったことだろう。
前回はこのブランニューモデルをキットレビューとして4機駆け足で紹介。
今回は残りの4機に加え、さらに新作2機を追加しお見せしよう！**

ウェーブ 1:20スケール プラスチックキット

スネークアイ、MK.IIIラプター、スネークボール、ラプーン、BEM、ラプター

製作・解説・文／MAX渡辺

ラプター発売!!

ラプターが発売されましたねぇ〜!! 売れ行き絶好調とのこと、何よりでございますよ♪

今回は前回で背中だけがチラリと見えていた4機に加え、ちょっと面白いトライアルをした2機も見てもらいます。実はもう2機用意していたんだけど、あんまり多過ぎてもね（笑）。こちらはいずれかの機会にお見せします。

今回は前回のキットレビューとは少々趣向を変え、ちょいオヒネリのネタを行きます。SAFS系スーツバリエの可能性の一端をお楽しみくださいませ♪

各機作例解説

スネークアイ、SAFS、そしてラプター。3種のSAFSバリエーションのキットがプラモデルで手に入るようになったわけですね。しかもスナップフィット、ポリキャップ接続というスペックで。手間隙のかかる改造に手を染めずとも、これら3種のキットのパーツを組み合わせ、混ぜ合わせるコトで、色んな派生型が作れるではないですか！ という発想の基、いくつか試してみましたよ♪

▲横山、MAX、KATOOO3氏による作例を使った特撮カットはパッケージイラストを再現している

◀本松カメラマン入魂撮影！　カッチョ良過ぎて死にそうだぞ！！（MAX渡辺）

スネークボール

この機体、初出は1：16スケールのスネークアイの発売後にリリースされた弊社マックスファクトリーの製品（現在絶版）であり、なんといっても『Ma.K.B.D.』の表紙を飾っているのです。う～むイカす！　スネークアイのボディシェルを使いながら、頭部ハッチおよび視認システムはSAFS、というかファイアボールのそれです。　傭兵軍最強の宇宙用スーツ「スネークアイ」よりちょこっと性能が劣るところも、ある意味渋くてカッコイイ位置付け。機動力、武装はスネークアイと同等、劣っているのは視認システムのみですものね。で、こいつが導入された経緯ってどんなだろうって想像してみますと……新型の間接視認システムに馴染めない兵士がいたとか？　それってパソコンに馴染めないオジサンたち、みたいな？（笑）高価かつ複雑な新型システムの生産が遅れてとか？　こんな風に考えるだけでも楽しいですねぇ『Ma.K.』♪

さて工作。ハッチはSAFSから流用、エクサイマーレーザーはラプターから拝借♪　以前作って複製したファイアボールのセンサー（カメラ？）を取り付け、右後方のこれまたセンサー（シュノーケルカメラ？）をSAFSのそれを接着面でやすって薄くして取り付けました。ちょっと幅が薄過ぎましたけど（笑）。これっきりの改造であとは全部ストレート組み♪　なのにこんなにカッコいい♪♪　素晴らしい♪

塗装は全筆塗りです。ベースグレーの上にまずは濃い方のグレーを塗るのがこのカラーリングでは絶対オススメです。ファイアボール＆プラウラーでは緑味の強いウォームグレーを塗りましたので、こいつにはちょっと冷ための青味の強いクールなグレーを使いました。オフホワイトは黄色や緑味の入った暖かい印象のミルキーなホワイト。コレを塗ると心が和みますねぇ。隠蔽力はあんまり高くないので、良い筆ムラが残りタッチが入れやすくてこれまたグッドです。アクセントの赤はルナダイバー付属のファイアボールSG風ですね。どうです？　イカすでしょう？♪♪

ラプーン＆ラプター
ブルーヘッド機

モケイ史に残る名著『横山宏Ma.K.モデリングブック』の表紙を飾った、1:16スネークアイ改造作例の「ラプーン」。挿し色の青がカッコ良過ぎるので、ラプターが発売されたアカツキには必ずやろうと決めていたモチーフです♪　ラクーンの作例を作った折りに複製したパーツを使い組み上げました♪

しかし「ラプーン」って……ラプターのラクーンだから、ラプーンって（笑）。冗談みたいな名前ですけど制式名称なようで、流石は『Ma.K.』ワールドでございますよ♪

やはり部隊っぽく2機並べたくなったので、ノーマルのラプターも同一カラースキームで塗りました♪　う〜む。メチャクチャイカすカラーリングですよねぇ〜♪

BEM (Big Eye Monster)

さて、スネークボール、ブルーヘッドを組んだら色々とパーツが余ってしまいましたよ（笑）。若干途方に暮れつつ、パーツを眺め、焼酎ロックを一杯。

何気にSAFSのシェルに新型のハッチを…… なんだコレ、面白い!!　敢えて評するなら「水木しげる系フォルム」とでも申しましょうか♪（笑）。

エンジンは従来のSAFSですから低出力。しかし最新の間接視認システムを搭載して高精度索敵能力を獲得。スネークアイのエクサイマーレーザーを付けてなかなかの攻撃力も。これ強いのか弱いのか判んないですよね（笑）。たしかスネークアイって地球上の作戦に参加したことがあったような？　なので、その時のパーツを流用して組み上げられたってのもアリかも♪　なんて想像も楽しいですよね。

塗装はというと、オリーブドラブに近いグリーングレーをペトペトと塗ったあと、ルナティックフラッシュに色味の近いオフホワイトで塗り分け。迷彩ラインはクェイルヘッズとほぼ同一のパターンで入れてみました。なにかインパクトが欲しいと思いしばし思案。思い立ってアタマに赤を入れたら、ちょっと面白くなってきました。ボディシェルの迷彩ラインがクチに見えないこともないなぁと感じたので、スネークアイ付属の巨玉デカールをハッチにペタッと。神が降りて来た瞬間でした（笑）。スゲー！　面白い♪　と自画自賛、即採用です。密林とかでこんなのに出くわしたら座りションベンどころじゃないですよね。全然理屈通じそうにないし。

横山サンからBEM (Big Eye Monster)＝「ギョロ目の怪物」と命名いただきました♪

こんな風に行き当たりバッタリで塗装を進めるのも『Ma.K.』モデリングの楽しみのひとつです♪

第441装甲猟兵連隊R中隊
ケン・キャンベル少尉機

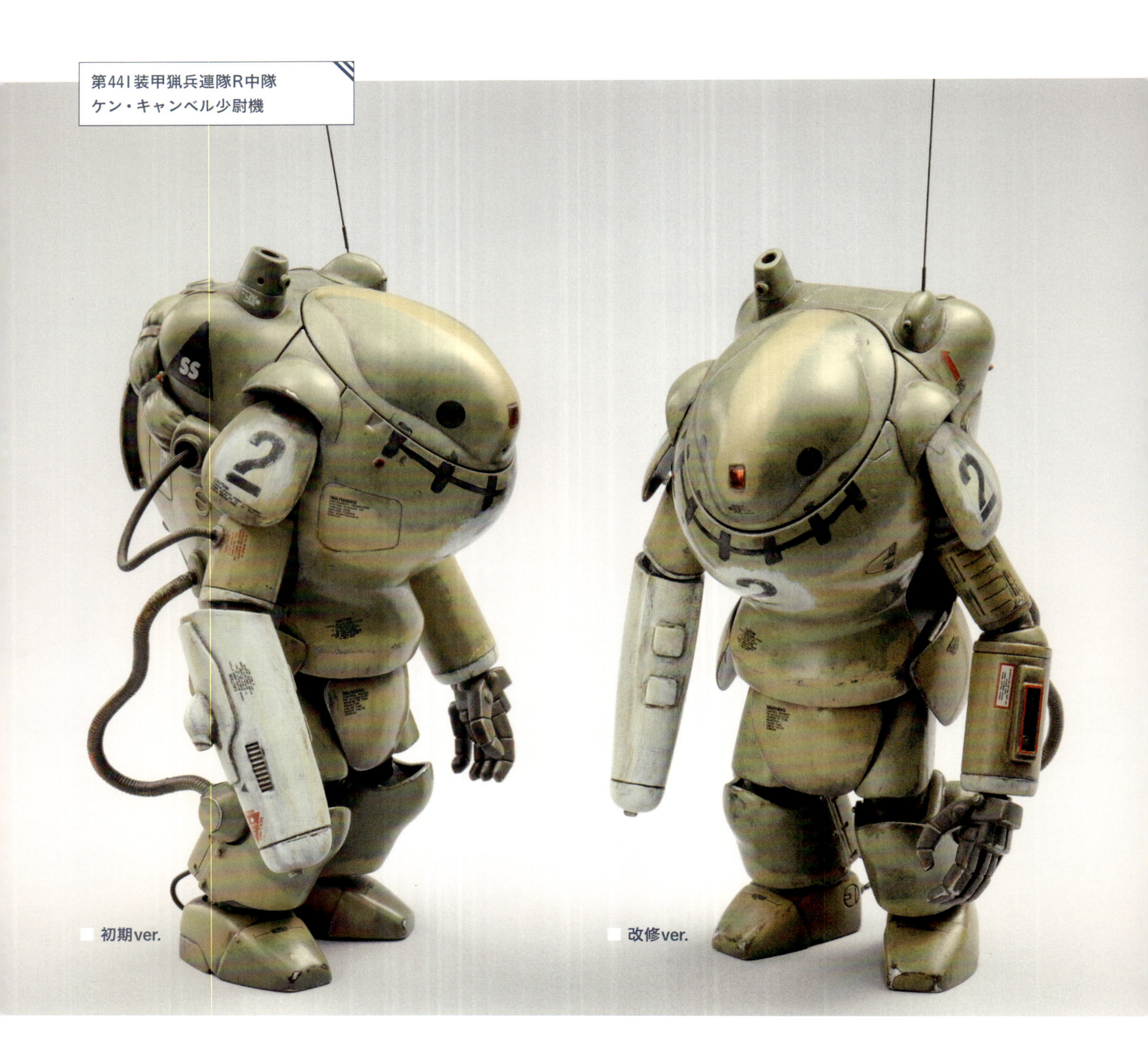

■ 初期ver.

■ 改修ver.

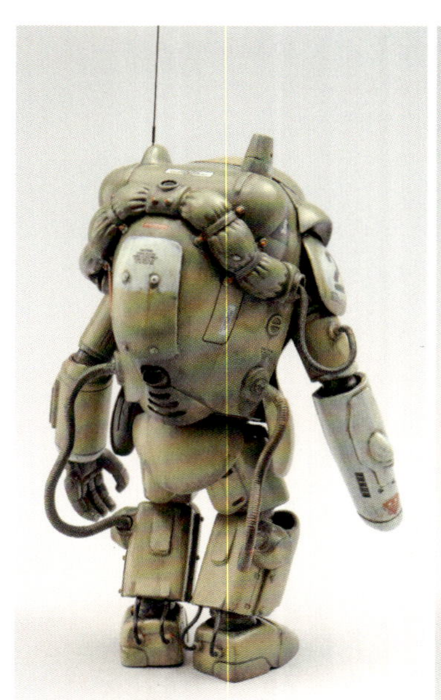

「“義手のエースパイロット”として有名なキャンベル少尉は、義手が右腕だった為複雑な操作を要求されるマニピュレーターを左腕に、エクサイマーレーザーを右腕に換装した特別仕様のラプターを使用した」

ネタ探しをしていたところ『Ma.K.』デザイナーの1人清水圭さんがウェーブのラプター発売に合わせて再リリースしたデカールセットにこんな機体が設定されておりまして、これは面白いじゃないかと。左右の腕の装備を付け替えるというネタは安易だけども効果的。ただ左右をひっくり返すだけでは模型芸人の名が廃ります。実際にやるとしたらどんな風だろう？　何か弊害とかないのかなぁ？　などと考えを巡らせること数分、慣れないことはするものじゃありませんね、アタマが沸騰してしまいました（笑）。『SF3D』歴は無駄に長いものの『Ma.K.』初心者なMAX渡辺（模型芸人）はすぐに人を頼りにするクセがあります。

「こういう時は見識の高い人に聞いちゃうのが一番手っ取り早い!!」

そんなわけで清水圭さん、そしてレインボウエッグのKATOOOさんという『Ma.K.』ベテランさんに教えを乞うことに♪　迷惑にもほどがありますね（笑）。すぐさまお二人からお返事をいただきましたところ、見事にやり方が違う!!　これは面白い!!　というわけで両方とも再現してしまおうと思い立ち、今回の2機追加となりました。

KATOOO案 初期ver.

KATOOO案はケーブルを延長して右側に回すいわば「延長案」。対する清水案は、左側面の接続部を塞いで右側面に移設する「移設案」。両方とも採用されたならば……まず試されるのはKATOOO案かと。元々のラプターを大きく弄ることなく、現地でメカニックたちが改修した雰囲気が出せそうで良いではないですか♪　イラストまで描いていただいたのでこれを元に進めました。エアコンのダクトとかを壁に這わせるようなイメージで動力ケーブルをダウンジャケットみたいなカバーで保護しつつグルリと右側に回しました。エポキシパテ製。モコモコして背中がボリュームアップし、不思議な魅力が出た気がします。

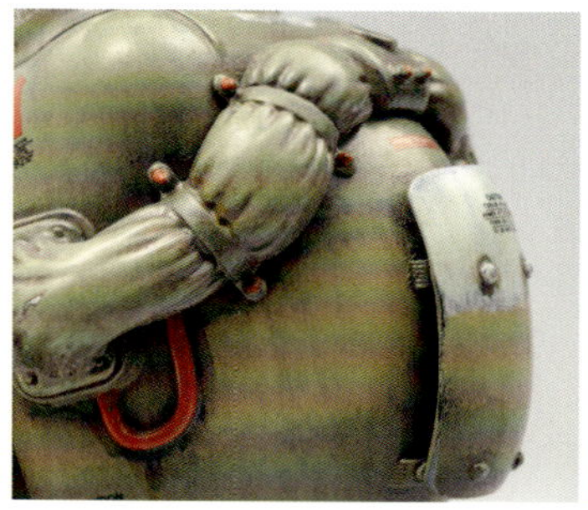

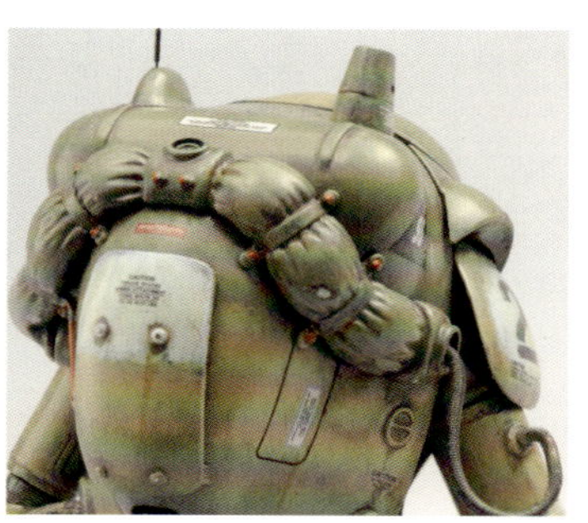

清水案 改修ver.

きっとKATOOO案では何かしらの不都合があったのでしょう。左側のケーブルコンセントは外され、装甲は塞がれます。そしてシェル内部でどうにか取り回しを工夫しつつ、外したコンセントを右側に。そう、コレはKATOOO案の機体を改修して清水案にした、という作例なのでした。つまりは同一の機体の使用前使用後。塗装もちょっと時間経過でボロっちさを増し、タレを強くしています。そんな演出のひとつとして、カバーを外した跡なんかも残しました。

同一の機体なのに隣同士に並べられるのも、模型ならではの妙味ですよね♪

▲清水圭氏のブログで販売していたラプターのデカールセットに収録されているケン・キャンベル少尉機の正面塗装図

ヘルメット

ところで、こういう改修って実際の戦時ではどうなんでしょうね。戦果を上げてくれるエースのワガママもコレくらいは聞いてくれたんでしょうか？　『Ma.K.』世界でいうなら、いわゆる利き腕が違うレフティなパイロットってけっこういそうな気もしますから、現地改修キットとしてこういうレフティ仕様の機体ってのは他にもあったかも、とか。

このラプターによって、少尉は停戦までを生き抜き、停戦後はオーストラリアで牧場主として成功した、という文で結ばれているケン・キャンベル機の解説に合わせ、ヘルメットバイザーには牛をあしらってみました♪

下地塗装に新しい試みを

筆塗りの楽しさに目覚めてしまった模型芸人は、もっともっと色んな色味を塗装面に感じたくなってしまいまして。色々と考えを巡らせた結果、こんなことになりました!!　ベースグレー地の上にオレンジ、ブルー、グリーンなどを実にランダムに、つまりはメチャクチャに塗りたくるのです。これを施した面に本番カラーを重ね塗りすると、実に多様な表情の色味が現出してきます。下地の変化、影響が表出するわけですよね♪

パレットや塗料皿の中だけでなく、模型の表面でも色が作られていくような塗り方。模型を絵のキャンバスに喩えることは良くありますが、このやり方はそれと同時にパレット扱いもしてしまう、とでもいいましょうか？　絵画の世界ではフツーにやられていることらしいのですが、僕はそちら方面の知識が悲しいほどないので知りませんでした（苦笑）。この出たとこ勝負な意外性、クセになりそうです。これからもまた趣向は変化していくと思いますが、2010年12月現在の下地はこれってことで♪　皆様良い御年をお迎えくださいませ♪

Ma.K. in SF3D EXPLANATIONS

SAFS Mk.III
ラプター・バリエーション

文／KATOOO（レインボウエッグ）

傭兵軍地上用主力スーツとしてSAFSに替わって量産されたラプターは、SAFS同様、現地改修レベルを含むいくつかのバリエーションが存在します。

傭兵軍では、地上でも宇宙でも通常の装甲スーツに対し一定の割合で偵察特化型スーツが生産・配備され、通常型とともに行動します。シュトラール軍では偵察は基本的にノイスポッターなどの無人兵器の任務ですが、傭兵軍では主に偵察型の有人スーツが担うところが対照的です。息を潜めて秘密を探るパイロットの緊張感が加味されるからでしょうか、偵察用スーツが好きな方は多いのではないでしょうか。ラクーンやブラウラーは左腕がマニピュレータの非武装偵察型でしたが、スネークアイの偵察型「シーピッグ」やラプターの偵察型「ラプーン」など最新型スーツには、左腕がレーザーガンのタイプも登場。エンジン出力の大幅なUPを踏まえると、戦術的に“固定武装を持った強力な偵察型”の導入はいたって合理的。2005年にラプーンが初めて掲載された「Ma.K.B.D.」（大日本絵画刊）では、固定武装付きラプーン、両手マニピュレーター＆ノーマルハッチのラプーン、固定武装のない突撃型のA8／R8の3機で行動していてとても斬新でした。なお、今回のMAX渡辺さんの作例のように両腕マニピュレータ型のラプーンもあり、出力UPに伴い、戦況に応じて左腕を武装／非武装に換装していたと想像すると、また楽しくなります。

ラプーンは初出時に名称がなく、母体となるラプターと偵察型ラクーンの名前をもじって、いつからか「ラプーン」と呼ばれるように（笑）。少々弱々しく、洋菓子のような不思議な響きの「ラプーン」という名前と、装備品がゴチャゴチャ付いた強そうなシルエットとのミスマッチがなんともいいのです。ちなみに、「Ma.K.B.D.」などに掲載された頭部がラプター型ではないノーマルハッチのラプーンは「SAFSに形が似てるからSPOON（スプーン）にしよう！（笑）」と撮影当日、横山先生のひと声により名称が決定しました。

ラプターの頭部ハッチには新型間接視認システムが搭載され、ユニークなシルエットのバルジ（ふくらみ）ができています。複雑な曲面と先端の四角いレンズ部分の対比が洗練されていて、キットのハッチをいろいろな角度から眺めて実際に指でなでていると、この曲面のもつ得体の知れない魅力に吸い込まれてしまいそうです（笑）。この新型ハッチは『Ma.K.』となってからの傭兵軍を象徴するアイコン的な部位といえるでしょう。高性能な新型間接視認システムが搭載されるわけですから、パイロットや兵器開発局は「従来機に新型ハッチだけでも換装したい」と考えるはず。そして、従来型も新型も底部分は同じ形状なので、付け替えが容易なことが最大の利点となります。模型でいえば、シルエットが一気に変わる魔法のようなパーツ交換なのです。今月号でMAXさんが製作した新型ハッチ搭載SAFSやスネークボールを見れば一目瞭然。グラジエーターの新型ハッチ装備タイプもノーマルハッチと異なる表情を見せ、実にカッコいいのです。

機体名称も特につけられないような現地改修的なバリエーションは、それこそ兵器の数ほどあるのでしょう。その中でも、横山先生がラプターにAFSのマニピュレータを付け替えた作例は簡単かつ効果的。シュトラール軍無人兵器は傭兵軍スーツのマニピュレータから出るノイズによって、どの機体かを判断するという設定があり、敵を欺くため、ラプターはAFSの右手を付けているのですが、丸指が意外性のあるアクセントになるのです。

今回、MAXさんは右腕と左腕を入れ替えたラプターを2体製作していますが、この機体の設定は『Ma.K.』キットのデカール製作を担当している清水さんが自身のブログ「BEARHUG」で現在通信販売していた1:20「ラプター」デカールセットに収録。私のアイデアもMAXさんに採用していただき、非常に丁寧でカッコイイものを作ってくださったので、とても感謝しております。ちょっとした設定を考えながら、パイロットや所属部隊に合わせた機体になるよう、シミュレーションしていくのは『Ma.K.』の醍醐味ですね。

PLAY BACK NEW ITEM Feb.issue 2011

WF会場限定アイテムのエレファンテンが一般販売へ

『SF3D』連載終盤に登場したシュトラール軍の大型4足歩行戦車「エレファンテン」が一般版権商品として販売。キットはワンダーフェスティバル2010[夏]の会場で限定販売されたもので、高品質なスクリーン印刷のデカールに加え、通信販売の追加特典として、増加装甲やロケットチューブなどの新規パーツ、フィギュア2種、塗装カードを新たに付属。さらに横山宏氏による未発表のエレファンテン・ラフスケッチや彩色版のイラストも同封されている。レインボウエッグのサイト（http://www.rainbow-egg.net/）で購入可能だ。

シュトラール軍大型4足歩行戦車 エレファンテン
●発売元／レインボウエッグ●26000円、2010年11月発売●1:35、全高約24cm●レジンキット●原型製作／KATOOO

横山宏氏による完成見本を大公開!!

ついに発売となったハセガワの1:35ナッツロッカー。今月は横山宏氏によるナッツロッカーの完成見本と先月紹介できなかったグスタフ、メルジーネの完成品とともに新たな商品詳細をご覧いただきたい。

1/35 P.K.H.103 ナッツロッカー
●発売元／ハセガワ●7200円、2010年12月発売●1:35、約31cm●プラキット

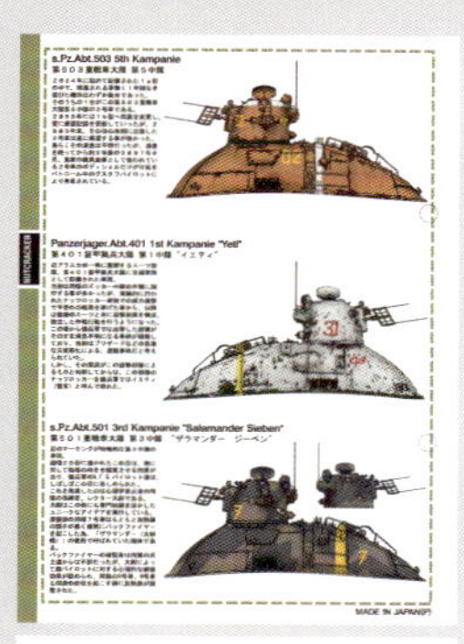

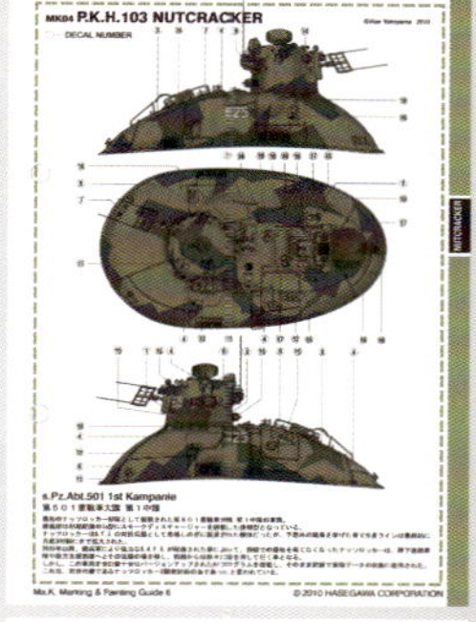

▲『Ma.K.』のキットではお馴染みとなっている塗装カードはもちろん同梱。デカールは描かれている4機分が付属し、グスタフ、メルジーネのものも用意されている

▲横山宏氏監修の下、最新設定で立体化された底面ホバー部。脊戸真樹氏が原型を務めている
◀付属する本体と同スケールのグスタフ、メルジーネ。写真はハセガワによる完成見本となる。ノイパンツァーファウスト、パンツァーシュレックを選択式で装備できる

『SF3D』連載時に登場したパイロットフィギュアをリニューアル！

1:20スケール『Ma.K.』フィギュアのレジンキットを多数手がけるブリックワークスが初の男性フィギュアを展開。日東製SAFSのキットに付属し、『SF3D』連載時期の弊社店舗ポストホビーの広告にも登場したあのおじさんフィギュアをディテールアップを施しリリースする。機体に手を添えて微笑むポーズと親指を立てているポーズの2種を選択できるコンバーチブル仕様となっている。写真は横山宏氏による完成見本。

Hello,I'm back！帰ってきたS.A.F.Sパイロット
●発売元／ブリックワークス●3350円、2010年12月発売●1:20、全高約9cm●レジンキット●原型製作／林浩己

▶▲同社からリリースされているロベス貴子フィギュアと揃い踏み。メカだけでなくフィギュアとの組み合わせも面白い

『Ma.K.』複製原画の誌上限定通販が決定！！

これまで青森県、静岡県で開催され、島根県立石見美術館でも催されているロボットの展覧会「ロボットと美術」のミュージアムショップで販売されている『Ma.K.』の複製原画を、島根県での展覧会終了後に弊誌限定販売されることが決定。完全受注生産で各限定50枚。4色から選べる額縁入りで、本人直筆のサイン入りだ。

マシーネンクリーガー S.A.F.S.、ガンス、クレーテ、キュスター＆フードリッヒ
●発売元／キャラアニ●各38000円、2010年12月発売●約41.6cm

「Ma.K. in SF3D ARCHIVE」vol.1収録 2010〜2011年の作例を振り返って…

現在は筆塗りモデラーの側面が強いMAX渡辺氏だが、「Ma.K. in SF3D」連載当初はエアブラシ塗装を主体にキットを製作。当時の作例を原作者・横山宏氏と振り返った対談をお送りしよう。

きれいなだけの線や面には目がいかない

横山：連載当初の記事を今読み返してみると、MAXさんはエアブラシの使い方とか凄く上手いじゃないですか。1回目のルナダイバーから気合い入って、エアブラシだけでここまで仕上げてる。画面でどういうふうに見えるかも考えて写真撮ってるし、エラいねえ。

MAX：ほめたって何も出ませんよ（笑）。僕がこの連載を通じて気付き、確信したことがあります。それは、きちんと塗り分けした線ってきれいに塗れてるってだけで、それ以上の魅力を感じないってこと。だけどヨレヨレした線は気になって注目しちゃうんです。僕自身、きれいなだけの線にはあまり興味が持てないんですね。塗装面もおんなじで、たとえば白できれいに均一に塗られた面は見る必要がなくなってしまう。

横山：人間も生物だから、明度差があるところにしか目がいかないのよ。

MAX：ムラが変化してると見ちゃうじゃないですか。「あ〜こういうのいいな」って思うんですよ。

横山：生物って明るいところや暗いところに向かうのが基本行動だから、人間も明るいところと暗いところを探すんです。模型もカタチばっかり気にしてしまって明るさと暗さを意識しない人が結構いますね。

MAX：意識するだけでも変わりますよね。

横山：全然違いますねえ。絵画では明るいところと暗いところを作るのがすべてといっていいくらいなんです。

MAX：立体物もまさにそうですよね。

横山：はい。とっても大事なんです。

MAX：このグールスケルトンのハッチ（053ページ参照）、上手くないですか？　ドクロも鉛筆で下描きしてからエアブラシで塗ってるんですよ。筆を使わずに。

横山：上手だねえ。エアMAXですね（笑）。

MAX：ここで筆を使わない僕はかなりのヘンタイですね。でもこれはこれですげえや（笑）。

横山：エアブラシと筆の両方できるからスゴいですよ。

レインボウ下地塗りのヒント

MAX：この本に僕が今やってる“レインボウ塗り”っていう下地をいろんな色で塗る技法のヒントになった塗り方が載ってるんです。ファルケのグリーンの識別帯を塗る時（028ページ参照）の横山さんのアドバイスから着想してるんですよ。

横山：塗る色の補色を先に敷く話ですね。

MAX：はい。レインボウ塗りのヒントは2つあって、一つめのヒントは、娘の描いた「引っかき絵」で、下地にいろんな色を塗ってから黒で全部塗りつぶして釘とかで引っかくと色が出てくる絵ですね。そして横山さんから「オレンジを先に塗っておくとグリーンの発色がよくなるよ」って教えてもらったんですが、そんなこと考えたこともなくて。それまできれいに発色させるには、下地はできれば真っ白がいいって思ってましたから、上から塗る色は下地の色にどれだけ影響されるかってことを再確認させられたんです。実際に塗ったらびっくりするくらいの緑になって「へぇ〜!!」ってなって。そこからいろんな色を下地に塗ってからその上に色を塗ったら変化するなと思ったのが今やってるレインボウ塗りなんです。だからこのグリーンの識別帯のファルケはエポックメイキングなんですよ。

横山：今ここにあるわしが塗った白い1:35ルナダイバー（ホビージャパン2018年5月号掲載）もRLM02グレーの上に赤茶を塗ってるの。これもそのファルケと同じで補色の上に塗ってるわけだけど、全部塗りつぶさないで補色のRLM02を少し残してハレーションを起こすようにしてるんですよ。

MAX：すべて塗りつぶさないのが塩梅いいんですね。

筆で塗ることの快感

MAX：最初の頃はエアブラシで塗ってたけど、クレーテの頃から筆塗りに開眼して。軍門に下ったんです。横山軍団の（笑）。

横山：筆使ったほうが便利でいいもんね。

MAX：シンプルに「こういう塗装がしたいんです」って横山さんに言ったら「だったら筆でしょ」って突き付けられたんです。横山さんが筆で塗ってる感じをエアブラシでやろうとして必死だったんですから。その代わり、ずいぶんエアブラシの技術も開発しました。クリアーでコートして削っていくとか。だけど筆でやったほうが上手くいくし、何より筆で塗ること自体が楽しくなってきたんです。

横山：筆で塗るのはエアブラシと違って模型に直接タッチするから中毒になるんですよ。「月刊ホビージャパン」で筆塗り特集（2017年12月号）をやったけど「筆でいいじゃん」っていうモデラーが増えてるんだね。

MAX：めちゃくちゃ増えてます。飛行機モデラーが相当筆で塗るようになりました。僕らの功績、デカいですよね。筆塗り特集号で僕と横山さんが表紙になったのは間違ってなかった。

横山：ホントにそう。そのうちF1を筆で仕上げてみせるよ。

MAX：F1ですか…。

横山：すごくいいの出来ますよ。

MAX：確かにそれが出来ないと車のプラモデルは面白くならないですね。カーモデラーの皆さん、上手過ぎて見てるだけで「これでいいじゃん」ってなっちゃう。車の模型は今あんまり興味が持てないけど、筆で仕上げられたら面白いかもしれない。

横山：リアルに汚れた車とか筆塗りで仕上げたいですね。

MAX：僕もいっしょにチャレンジしたいです。

横山：やりましょうか。新しい話が出てきましたね。SF映画のプロップも筆で汚しを入れると画面にちゃんと映るんですよ。だから筆はいいよね。話は変わるけど、MAXさん、1:16でマシーネンのプラモデル出してよ。1:16だと筆で出来る事がものすごい増えるんです。

MAX：わかりました。1:16ですね。

横山：1:16がいいよ。1:16でいきましょう。

「ホビージャパン・モデルグラフィックス合同
マシーネンクリーガー模型コンテスト」全作品掲載!!

2010年10月14日〜17日の4日間、幕張メッセで開催された「第50回 全日本模型ホビーショー」にて結果発表を行なった「ホビージャパン・モデルグラフィックス合同マシーネンクリーガー模型コンテスト」。本誌においてまだ発展途上な連載でありながら113点もの作品が集まり、このコンテンツに対する熱量の高さをあらためて認識させられた結果となった。　ここでは当時会場で展示された受賞作と、応募作を紹介。一つ一つの作品に添えられた原作者・横山宏氏、そして連載を担当しているMAX渡辺氏のコメントも合わせてご覧いただきたい。

※受賞者の年齢は応募当時のものです。

| Jan.2011 | No.011 |
| Feb.2011 | No.012 |

最優秀賞

ウェーブ 1:20スケール
プラスチックキット クレーテ改造
対空型クレーテ フラッククレーテ
とまそん(37歳・東京都)

自動対空砲としてクレーテを妄想するにあたって、機関砲の基部はどうしても大型化するので、フレームを継ぎ足しているというところから生み出しました。工作よりも塗装に重点を置き、サビ・塗装はがれにはアクリルガッシュを使いました。(とまそん)

横山:これ対空砲付いてますよ。上手。対空砲付きがいいねぇ。あ!そういうイラスト俺描いたなぁ。
MAX:ありますよ、うん。ありますあります。
横山:こないだ復刻したから思い出したけど(笑)。いいですねぇ。
MAX:見事に上手いですよ。
横山:上手いですねぇ!　やらしいねぇ〜(笑)。これ欲しいじゃないですかね。
MAX:上手だなぁ〜。
横山:すごいなぁ〜。これ絶対賞だ!

MAX渡辺賞

ハセガワ 1:20スケール プラスチックキット
ファルケ エクサイマーレーザーガン改造
レーサーファルケ feat,GSR
トキハマジロー（28歳・東京都）

流行の痛車仕上げにしてみました。デカールはGSRさんのものです。パイロットのお姉さんはレースクイーンに見立てております。（トキハマジロー）

MAX:綺麗なおねえちゃんも居ますよ。これグッドスマイルレーシング賞ですよ。
横山:上手いねぇ、これ。
MAX:自然光だとやっぱり本物っぽく見えちゃうね。
横山:このデカールはなんなの？ あるの？
MAX:うちのグループの商品です。
横山:渡辺くんとこがスポンサーになっているレーシングカーにこれ貼ってあるの？
MAX:そうですそうです。
横山:そりゃーみんなびっくりするだろうねぇ。
MAX:うれしいですねぇ、これ。このファルケにはってくれるのが嬉しい。
横山:うれしいですねぇ。これMAX渡辺賞をあげるといいんじゃないですか？ それこそハセガワさんここのデカール入れてだしたらどうですか？
MAX:いいと思いますね。

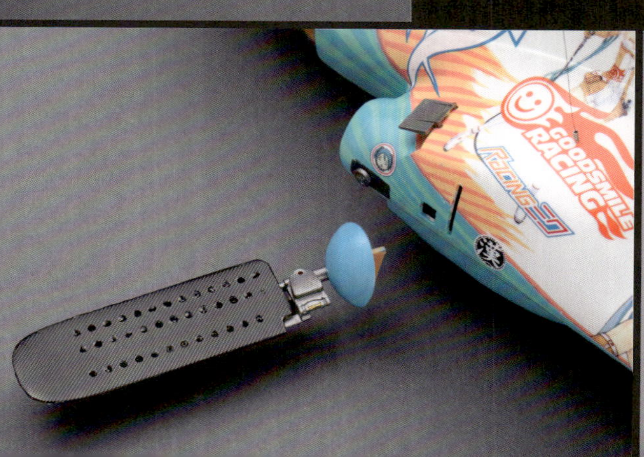

横山宏賞

ハセガワ 1:35スケール
プラスチックキット
ルナダイバースティングレイ改造
GO!! Dive!!! ルナダイバー
tana（42歳・埼玉県）

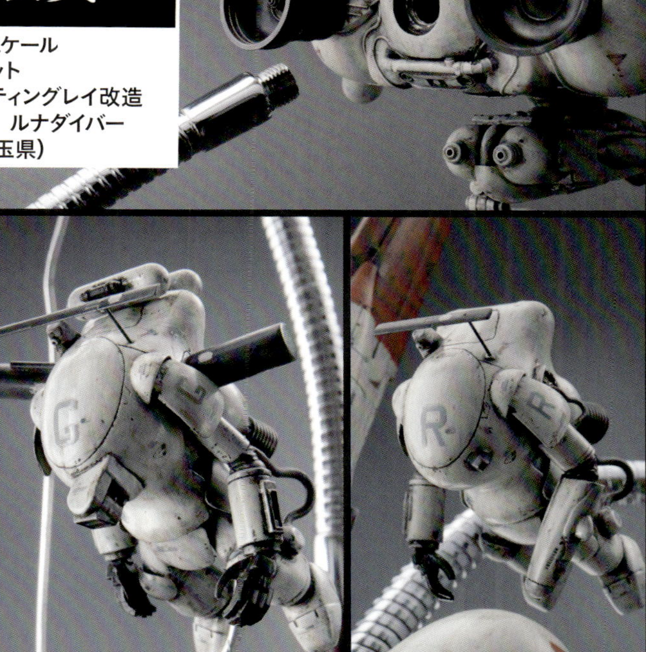

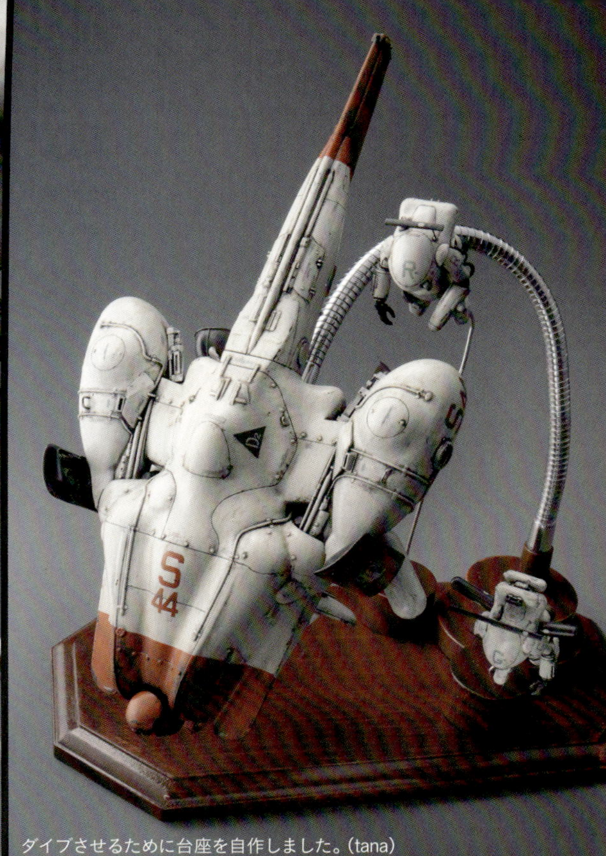

ダイブさせるために台座を自作しました。(tana)

パッケージアートがあまりにもカッコよかったので、なるべく近づくように作りました。(tana)

ハセガワ 1:20スケール ファルケ
エクサイマーレーザーガン改造
ファルケ
tana（42歳・埼玉県）

ウェーブ 1:20スケール
スーパージェリー改造
スーパージェリー
tana（42歳・埼玉県）

冬季迷彩が好きなので塗装がんばりました！(tana)

ディテールアップをしていますが、ほとんど素組です。その分塗装に力を入れました。(tana)

ウェーブ 1:20スケール
プラスチックキット
クレーテ改造
クレーテ
tana（42歳・埼玉県）

プロファイルにのった新型のグールスケルトンを少しアレンジしてみました。(tana)

ウェーブ 1:20スケール ファイアボールSG＆スネークアイ改造
グールスケルトン
tana（42歳・埼玉県）

横山:上手い!!
MAX:上手いですね。
横山:普通になんかねぇ、ワシの作った作例にほぼ近いような。上手〜。こまっちゃうなぁ。
MAX:凄くいいですよ。
横山:もうね、みんなね、ワシから習うことは無いよ。
MAX:(爆笑)。というか、いただけるじゃないですか。色んなものが。僕相当いただけてますよ。
横山:渡辺くんまた上手くなっちゃうね。この人のタッチいいですねぇ。チッピングにコントラストがあって。
MAX:強くコントラストだすんですねぇ。
横山:あ、これも上手い！ これ1:35でしょ？ 源蔵君の作例より良いんじゃないの?(笑)
MAX:そんなこと言っちゃあいけません(笑)。
横山:エッジの立て方も上手いし。輪郭にチッピングで黒入れていくってのは、日本人が一番得意としてるの実は。輪郭があってそこに色を塗っていくって日本人得意じゃない。
MAX:そうですねぇ。僕の塗り方もそっちですからねぇ…。
横山:渡辺くん塗り！ ちがうか(笑)。
MAX:渡辺くん塗り(笑)。MAX塗りならぬ(笑)。

ホビージャパン・モデルグラフィックス合同 マシーネンクリーガー 模型コンテスト参加作品紹介

続いて入賞作を除いた応募作品を紹介。入賞を逃したとはいえ横山宏氏、MAX渡辺氏を唸らせた力作ぞろい。その出来映えを確認いただきたい。　入賞作と同様に両名によるコメントが1作品ごとに付けられているので、応募者は特にチェック！

1 UNDER WATER•SAFS 水中戦仕様
宇榮原(41歳・福島県)

MAX:なんと。水中用だったんですね これ。
横山:上手いね。
MAX:モコモコしてますね。
横山:使ったパーツもさ、何気にノズル裏返したりとかさ、手馴れてるのが上手いね。

2 古参兵Mk.I
tana-p (47歳・神奈川)

横山:あ〜もう素晴らしいですねこれも。しかもタイトルが「古参兵」で、本人の年齢も47歳という良い感じのベテランで。
MAX:「20ウン年ぶりに完成させました」ですって。
横・MAX:素晴らしいですねぇ〜。

3 出歯
U-j (京都・30)

横山:あ〜、出っ歯ですか。そっちできましたか(笑)。上手なんですけどね。
MAX:上手いんですけど(笑)。
横山:無意味に上手いんでいいですよねぇ。この色の配置もね、なんか上手いしね、うん。良いよねぇ。

4 ポーラベア

5 1:20スケール ガレージキット シュトゥルム・ケーファ
佐藤純平(33歳・兵庫県)

横山:ホント絵みたいですね。タイトルを「ポーラベア」にしとくともったいないので、「スターリングラード」で(笑)。シュツルムケーファーも凄く良いんですね。
MAX:変えちゃうんですか(爆笑)。

6 世界で一番運の無い男
上野智之(40歳・兵庫県)

横山:このクシャってなってるとこ、これアルミかなにかで表現？　これ炙るんですか？
MAX:どうやって作ったんでしょうねぇ？
横山:もうまさにこれは「どうやって作ったんで賞」ですよね。

7 ギガント・フロー
jedi-Kou（神奈川県・42歳）

横山:これなんかカッコイイんですけど。エロいんですけど。ねぇ？
MAX:実はすごい手入ってるんですよね。しかしこれだけ弄ってる作品なのに写真が2枚しか入ってないってのは凄いですよ。思い切りが良いですよ。

8 ブラウフォーゲル
大犬☆太(42歳・大阪府)

MAX:SD系ですね。
横山:はい。すごく良いんですけど、
MAX:職業役人？　役人ってすごくね？(笑)
横山:ほんとね、仕分けしちゃうよ？　こんなことやっちゃうんだったらもう、給料無しだ(笑)。
MAX:ひどいこと言う(笑)。

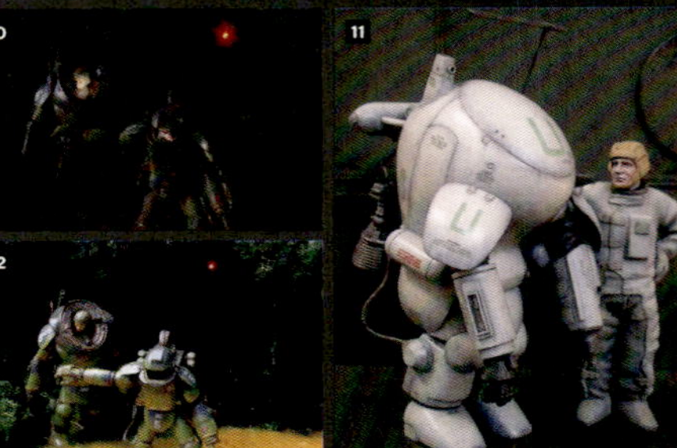

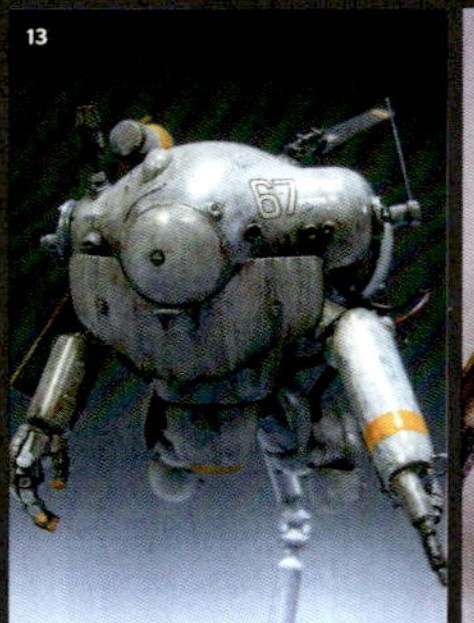

9 OPERATION SUPER HUMMER

10 jewel

11 new ファイアボール KURUKURU (41歳・北海道)

MAX:面白いっすよ、これ。
横山:腕とかファイアボールにチャレンジしようとしたんですね。面白い。服装が凄く良い。

12 RIVER
あに(40歳・愛知県)

横山:アニさんはまた自然光で上手いし。いや〜、やらしいねぇ。いやぁ、うまっ。
MAX:う〜ん、凄いっすよ。
横山:げえ！　ファルケも上手い。これどうやってやるんだろ。
MAX:ストーリーが付いてます。どんだけ熱があるんだっていう。
横山:本当だ。これはねぇ、犯罪ですよこんなに上手いと。
MAX:どんなコメントですか(笑)。

13 1:20スケール ウェーブ BREMSE
tev (36歳・大阪府)

横山:これね、水木プロのほうですよね(笑)。
MAX:後ろ振り向いたらドーン！っていそうな感じですね。
横山:境港へぜひこれを(笑)。

14 やはりシャークマウスはかっこいい！
インフィニットジャスティスしおりん(33歳・神奈川県)

横山:いいねやっぱ。マシーネンコンテストになるとさ、もう自分勝手になっていいねぇ。模型はこうでなきゃ。なんかね、牧歌的で良いんですよね
MAX:こういうのが良いですよね。

15 KAUZ
K (41歳・東京都)

MAX:初めて作りましたそうですよ？
横山:面白いなぁ〜。この質感がまた偶然出てるんで凄いけど、へんな剥げた質感面白いね。ありがたいことですよ。

16 P•K•A
下川徳雄(37歳・福岡県)

横山:また懐かしい作り方してて嬉しいですね。
MAX:そうですね。
横山:仏像みたいだね、色とい い。あのせんとくんの作家の人が府中市のオブジェを作ってるんで、せんとくんの顔した銅像がいっぱい並んでて不気味ですよ。

17 水辺の小休止
今部仁司(41歳・山形県)

横山:なんかね、風俗みたい(笑)。
MAX:おい…(笑)。
横山:これ良いよこれ。「風俗で賞」で(笑)。
MAX:良いんですかこういうコメント(笑)。
横山:なんか風俗っぽくて良いやぁ〜。

18 スパイダイバー
水谷哲也(TEAM CHI)(37歳・静岡県37)

MAX:もうとんでもないですよ。これすごいですよ。実はルナダイバーですよ。
横山:置場が無いだろこんなもん作ったらってくらい。
MAX:これでかいですよ〜。これでもかっこよくないですか？
横山:カッコイイ。

19 ポリスグスタフ
田中諒(18歳・大阪府)

横山:このお姉さんのヘアースタイルって、気が弱そうな感じがする。
MAX:気が弱そうですか。
横山:この気の弱さじゃ取り締まれないだろうみたいなとこがちょっと心配なとこだね。

20 砂漠のサメ
インフィニットジャスティスしおりん(33歳・神奈川県)

横山:これなんかケロロ軍曹の顔みたいで。この口が一回閉じるとこが面白いんで、こういうデカールの張り方も表情が付くんだね。
MAX:しかしこのグリーン凄いですよね(笑)。
横山:水球のゴールキーパーみたい(笑)。

21 出撃前整備の終わったSAFSと記念写真
kakky(39歳・神奈川県)

横山：シルバーってのがなんかいいですね。ドイツ軍みたい。「改造しちゃいかんの精神で作りました。無改造です」。州平ちゃんの一言がここまで残ってるのかなぁ。
MAX：シルバー新鮮ですねぇ～。

22 バッタ
アーフ(30歳・東京都)

MAX:30歳トラックドライバーですよ。
横山:えらいよね、とにかく。やっぱりトラックドライバーっていう職業柄か色んなパーツをつけている感じが、職業に現れてますよ。いいですよ。

23 奴が降りてきた

24 奴がやってくる
KAMEZIN(52歳・京都府)

横山:アラウンド還暦、アラ還ですね。我々と同世代ですね。
MAX:この人ホント、色使い好きです。
横山:色使いもほんとセンスあるよ。ガンスすごいよ渡辺さん。
MAX:お～。
横山:「サビが浮いた鉄は美しくないですかね」美しいですよ。ほら。うまい!　ヤバイ!

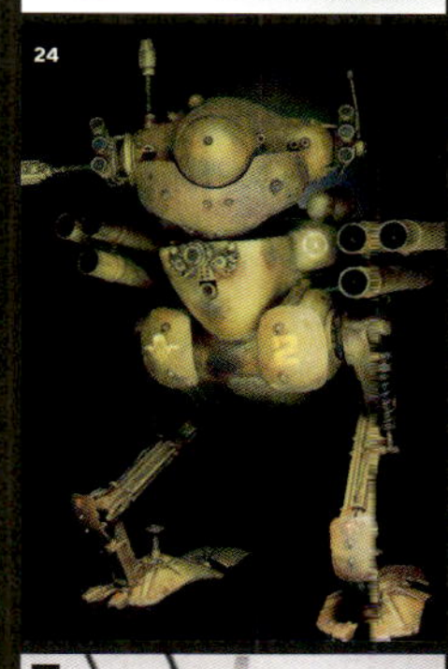

25 M.KROTE(マニュアルクレーテ)
町田悦朗(52歳・埼玉県)

横山:全然どうなってるか分からなくて良いですねぇ。「プラモも塗料もほとんど20年以上前のものです」20年以上前のものそのまま持ってきたのかしら。
MAX:それで送ってくれるんですか。
横山:ありがたいですねぇ。乱暴でいいですねぇ(笑)。

26 スネーク・アイ オープンシェル
タク(41歳・東京都)

MAX:ハッチ開いてて中から人が出てくるシークエンスはカッコイイですね。
横山:「可愛く仕上がってよかったです」って書いてあるけど、顔ホント可愛く仕上がってますよ。上手いわ～。上手いとか下手とか言いたくないけど、楽しんでますよ。

27 SF3Dセミオリジナル 水中特化型フリーゲ マンボウ No.6 (仮)
雨木製作所(50歳・千葉県)

横山:『SF3Dセミオリジナル』っていうタイトルが良いね(笑)。ちょっとだけやるって感じでね。で、スクリューが付いてるのオシリに。
MAX:遊んでますねぇ。

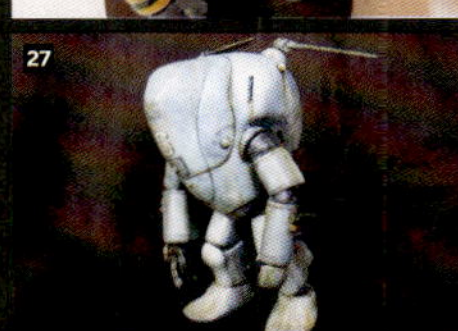

28 カウツ O.R.C.004
ジャッキー (41歳・三重県)

横山:工作机に付いてる塗料が良いですね。いや～工作も面白い。ここら辺でなんか…
MAX:そうですね、燃え尽きてますね。
横山:良いんですそれで。ほら「自由にして楽しめました」ってね。楽しめてるですよこれ、きっと。

29 ルナポーン強化型
中学生モデラー(13歳・愛知県)

MAX:最年少じゃないですか?
横山:良いですねぇ。中学生で生意気なもの使ってるなぁ。まず庭にいって小石とか枝とか拾ってくるとこから始めないと(笑)。

30 ファルケ
平賀誠(40歳・千葉県)

MAX:スタビライザーを折りたためてます。これおもしろいですね。
横山:最近自分もこれでやろうと思ってるんで。もうなんか当たり前みたいになってきましたね。
MAX:良いっすねぇ。上手!

31 arrived!!
SATOKO (41・愛知県)

MAX:このディスプレイすごくないですか?(笑) かわいいです(笑)。
横山:どんなもののコンテストでもこれは出てこないでしょ(笑)。アートですよ～。いや～もうびっくりした。

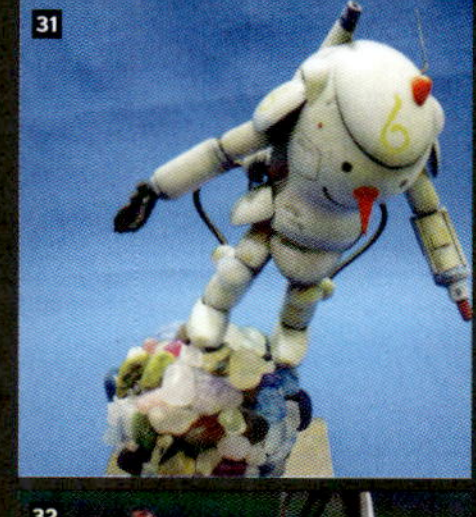

32 凶悪な萌 S.A.F.S
イルカおやじ(37・千葉県)

MAX:おネエちゃんが乗ってるんですよ～。
横山:凄いですね～良いですねぇ。おねぇちゃんもかわいいから良いね。「村田蓮爾賞」をあげよう(笑)。
MAX：(爆笑)

33 SAFS＆Raccoon
ユール(16歳・長野県)

横山:ここが一番良いですね。この古くなったこの…なんだろこれ、農耕器具?
MAX:いやこれPKAなんじゃないですか?
横山:あ、ほんとだ(笑)。さすが渡辺さん、マシーネン詳しいですねぇ(笑)。
MAX:そんなことほめられても(笑)。

34 Snow Monster
積木重雄(38・群馬県)

MAX:ムードでてますねぇ。こういうコントラストで塗れるといいですね。写真かっこよくないですか?
横山:カッコイイですよ、自然光で。また塗りが上手いなぁ。
MAX:うん、上手い。

35 スネーク・ライダー。
(1/20スネークアイ)
無突(39歳・埼玉県)

横山:あ、これ途中まで作ってるの見たことあるよ。この人ね、オッパイが上手いの。キュって。
MAX:絶対こんな風になんないけど嬉しいですよね。「良い乳で賞」で(笑)。

36 長元坊
小山敏彦(40歳・神奈川県)

横山:マーキング無いとさ、ファルケも結構なんだか悪の兵器みたいだね。
MAX:そうですね。ドーンとしてて。
横山:これ黒く塗ると『バットマン』のなんかにできそうだねぇ。はねの形をバットマンのものにして『バットマン』好きのフリしてそういうの作ろうかな。
MAX:フリするんですか(笑)。

37 新種発見!
ミケモ(47歳・新潟県)

MAX:こういう装備が付いてて、こういう風な背景になるとホントになんかそういうところを探検してる風な絵になりますよね。
横山:ホントに汎用性のあるスーツだったんだね。ワシ天才だね(笑)。

38 SurfMAN
ミナト(35歳・和歌山県)

MAX:これウェーブの商品なんで波とウェーブってことで。
横山:かけてるのかな?　しかもペンネーム「ミナト」って書いてあるからお前海好きだろ!?(笑)
MAX:絶対好きですね(笑)。
横山:いや～、海好きでしょうっていうことで加山雄三で賞をあげようか。

39 II/20 PKA-Nixe
KGB(38歳・滋賀県)

MAX:Nixeですよ。
横山:ホントだNixeだ。源蔵君、お買い上げありがとうございましたっていっとかないと。KGBの方がお買い上げになりましたんで(笑)。
MAX:(爆笑)。
横山:名前で楽しませていただきました(笑)。

40 グリュームラルム
東山元三郎(43歳・千葉県)

横山:敵も味方もないですねぇ。なんていうどういうコンセプトなんでしょう。
MAX:なんか塗ってありますねぇ。
横山:カベに塗るやつじゃないですか?　いいねぇ。現代アートですよ。

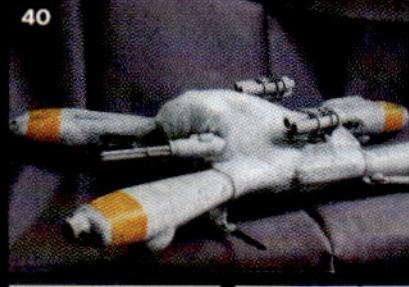

41 女戦士
スイフトワークス(43・東京都)

横山:めがねっ子ですよ。ちょっと内股にしてますね。こういう色になると途端にやらしくみえてくる。
MAX:そんなことを(笑)。
横山:これね、良いですよ、上手いですよ。

42 宇宙用 HAFS

43 ファルケ 空母運用型
OVER-Q (34歳・神奈川県)

MAX:これちょっと僕好きなんですけど。ちょっと気に入った。カッコイイ。
横山:ちょっとさ、紅蜘蛛とか小林くんがデザインしたコンセプトとかに似てる。これじゃあ…小林誠で賞に。
MAX:小林誠で賞で決定で(笑)。

44 傭兵軍現地工作員
シュン(30歳・埼玉県)

横山:ブルーも綺麗だし上手いな。
MAX:上手いですね。
横山:塗装みんな上手いよね。なんでこんなにみんな上手に塗れるんだろう。ディオラマのまとめ方とかも上手いですし、すごいわ。困ったなぁ。

45 ケトル
棚夫(44歳・香川県)

横山:かわいいですねぇ。急須に似てるな。ケトルというより。急須にしたほうが良いよね。
MAX:じゃあタイトル変えましょう。
2人:急須(笑)。
MAX:僕、結構上手いと思いますよ。
横山:上手いよねぇ。まとめ方もねぇ。

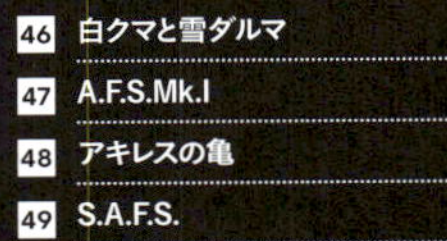

46 白クマと雪ダルマ

47 A.F.S.Mk.I

48 アキレスの亀

49 S.A.F.S.

50 獣

51 S.A.F.S.
Shyon (30歳・千葉県)

横山:「一カ月毎日塗りました」。えらい!! 毎日塗ると楽しいでしょう。やればやるほど細かいタッチが入っていってね。逆に言うとメリハリがなくなるんだよね。
MAX:そういもんですか。
横;筆が入りすぎるとねどうも調子がつぶれちゃうんですよ。絵もそうなんだけどね。明度差がなくなってくんですよ。
MAX:むしろ?
横山:むしろ。そっからは明度差を作っていくようなそういうとこを勉強していくといいんだけど、そういうのも詳しくステップおいて説明していくから待ってて。

52 SNAKE EYE
guri (39歳・兵庫県)

横山:普通にかわいいですよ。普通に綺麗ですね。これ完成品作って売ると結構売れますよ(笑)。
MAX:テロンとしてて。
横山:そう、デカール貼ってクリア一吹くってのはさ、面白いんだよね。研ぎ出しって模型の1つの楽しみだよね。

53 SHOW PAWN(消防〜ン)

54 試作偵察AFS.USA.PAWN (うさぴょん?)
今部仁司(41歳・山形県)

横山:あ、消火器ね。
MAX:そうか、思いっきり消火器の色だ。
横山:模様も消火器だねぇ。いいですよ。大人なのに小坊(消防)っていう賞のはどうですか?(笑)
MAX:ちょっと難しかったですねぇ(笑)。

55 F14部隊
時星(42歳・愛知県)

横山:「日東のキット完成できて良かったね賞」ですね。これはえらいね。苦労したことをコメント欄に描かないのがね。つまり楽しんでるってことですね。
MAX:旧キットは味わいがあって良いですね。僕もこっちも好きですよ。

56 DINNER
橋本英俊(千葉県)

MAX:イエサブのメルジーネコンテストでホビージャパン賞だそうですね。
横山:はい見ました! これ不気味なオヤジが横に立ってるんですよ。鉄パイプを持ったハゲオヤジが(笑)。ワシ好きだから何度みても楽しいから嬉しいんですけど(笑)。

57 1/144 P.K.A
AKITO (44歳・兵庫県)

横山:100円大きいねみたいな(笑)。よく作れるなぁ。
MAX:米粒に字書いちゃうような人ですね。
横山:ヒートプレスで作ったんだって、キャノピー。すっごいなぁ。上手いなぁ、というか趣旨が違って良いねぇ。こういうお土産ほしいよね。

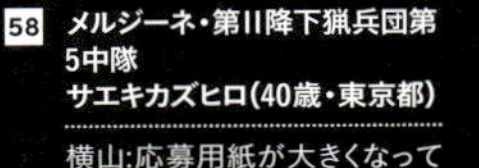

58 メルジーネ・第II降下猟兵団第5中隊
サエキカズヒロ(40歳・東京都)

横山:応募用紙が大きくなってありがたいですねぇ、老眼の我々にとっては(笑)。チッピング上手いネェ。
MAX:これは僕のやり方を真似たって描いてありますね。
横山:上手いですねぇ、ヤバイですよ。カッコイイし。

59 ザ☆kow-P
スギヤMA (36歳・埼玉県)

横山:平田英明くんのガレージキットですね。
MAX:下からのライトが凄いんですけど。
横山:平田くんに見せてあげたいですね。これ魔よけに最適なんでぜひみなさん(笑)。

60 「あかん、完全に迷ったわ」
jyoan(30歳・栃木県)

横山:なんですかこのパーツ?
MAX:これはね、ゲルググ14Bの高機動型のバーニアでしょ?
横山:じゃあその「高機動型バーニアで賞」で(笑)。
MAX:(爆笑)。
横山:ワシがガンダム知らないと思ってなめてるな。渡辺君がいるんだぞみたいな(笑)。

61 ミクロマン強化スーツ1

62 ミクロマン強化スーツ2

63 ミクロマン強化スーツ3
健竹史(42歳・広島県)

MAX:すっごいのきましたけど。
横山:なるほど。この前KATOOくんが持ってきた。持ってるんだ。
MAX:持ってるってことですよこれ。
横山:まさに「ミクロマンで賞」だね。素晴らしい。

64 休息
Tama-06 (24歳・大阪府)

MAX:このシチュエーション人気あるんですね。
横山:『Ma.K.B.D.』に描いてあるから。しかもハセガワのキットで作れるからいいですよこれ。
MAX:初ディオラマ、上手!

65 エディの夢は朝ひらく
Cuz (44歳・茨城県)

MAX:ちょっと待って。もしかして歩くの!?
横山:すごいね。これちょっと見たいねぇ。動くこと動画でね。Youtubeにアップしてもらって。
MAX:ディスクじゃなくてYoutubeなんだ(笑)

66 AFS Mk.I (間接視認)

67 偵察機DORIDIDAE
NCC1701 (39歳・愛知県)

横山:ちょっとミクロマンなウェイトになってますが。シールドだ、シールド。
MAX:これいいじゃないですか。
横山:偵察機もかわいいねぇ、カッパみたいで。カッパ好きなんで。なんか…「士郎正宗賞」をあげたい。
MAX:(笑)。
横山:色綺麗。真似しよ。
MAX:これいただきですよね。

68 MERMAID BENEFITS

69 Zanzara
kazetanuki (43歳・東京都)

横山:メルジーネのサイドに穴があるとカッコイイねぇ。
MAX:これカッコイイです! しかも2つも作ってる!
横山:あ! メルジーネのジェリーみたいな、メルジェリー?
MAX:それ的な。頭ドッコーンってしといてこう空いてるのちょっと斬新ですよね。
横山:デザインがカッコイイですよ。ディオラマもなんか良い感じ。
MAX:この人相当カウツが好きなんですね。
横山:カウツ好きだね。カウツっ子。

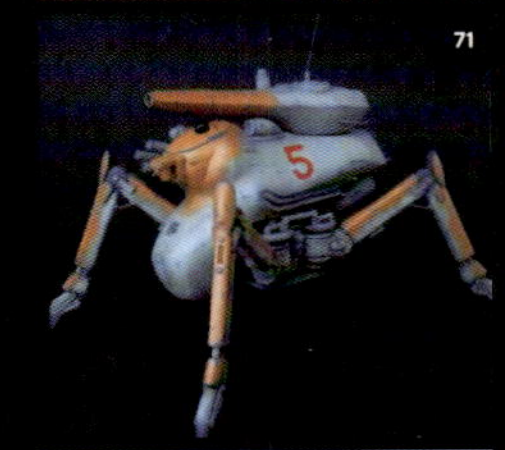

70 アルファロメオ顔のコング
恒乃啓(40歳・千葉県)

MAX:カッコイイですね。
横山:しかも動きそうだし。そのまま。
MAX:カッコイイ…。
横山:欲しいでしょ?
MAX:欲しいです(笑)。

71 ヤクトグラジエーター
MokaMoNa (30歳・神奈川県)

横山:あ、綺麗! すごいね。ポルシェの917みたいだね。
MAX:あ、そうですね。
横山:『SF3D』と同時期にやってた宇宙の兵器みたいなやつなんだっけ? あれっぽいよねぇ。あの連載のなとかかんとかっていう賞をあげようよ。
MAX:(笑)。

72 グローサーフント現地改修型
星野遼一(28歳・東京都)

MAX:ん? ガブスレイとギラ・ドーガ改造のグローサーフント? へぇ〜すんげぇ〜!!
横山:ガブスレイってなに?
MAX:『Zガンダム』に出てくるMSです。小林誠的ですね。
横山:やっぱ我々のやったことはこういう風に受け継がれてんだね。上手くまとまるんだね
MAX:これは正しく小林誠賞ですね。僕は好きです!

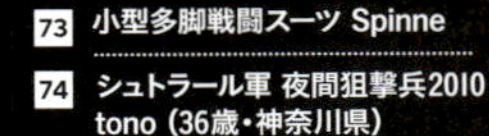

73 小型多脚戦闘スーツ Spinne

74 シュトラール軍 夜間狙撃兵2010
tono (36歳・神奈川県)

MAX:あ〜、これ凄いですね。
横山:『SF3D』連載当時この子を探せってみんなが言ってたんだよね。
MAX:これ凄い!
横山:この人きっとさ、兵隊さんだったかもしんないねって言ってたんだよね。
MAX:いいですねぇ。
横山:ネタ上手いよね。こっちもパンダの乗り物みたい。これもゾイドのシリーズでゼンマイで動くやつね。これ動くんだね。走ったほうが早いだろっていう(笑)。
MAX:ジ〜コジ〜コジ〜コって(笑)。
横山:『稲中卓球部』のパンダの乗り物みたいな。ネタが上手いね。上手い! ってやつだね。ザブトン2枚で賞(笑)。

75 The front of charge
ポカモト(35歳・新潟県)

横山:あ、油絵の具使ってるんだ。
MAX:凄いですねぇ。
横山:上手!
MAX:リビングで作ってたみたいですよ? リビングでの製作を許してくれた嫁さんに感謝みたいな。
横山:「奥さんが偉いで賞」みたいな賞だね。

76 Ambassador
スケキヨ(42歳・兵庫県)

横山:これよく人形見つけたねぇ。マテルのスキッパー。スキッパーの人形を探すことが大変なのに。スネークアイ、マックスファクトリーのやつに乗せてるんですけど。いや、かわいいよ。
MAX:並べて撮りたいですねぇ。
横山:ホントホント。

77 1/20 カングルー G型
リデス(32歳・東京都)

MAX:このカラーリングはちょっと僕からは出てこないです。カッコイイです。
横山:ホントドイツ軍みたいだねぇ。タイガー戦車みたい。しかもさ、日東のキットのグスタフのフィギュアを上手く使ってさ、タミヤの昔の箱絵みたいだね。

80 SAFS(チブマー)

81 SAFS グリレ
もとみや(40歳・茨城県)

横山:これまた独特な…。
MAX:このパーツなんだろ。
横山:チェコのアニメとかに出てきそう。
MAX:もうやりたい放題だ。
横山:めちゃくちゃおもしろいよこれ。もうアートだよ。それこそ『サイレントヒル』に出てきそう(笑)。

82 デブ専用スノーマン
パテ・モリヲ(43歳・東京都)

横山:かわいいですね。
MAX:塗りやたら上手いし。
横山:パテ・モリヲさんですからね。
MAX:(爆笑)。
横山:残念なやつが近くに住んでんだなぁ(笑)。
MAX:めっちゃ近いんじゃないですか?
横山:その辺りなんだったら手伝い来いよ、コンテストに出してないで(笑)。

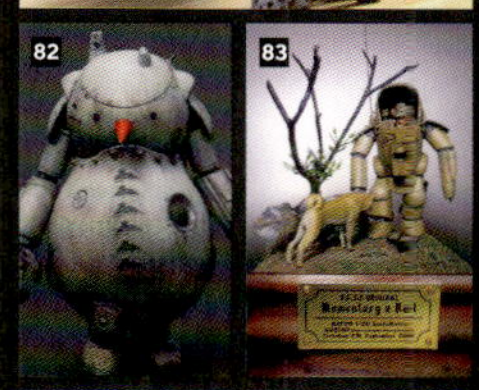

83 Momentary a Rest.
TM (TEAM CHI) (44歳・岐阜県)

横山:あ! お手をしようとしてひねりつぶすという…。
MAX:ええぇ～～!! そういうネタなんですかこれ?(笑)。
横山:いや違うと思いますけど(笑)。怖いんですよこういうの。グチュ!っていきそうで。もちろんそうやってソフトに触るんでしょうけど。
MAX:犬がトゥルとしててなんかいいですよね。こういうのキットであるんですか? キットで。
横山:犬はどうしたんでしょうかねぇ。犬がすごい気になるっていうことで。よろしく(笑)。

84 SAFS
早川茂(TEAM CHI)
(37歳・岐阜県)

横山:もうケロロ軍曹にしか見えないんですけど(笑)。
MAX:それ意識してると思いますよ。こうやって目をでかくすると全然デフォルメキャラみたいに見えちゃうんですね。
横山:カワイイねぇ。デフォルメキャラにオヤジが乗ってるのが面白すぎるよね。

85 ルナボーン
矢野和貴(39歳・福岡県)

横山:まさに商品見本のようなシンプルな作り。
MAX:しっかりしてますねぇ。
横山:あ! 中にアルミテープを貼ってますだって! へぇ～…金吹けばいいのに…。
MAX:そんな(笑)。

86 市街戦
橋本英俊(千葉県)

横山:顔大変なことになってるんですけど(笑)。マリリン・マンソンみたいで面白いねぇ。
MAX:PKA多いんですねぇ。
横山:「写真がすごく気持ち悪くて良いで賞」。これもなんか『サイレントヒル』だね。

87 クレーテ
J-PEI (32歳・広島県)

横山:これやっぱみんな好きだね。ネットにアップしといた甲斐があった。これしかも電飾はいってますよ。
MAX:素晴らしい。
横山:楽しんでるんだね。「楽しんでるで賞」で。

88 H-SAFS
(Space Type) SQEEK
難波徹(TEAM CHI)
(44歳・岐阜県)

横山:なんか凄い大きなベースがあるんですけど。合成ですかね? NHKみたいだ。
MAX:このまま動きそう。
横山:「ためしてガッテン!」みたいな臭いがするなぁ。くだらないとこでパス切ってるのが可笑しいなぁ(笑)。

89 のいすぼった～

90 SAFS ACILLES TYPE A
ぼけちゃん@ランチキンS
(46歳・東京都)

横山:SDノイスポッター。これも水木さんのほうに。
MAX:(爆笑)
横山:ノイスポッターやるとどうしてもゲゲゲの目玉の感じになっちゃうね。
MAX:このフィギュアちょっと鳥肌実みたいな…。

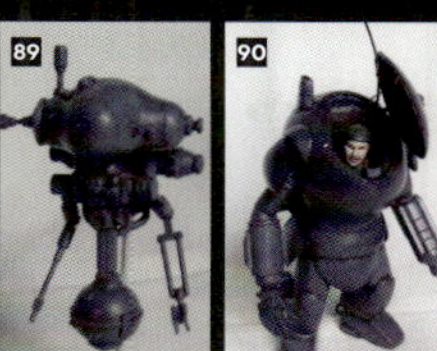

91 十五夜

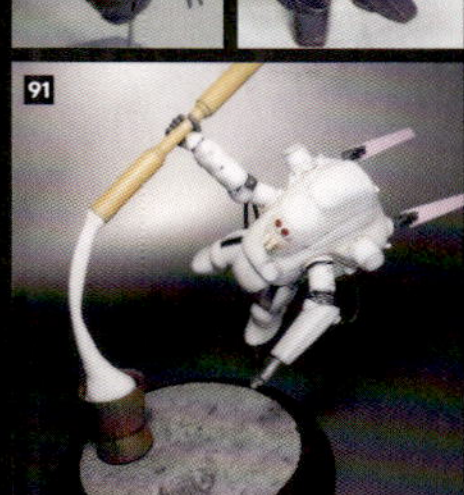

92 OH MY GOD!!
サンディ生田(TEAM CHI)
(45歳・岐阜県)

横山:和なネタですねぇ。
MAX:なかなかでもシャレが効いてますよ。
横山:出た便所!(笑)。
MAX:ついにきましたねぇ。
横山:お～神よ! みたいな紙が無くなったってネタなんだろうけど。人間ウォシュレット。上からおねえさん待ってますみたいな(笑)。いや～すごいなぁ。

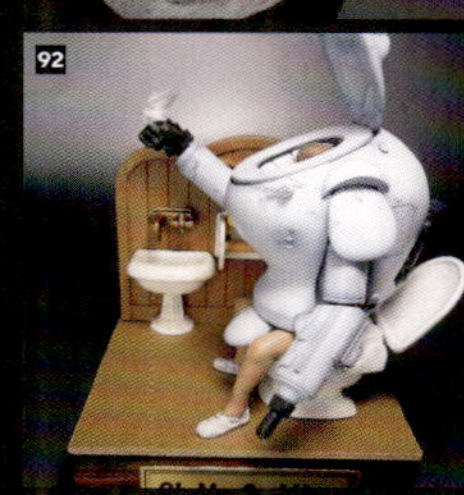

93 回収
本田幹雄(46歳・滋賀県)

横山:綾波好きだねみんなねぇ。社会科見学に来た女学生みたいだ。「エンジンはヤクルトから作り直しました」って。めんどくさいねぇ(笑)。
MAX:だいぶコメントが荒れてきましたね(笑)。
横山:こういうコメント出せるような写真今までなかったですよ、今回。すごくマジで上手いんで。こういう乱暴なやつが出てくると嬉しいですね(笑)。

94 歩く、ステルス
(AFS・ステルス装備)
ワンダー丸(39歳・長野県)

横山:足の裏にゴム張ってるから足音が立たないって(笑)。カッコイイなぁ～! こういうアナログな子供の発想好きですよ。いいですよ。良い大人がこういう子供が考えたことやるのって。
MAX:これ面白いです!カッコイイ!

95 GUSTAV
大津秀穂(40歳・宮城県)

横山:おねぇさんがまたいいよ。ネクタイがあって乳ゾーン見えてるみたいな。みんな大好きな(笑)。
MAX:そうなんですか(笑)。
横山:「20年の時を経て完成」つまり20年前のキットを仕上げたと。もういろいろ色んなこととも沢山知って(笑)20年間のそういう達成感がある表情だもんね。到達した! みたいな(笑)。

96 ファルケ
roadster(42歳・長崎県)

MAX:うわ、飛んでる!
横山:投げたんですかねぇ?
MAX:そのコメント最高!(爆笑)
横山:「投げて撮りました」って書いてます(笑)。
MAX:ホント!? うそぉー!?
横山:そうだよねぇ、やっぱ投げるしかないよね。ワシと一緒で馬鹿野郎ですね(笑)。
MAX:いやすげぇなぁ…でもちょっと出来すぎなんだよね。
横山:ホントのこと言ってみろっていう賞で(笑)。ちょっとお前投げにこいっていう(笑)。
MAX:ワシの作ったもの投げてみろって?(笑)。

97 Potato-Hopper
宝美堂(38歳・神奈川県)

横山:ルナボーン、こうなりますか。
MAX:ホント違うものになっちゃってます。そういう意味ですごいよね。
横山:へぇ～。面白い凄い工作技術だよね。
MAX:頑張ってますネェ。
横山:ほんとに面白がってるんだろうね。

98 Autumn Leaves
ree-yokoyama(38歳・兵庫県)

横山:泣いてる女の子のオブジェがすごく彫刻ぽくて、NHKとかの「みんなの歌」の…。あ、reeさんだ。
MAX:知ってる人?
横山:もちろん。知ってる人ばっかですから。「映画のワンシーンのような作品をめざしました」。お前、狙ってんだろ? 賞を(笑)。いいですよね。
MAX:すごくいいですね。

99 グラジエーター
スクリーミン スケルトン
tin (39歳・埼玉県)

横山:グラジエーターのあそこに描くのいいですよね。
MAX:ここに絵を描いちゃうのは絶対アリですね。
横山:もっとリアルなワシの顔を描いてみようか。
MAX:いやホントやめてください(笑)。
横山:キット化されたらデカール入れようかね(笑)。

100 SAFS 後方支援仕様機
加治剛(29歳・東京都)

MAX:ワンパーツでこれだけ変わるってのが面白いですよね。
横山:良いね。ボトムズみたい。マッドマックスのさ、女王がいたところ…。
MAX:サンダーなんとかですね。
横山:サンダーなんとか。これじゃあ…「マッドマックスサンダーなんとか賞」。
MAX:「サンダードーム賞」ね(笑)。

101 原点回帰
田原淳司(38歳・福岡県)

横山:亀田興毅みたいですよ(笑)。
MAX:じゃあ「亀田興毅賞」でいいですか?
横山:(笑)。
MAX:これ日東のなんですよ。
横山:みんなさ、日東のキット上手に作れるようになったんだね。続けてて。当時だったら無理だよね。
MAX:すごい勢いでレベル上がってる。
横山:だって長いもん。中坊だったのが今子供いるんだから。中学生くらいの。

102 旅に出ちゃおう
(戦争なんてやめて…)
エチ後屋2 (38歳・愛知県)

横山:おねぇさんがクレーテに乗って旅に出るっていう。ちょっとあの、今だったら上戸彩ちゃん主演で。昔だったら夏目雅子がやりそうな。
MAX:どうしてですか?(笑)。
横山:そういう西遊記的なものは夏目雅子みたいな。
MAX:あ、西遊記からきてるんですね。
横山:遠すぎてわかんないよね(笑)。

コンテストを終えて

横山:総評的なこととなると、みんな上手くなってるんで、ちょっとつまんないなぁ(笑)。でもホントになんかねぇ。同じ人達が同じように同じことを続けていくってのはやっぱすごいことだなぁって思うんで、先生負けませんよ? っていう。

MAX:辞めずに続けるっていうのが見られるわけじゃないですか? ね。ホント長いこと何作も何作も続けているってのがあるってことなんで、『Ma.K.』は凄いなぁって思います。すっげー楽しかったけど、めっちゃくちゃ疲れました(笑)。もうね、なんか色んなものが入ってきちゃった。作ってる人の思いが入ってきちゃって、もうクッタクタです(笑)。

Ma.K. in SF3D ARCHIVE
2010.3 - 2011.2 vol.1

AUTHOR & MODELING
MAX渡辺 MAX WATANABE

AUTHOR & MODELING & SUPERVISOR
横山宏 Kow YOKOYAMA

EXPLANATION
KATOOO[レインボウエッグ] KATOOO[rainbow egg]

MODELING SUPPORT
鈴木孝 Takashi SUZUKI

COVER & PAGE DESIGN
高梨仁史[debris.] Hitoshi TAKANASHI[debris.]

PHOTO
本松昭茂[スタジオアール] Akishige HOMMATSU[Studio R]

EDITOR
伊藤大介 Daisuke ITO
KATOOO[レインボウエッグ] KATOOO[rainbow egg]

ASSISTANT EDITOR
今井貴大 Takahiro IMAI

SPECIAL THANKS
マックスファクトリー Max Factory
スノウマン Snowman
ウェーブ Wave
ハセガワ Hasegawa
レインボウエッグ rainbow egg
イエローサブマリン Yellow Submarine
アートボックス Artbox
浅井真紀 Masaki Apsy
Lincoln Wright Lincoln Wright

「ホビージャパン・モデルグラフィックス
合同マシーネンクリーガー模型コンテスト」参加者の皆様

2018年3月30日 初版発行

発行人 松下大介
発行所 株式会社ホビージャパン
〒151-0053 東京都渋谷区代々木2-15-8
電話 03(5304)7601(編集)
03(5304)9112(営業)
印刷所 大日本印刷株式会社

乱丁・落丁(本のページの順序の間違いや抜け落ち)は購入された
店舗名を明記して当社パブリッシングサービス課までお送りください。
送料は当社負担でお取り替えします。
但し、古書店で購入したものについてはお取り替えできません。

Printed in Japan
ISBN 978-4-7986-1660-5 C0076